U0352942

选 矿 手 册

第 八 卷

第 一 分 册

《选矿手册》编辑委员会

北 京

冶 金 工 业 出 版 社

2009

内 容 简 介

本分册是依照《选矿手册》编辑委员会拟定的编写大纲的要求编写的。内容包括有：铜的选矿、铅锌多金属矿选矿和镍矿选矿。

书中系统地介绍了国内外铜矿选矿实践 27 例，铅锌多金属矿选矿实践 19 例，镍矿选矿实践 14 例，并附表列出了国内外 248 个有关选矿厂的工艺流程及技术经济指标，插图 118 幅。

本书是一部工具书，可供初、中级以上选矿科技人员使用，亦可供有关大专院校选矿师生参考。

本分册除主编、副主编外，参加撰写人员还有：（镍的选矿部分）李学博、曲辄、初学成和汪德忠等。最后由杨忠威对全稿作了整理。

图书在版编目（CIP）数据

选矿手册. 第八卷. 第一分册/《选矿手册》编辑委员会编. ——北京：冶金工业出版社，1989.10（2009.4 重印）

ISBN 978-7-5024-0459-8

Ⅰ. 选… Ⅱ. 选… Ⅲ. 选矿—手册 Ⅳ. TD9-62

中国版本图书馆 CIP 数据核字（2007）第 011774 号

出 版 人　曹胜利
地　　址　北京北河沿大街嵩祝院北巷 39 号，邮编 100009
电　　话　(010)64027926　电子信箱　postmaster@ cnmip. com. cn
责任编辑　王之光　美术编辑　李　心　版式设计　张　青
责任校对　刘　倩　责任印制　李玉山
ISBN 978-7-5024-0459-8
北京百善印刷厂印刷;冶金工业出版社发行;各地新华书店经销
1989 年 10 月第 1 版，2009 年 4 月第 5 次印刷
850mm×1168mm　1/32;14.375 印张;367 千字;435 页;11001-13000 册
45.00 元
冶金工业出版社发行部　电话:(010)64044283　传真:(010)64027893
冶金书店　地址:北京东四西大街 46 号(100711)　电话:(010)65289081
（本书如有印装质量问题,本社发行部负责退换）

《选矿手册》编辑委员会

主 任 委 员：张卯均

副主任委员：胡为柏　童国光

编　　　委：（按姓氏笔画排列）

王　岚　　王永德　　石大鑫　　丘继存　　刘广泌

刘正适　　朱家骥　　余兴远　　沈志诚　　沈建民

汪淑慧　　李毓康　　罗中兴　　苏仲平　　吴威孙

胡熙庚　　陶　敏　　黄大雨　　夏珠荣　　赵涌泉

秘　　书：赵涌泉

责任编辑：王迺琳　　黄淦祥

本分册主编、副主编

第三十二篇第一章　铜的选矿

主编：钱　鑫

第三十二篇第二章　铅锌多金属矿选矿

主编：东乃良

副主编：李凤楼

第三十二篇第三章　镍的选矿

主编：刘振中

副主编：孙　籍

前　言

　　我国是世界上矿产资源比较丰富、矿物种类众多的国家之一。在辽阔的国土上，蕴藏着多种多样的有色金属、黑色金属、稀贵金属矿产以及化工、建材等非金属矿产。这是发展我国国民经济的雄厚物质基础。

　　我国的矿产资源，多数矿石的有用组分含量较低，矿物组成较复杂，必须经过选矿才能提高有价成分含量，改善质量，将复杂共生矿中的多种矿物分离，以适应市场商品规格或下一步加工技术的要求。

　　选矿是改善矿物原料性质的经济有效方法。当前，我国每年有近亿吨的有色金属矿石和约一亿五千万吨黑色金属矿石在冶炼前几乎全部需要选矿；化肥生产所需的磷、硫矿石以及建材等非金属矿石，也多半经选别后才能进一步加工或作为商品。可见，选矿在发展矿物原料工业中具有重要的地位。

　　新中国成立以来的三十多年中，选矿事业随着矿物原料工业的突飞猛进而迅速发展。全国大型重点选矿厂近千个，中、小型选矿厂星罗棋布；设置选矿专业的大专院校有二十多所；部、省属科研、设计院所有百余个；从事选矿事业的科学技术人员不下十万人，建立了一支完整的选矿科技队伍。在这三十多年的科研、设计、生产实践过程中，充实了理论，革新了工艺，增加了选矿药剂品种，创造了独特的重选设备，有益元素的综合利用取得了许多颇有成效的进展，形成了符合我国矿产资源特点的选矿技术。一些难选矿种的选矿技术已进入世界先进行列，如锡、钨细泥的处理等。选矿技术水平不断提高，应用领域不断扩大。

　　为了提高我国在选矿科研、设计、生产方面的水平和总结经验，推动选矿事业的进一步发展，中国金属学会选矿学术委员会于 1983 年 8 月决定组织编写我国第一部选矿专业大型工具书——《选矿手册》，由选矿学术委员会组成《选矿手册》编辑委员会主持编写工作，并成立了相应的编写组。参加撰写工作的有国内具有几十年教学、科研、设计、生产经验的专家、教授、高级工程师、工程师几百人。在整个编写过程中实行三级审核规定，严格贯彻"主编责任制"和"编辑委员会最终审定制"。

《选矿手册》共分八卷、三十七篇，按十四个分册陆续出版。全书出版字数约为 450 万字。考虑到选煤另有专著，本《手册》不包括煤的洗选。《选矿手册》的内容有：总论、选矿前准备、选矿方法及选矿药剂、产品处理及辅助作业、取样、试验技术与选矿过程检测、数模和工艺过程控制、选矿厂设计、选矿实践等。

《选矿手册》是一部供初、中级以上选矿工作者及有关人员使用的工具书。编入了较成熟的选矿理论、方法、工艺、药剂、设备和生产实践，内容丰富、实用性强。本手册参阅了国内外上万篇文献，收集了上千个厂矿的生产实践资料，理论与实践兼备，以实践为主，选材以国内为主，同时辅以典型的国外资料，体现了近代选矿科学技术水平，是一部具有中国特色的《选矿手册》。

在《手册》编写过程中，得到了冶金工业部、中国有色金属工业总公司、化学工业部、国家建筑材料工业总局、地质矿产部、核工业部等及其所属的二十多个有关单位的大力支持，并得到了中国金属学会、中国有色金属学会、中国有色金属工业总公司生产部、化学工业部化学矿山局、鞍钢矿山公司及所属东鞍山烧结总厂、齐大山选矿厂、大孤山选矿厂、弓长岭选矿厂、矿山设计院、矿山研究所、中国有色金属工业总公司广州分公司等的积极资助，在此，表示衷心的感谢！

《选矿手册》编辑委员会

《选矿手册》总目

MINERAL PROCESSING HANDBOOK
CONTENTS

第八卷　第一分册目录

32　有色金属选矿实践

Volume 8—Part 1

Contents

32　Processing of Non-ferrous Metal Ores

32 有色金属
选矿实践

32.1 铜的选矿

32.1.1 绪论

32.1.1.1 铜的性质及用途

A 铜的性质

铜是一种性质柔软的金属，莫氏硬度为 3。纯铜在 20℃ 时密度为 8.89 克/厘米^3，商品铜因加工方法和杂质含量不同密度也不同，一般为 8.3~8.89 克/厘米^3，熔融铜的密度为 8.22 克/厘米^3。纯铜具有高度的延展性，容易锻压，既可压延成很薄的铜片，也可拉成很细的铜丝。铸造铜或冷拉铜的抗张强度为 42~50 千克/毫米^2，经退火处理后则减低至 21~28 千克/毫米^2。

铜的熔点为 1033℃，熔化热为 205.15 焦/克，沸点通常为 2310℃。若将铜在空气中加热至 700℃，有挥发现象，接近熔点时，便挥发。但是普通熔炉中，铜很难挥发，所以铜熔炼时因挥发而造成的损失不大。液体铜的热容为 31.4 焦/（K·克原子）或 0.452 焦/（K·克）。

铜的导热率略低于银。若把银的导热率作为 1，则铜为 0.736。导热率与铜本身的组织纯度和温度有关；经延展处理的铜导热性较铸铜更好，但杂质的存在及温度的增加使导热率减低。

纯铜是电的良导体，其导电率仅次于银，但远远超过所有其他金属。铜的导电率与其长短、粗细、组织、纯度及本身温度等都有关系。凡短、粗、晶粒大、品质纯且温度又低的铜件，其导电率最高，反之则低。微量的杂质，对铜的导电率有决定性影响，砷和锑是精炼铜中常含有的杂质，对铜的导电率危害极大，0.0013% 的砷或 0.0017% 的锑，可使铜的导电率降低 1%。

虽然铜在干燥空气中不起变化，但在有二氧化碳存在的湿空气中，其表面便生成一层有毒的铜绿，成分是碱式碳酸铜 [$CuCO_3Cu(OH)_2$]。但在空气中加热至 185℃ 以上时，即开始氧化，并于 200℃ 变为玫瑰色，300℃ 成黄铜色，350℃ 成蓝绿色，在 365℃ 以上则显暗色。铜在赤热时会发生一层黑垢覆盖其上，垢的外部由黑色 CuO 组成，内部则为 Cu_2O；此垢可借弯曲及淬火处理与铜分离。

在电位次序中，铜位于氢之后，不能从酸中置换氢。盐酸及稀硫酸与铜不起作用，但有空气中的氧存在时，铜则溶解并生成相应的盐。铜能与氧、硫、卤素等元素直接化合，在常温下作用缓慢，加热时剧烈。铜能溶于王水。

B 铜的用途

铜是一种重要的有色金属，近些年来铜的用途越来越广泛，在现代许多工业部门中，铜已经成为不可缺少的金属，它的应用仅次于钢和铁。

铜的导电率高，仅次于银，而铜的价格较银低廉，因此铜在电器，电子技术，电机制造等工业部门中应用最广，用量最大。铜的导热性能好，在金属中，仅次于银和金居第三位，其导热率为银的 73%，因此常常用铜来制造加热器，冷凝器，热交换器等。铜的延展性能好，易于成型和加工，因此在飞机、船舶、汽车等制造业多用来生产各种零部件。铜的耐蚀性较强，盐酸和稀硫酸与铜不起作用，因此在化学、制糖、酿酒工业中多用铜来制造真空器、蒸馏器，酿造锅阀门、管道等。

铜能与锌、锡、铝、镍、铍等许多金属组成各种重要的合金。铜与锌的合金（黄铜）以及铜与锡的合金（青铜）广泛地应用在各种工业部门，尤其是在机械工业中用来制造轴瓦、活塞、阀门、油管、热交换器等各种零部件。

铜与铝可以各种比例组成合金，其中以铜为主的合金叫铝青铜，铝青铜抗震性强，可用来制造需要强度及韧性的铸件。这种合金的另一优点是比黄铜或锡青铜要轻 10%～15%。

在铜和镍的合金中，最著名的是含镍 67%、含铜 33% 的蒙乃尔合金。此种合金以抗蚀性强著称，而且即使把它加热至高温，其强度仍可保持极大限度。因此，蒙乃尔合金比任何其他铜基合金或普通铜都更优良。这种合金主要用于阀、泵、高压蒸汽设备及其他许多器具的制造。

含铍的铜合金，其机械性能超过高级优质钢，有良好的导电性，广泛地用于制造各种部件、工具和无线电设备。

32.1.1.2 铜的矿物及矿床

A 铜矿物的种类

天然产出的含铜化合物即铜矿物总计有 200 余种，其工业价值及分布状态各不相同。常见的有工业价值的铜矿物大致有 15 种左右，如表 32.1.1 所列。由于铜具有强烈的亲硫性，从岩浆源到次生富集带的各个富集阶段，铜的硫化物均占首要地位。在世界上有工业价值的铜矿石产量中，有 80% 的铜矿物是属于硫化物，而其中大部分是辉铜矿，其余为黄铜矿、斑铜矿、黝铜矿和蓝铜矿。自然铜产量仅占 10%。其余的 5% 为氧化物，如孔雀石，蓝铜矿，硅孔雀石，水胆矾，氯铜矿等。

B 铜矿床的工业类型及其分布

世界上铜矿床的工业类型较多，分类方法也不一，结合我国情况，将主要铜矿床的工业类型列于表 32.1.2。

斑岩型铜矿床（细脉浸染型铜矿）：此类矿床储量大，占世界铜矿总储量的 63.5%。埋藏浅，适于露天开采。但原生矿品位较低，一般含铜为 0.4% ~ 0.7%。此类矿床一般具有显著的次生富集带，深可达 100 米以上，主要矿物为辉铜矿，其含铜品位为 1% ~ 1.5%。伴生矿物为黄铁矿、闪锌矿、辉钼矿、铜-镍综合矿石及金。

苏联这类矿床很多，占苏联铜矿资源的 50%，主要分布在哈萨克斯坦的科温·拉德（Коунрад）。美国、智利和秘鲁这类矿床各占该国铜储量的 80% ~ 90%。我国山西铜矿峪、江西德兴、河北小寺沟等地均有分布。

层状铜矿床：该类矿床是被含铜硫化物所矿化的沉积岩，主

表 32.1.1　有经济价值的铜矿物

编号	矿物类别	矿物名称	英文名称	化学组成	理论成分,%					密度 g/cm³	硬度	光泽与颜色	条痕
					Cu	Fe	S	As	Sb				
1	自然铜	自然铜	Copper	Cu	100	—	—	—	—	8.5~8.9	2~3	铜红色	—
2	硫化物	辉铜矿	Chalcosite	Cu_2S	79.8	—	20.2	—	—	5.5~5.8	2.5~3	铁黑具蓝纹	灰黑
3	硫化物	铜蓝	Covellite	CuS	66.4	—	33.6	—	—	4.6	1~1.2	青蓝-灰	蓝黑
4	硫化物	斑铜矿	Bornite	Cu_5FeS_4	55.5	16	28.1	—	—	5.2	3	青铜色、深蓝	灰黑色
5	硫化物	黄铜矿	Chalcopyrite	$CuFeS_2$	34.5	30.5	35.0	—	—	4.2	3.5~4	黄铜色	绿黑
6	硫化物	黝铜矿	Tetrahedrite	Cu_3SbS_3	46.7	—	23.5	—	29.8	4.4~5.1	3~4	灰黑	灰黑
7	硫化物	砷黝铜矿	Tennantite	Cu_3AsS_3	52.7	—	26.6	20.7	—	4.37~4.49	3~4	钢灰	灰黑
8	氧化物	赤铜矿	Cuprite	Cu_2O	88.8	—	—	—	—	6	3.5~4	浅红-灰	桃红发光
9	氧化物	黑铜矿	Tenorite	CuO	79.9	—	—	—	—	6	3~4	黑	灰黑
10	氧化物	蓝铜矿	Azurite	$2CuCO_3 \cdot Cu(OH)_2$	69.2	—	—	—	—	3.8	3.5~4	深蓝	蓝
11	氧化物	孔雀石	Malachite	$CuCO_3 \cdot Cu(OH)_2$	57.5	—	—	—	—	4	3.5~4	翠绿	淡绿
12	氧化物	硅孔雀石	Chrysocolla	$CuSiO_3 \cdot 2H_2O$	36.2	—	—	—	—	2.1	2~4	绿	浅白
13	氧化物	胆矾	Chalcanthite	$CuSO_4 \cdot 5H_2O$	25.5	—	—	—	—	2.2	2.5	蓝	蓝
14	氧化物	水胆矾	Konigite	$CuSO_4 \cdot 3Cu(OH)_2$	26.2	—	—	—	—	3.9	3.5~4	绿玉	绿
15	氧化物	氯铜矿	Atacamite	$Cu_2(OH)_3Cl$	59.5	—	—	—	—	3.76	3~3.5	深绿	浅绿

表32.1.2 铜矿床主要工业类型

矿床类型	矿床特征				主要有益组分（及品位）	伴生有益组分	矿床工业评价		矿床成因	矿床产地
	围岩及蚀变	矿体形态	矿物成分	矿石结构构造			规模	工业品位		
斑岩型铜矿床	产于中酸性斑岩顶部舌状突出部位及其围岩中(绢云母化、硅化、绿泥石化)	垂直柱状、圆锥状、扁平圆盘状	黄铜矿、斑铜矿、辉铜矿、黄铁矿、石英、绢云母、绿泥石、黑云母方解石等	细脉状、网脉状、浸染状	铜含量较低一般<0.8%，次生富集带可高达20%Cu	有Mo，有时有Au，Ag等	巨大型	硫化矿采0.5%Cu，露采0.4%Cu，氧化矿0.7%Cu	汉化火山沉积及沉积变质	美国、秘鲁、智利、苏联、我国江西、河北省等
层状铜矿床	白云岩、白云质灰岩、(硅化白云石化、绢云母化、绿泥石化)	层状透镜状(沿层分布)	辉铜矿、斑铜矿、黄铜矿和少量黄铁矿等	浸染状、马尾丝状、网脉状、细脉状	铜含量为2%~3%，最高可达7%		大型		沉积及沉积变质	苏联的哲兹卡兹干、赞比亚，我国的云南、山西省等
黄铁矿型铜矿床	细碧角斑岩系(绿泥石化、绢云母化、硅化)	透镜状	以黄铁矿为主占95%，含黄铜矿伴有闪锌矿	致密状、网脉状、浸染状	含铜0.72%	Pb,Zn,Au,Ag,Se等	小型到大型		火山沉积	西班牙的里奥廷托、阿根廷的乌拉尔，美国的尤奈特德一维尔德斯拉夫的博尔，我国的甘肃、青海、河南等省

续表 32.1.2

矿床类型	矿床特征				矿床工业评价				矿床成因	矿床产地
	围岩及蚀变	矿体形态	矿物成分	矿石结构构造	主要有益组分(及品位)	伴生有益组分	规模	工业品位		
矽卡岩型铜矿床	产于中性或酸性火成岩和碳酸盐的接触带(具强烈矽卡岩化)	呈透镜状、囊状、简状、脉状等	黄铜矿、斑铜矿、黝铜矿、磁黄铁矿、方铅矿、闪锌矿等		含铜1%~8%	Co、Zn、Pb、稀有金属和Cu	中型、小型、个别大型		热液火山	苏联的北乌拉尔，墨西哥，我国的安徽、河北、湖北、辽宁等省
脉状铜矿床	产于火山岩、古老变质岩和其他各类岩石中(高岭石化、黄青石化、叶蜡石化)	陡倾斜脉状成群出现	黄铜矿、黝铜矿、辉铜矿、黄铁矿、方铅矿、闪锌矿				中型、小型、个别大型			苏联、美国、加拿大，我国各省均有
砂岩型铜矿床	红层中浅色砂岩、页岩和碳质岩	层状、镜状，透入矿体具有一定层位	斑铜矿、辉铜矿、孔雀石、黄铁矿、方铅矿、闪锌矿	胶状结构，细脉状、浸染状构造	含铜1%~3%有的富达26%	Co、Zn、Ge	中型、巨型、大型		沉积	赞比亚-扎伊尔铜带，法国，德国曼斯费尔德，我国云南、湘等省
铜镍硫化物矿床	辉长岩、苏长岩、辉绿岩、橄榄岩(蛇纹石化)	底部边缘矿体，似层状、透入脉状矿，状不规则分支状	磁黄铁矿、镍黄铁矿、黄铜矿、钴矿物和铂族金属	块状、浸染状、斑砾状构造，海绵陨铁结构	含铜1%~2.5%镍2%~4%	Co-Pt族，Au、Ag、Se、Te	中型、小型、个别大型		岩浆熔融	加拿大的萧贝里，德国，我国的甘肃、四川、山东、宁夏、吉林
安山玄武岩铜矿床	安山岩、玄武岩	脉状	自然铜、斑铜矿、黄铜矿、沸石、方解石						火山热液	美国苏必利尔，我国云南、四川、贵州

要是砂岩，并有页岩、石英岩、白云岩等。主要矿物有：黄铜矿、斑铜矿、辉铜矿、孔雀石、蓝铜矿、硅孔雀石，并见稀少的黝铜矿。共生矿物有：方铅矿、闪锌矿、黄铁矿、褐铁矿、赤铁矿、方解石、石英、重晶石等。

矿体层数不定，有的一层，也有的数层，厚的可达 30 米，含铜品位较高，可达 2% ~ 3% 。是铜矿重要的类型。

此类矿床在世界上分布最广，苏联的哲兹卡兹干，非洲的赞比亚，我国云南的东川、易门，内蒙霍各气和山西篦子沟、老宝滩等地均有分布。

黄铁矿型铜矿床：该类矿床常是由许多矿体组成，矿石有致密状、网脉状和浸染状三种，它们彼此常呈条带交错，互相过渡。

矿石以黄铁矿为主，占总量的 95% 以上，其中尚有黄铜矿，伴生有闪锌矿。另外含有金、银、铅、硒等共生元素。脉石矿物为绢云母、绿泥石、石英等。此外氧化带中常有孔雀石、蓝铜矿、胆矾等，氧化带最深为 40 米。

此类矿床约占世界铜矿总储量的 10.2% 。最有名的矿区有：苏联的乌拉尔，西班牙的里奥廷托（Riotinto），美国的尤奈特德-维尔德，南斯拉夫的博尔（Bor），墨西哥的卡纳内亚（Cananea），土耳其的埃尔加尼（Ergani），我国甘肃白银厂，青海红沟，河南刘山岩等地。

矽卡岩型铜矿床：矿床的硫化物是在矽卡岩生成后形成的，矽卡岩起着围岩的作用。此类矿床常有明显的氧化带，由铁帽、孔雀石、黄铜矿所组成；其下部常有次生富集带，由致密辉铜矿、烟灰状辉铜矿所组成。

此类矿床一般品位较高，但储量不大，很少超过中等规模。一般都属于中小型矿床。

此类矿床在苏联、美国、墨西哥均有。在我国分布较广，如安徽铜陵、湖北大冶、吉林天宝山、辽宁华铜、河北寿王坟等。

脉状铜矿床：属含铜石英脉，此脉常穿插在各种岩石中。矿石中主要矿物有：黄铜矿、黄铁矿，其次为闪锌矿、方铅矿、黝铜矿、磁黄铁矿、斑铜矿、辉铜矿等。脉石以石英、方解石、重晶石为主，其次有菱铁矿、绢云母、绿泥石、菱锰矿等。

硫化物占 10%～15% 或稍多，主要为黄铜矿，其次为黄铁矿，石英在其中占 50%～60% 左右。此类矿床品位高，而储量不大。由于脉石以石英为主，而黄铁矿和黄铜矿的颗粒又相当大，故容易选别。

此类矿床分布普遍，苏、美、加拿大均有。我国也分布较广。

砂岩型铜矿床：规模巨大，一般储量能达数百万吨。矿石的主要成分为：孔雀石、蓝铜矿、硅孔雀石、水胆矾、赤铜矿、黑铜矿、自然铜。硫化矿物为量不多，且不是所有矿床中皆有。硫化矿包括黄铁矿、辉铜矿、铜蓝及黄铜矿。

非金属矿物多为造岩矿物，有的是长石、石英等碎屑物，有的是方解石、白云石等胶结物。与成矿作用有关的特殊矿物，则为方解石、石膏，有时还有石盐存在。

此类矿床矿石的含铜品位较高，一般为 2%～4%，最高可达4%～6%，易于选别。

此类矿床分布在苏联、波兰和赞比亚，我国云南大姚、牟定，四川大铜厂，湖南车江等地。

铜镍硫化矿床：此类矿床是岩浆结晶初期形成的，呈致密状或浸染状的硫化物。矿物主要是磁黄铁矿，其次是黄铁矿、镍黄铁矿、铜矿物和铂族金属。这类矿床中的铜居于次要地位，而主要是镍，但铜的品位常达到 1.5% 左右。

属于此类的著名矿床有加拿大的萧德贝里，苏联的诺里尔斯克，南非的希什维尔等地。我国分布在四川的力马河、山东的桃科庄、宁夏的小松山、甘肃的金川、吉林的红旗岭等地。

安山玄武岩铜矿床：此类矿床的含铜矿物往往充填于安山玄武岩的气孔中，呈杏仁状或成砾岩和砂岩的胶结物，有时为短小细脉充填在岩石裂隙中，主要矿物为自然铜，有时有少量自然银，伴生矿物为石英、碳酸盐、沸石、硅钙硼石、葡萄石

$[H_2Ca_2Al_2(SiO_4)_3]$ 等。此类矿床为浅层低温矿床。矿床品位不定，储量不大。广泛分布在美国密执安州苏必利尔湖区，我国的四川、云南、贵州也有。

32. 1. 1. 3　世界铜矿资源及产量

A　世界铜矿储量

近年来，世界各地陆续发现和开发了一些新的矿床，扩大了一些老矿床和利用了一些低品位铜矿，世界铜矿储量有所增长。据美国矿山局 1981 年矿产要览所载，世界已探明的铜金属量为 6. 4 亿吨，其中正在开采的矿山储量为 3 亿吨，正在建设的矿山储量为 5850 万吨。铜矿主要集中在智利、美国、赞比亚、苏联和秘鲁等国。智利、美国和赞比亚三国铜储量约占世界总储量的一半。世界铜矿储量列于表 32. 1. 3。

表 32. 1. 3　世界主要产铜国铜矿储量

国　家	铜金属储量，万 t		占世界铜总储量比例, %	
	探明	工业	探明	工业
智　利	15000	7800	23. 4	23. 5
美　国	9100	8170	14. 3	24. 7
赞比亚	5400	2630	8. 4	7. 9
扎伊尔	3600	1200	5. 6	3. 6
加拿大	3600	2370	5. 6	7. 2
苏　联	3600	—	5. 6	—
秘　鲁	2700	2550	4. 3	7. 7
其　他	21000	8405	32. 8	25. 4
全世界	64000	33125	100. 00	100. 00

在世界已探明的各类铜矿的总储量中，据初步统计，其中斑岩铜矿占 60% 以上，砂岩铜矿占 25% ~ 26%，含铜黄铁矿占 5% 以上，其他类型铜矿占 10% 以下。从各类型铜矿所占比例可以看出，斑岩铜矿，砂岩铜矿和含铜黄铁矿是世界各国铜矿的主要工业类型。但就具体国家而言，情况也有所不同。如美国、智利和秘鲁主要为斑岩铜矿；其储量约占该国铜矿总储量的 80% ~90%；赞比亚、扎伊尔主要为砂岩铜矿；苏联则以砂岩铜矿为

主；其次为含铜黄铁矿；而加拿大主要是铜镍硫化矿。

  B 世界各国矿产铜产量

  目前世界上采铜国家已有 57 个，但资本主义世界主要矿产铜生产国约 11 个（表 32.1.4），其中美国、智利、加拿大和赞比亚为四个最大产铜国，约占资本主义世界矿产铜总产量的60% 左右。除上述四国外，再加扎伊尔、秘鲁、菲律宾和澳大利亚，约占资本主义世界矿产铜总量的 83%。

表 32.1.4 主要产铜国矿产铜产量   （万 t）

国　家	1980 年	1981 年	1982 年	1983 年
智　利	106.8	108.1	124.0	120.4
美　国	118.1	153.8	114.0	106.1
加拿大	71.6	71.8	60.6	62.0
赞比亚	59.6	58.7	53.0	50.0
扎伊尔	46.0	50.5	50.3	48.8
秘　鲁	36.7	32.8	35.6	32.9
菲律宾	30.5	30.2	29.3	29.1
澳大利亚	24.4	23.1	24.5	24.4
墨西哥	17.5	23.1	23.9	22.5
南　非	21.2	21.1	20.7	20.8
巴布亚-新几内亚	14.7	16.5	17.0	18.2
其　他	54.5	50.5	58.9	62.0
总　计	592.5	640.2	911.8	597.2

  C 世界各国精铜产量

  铜的冶炼方法目前仍以火法为主，用火法从硫化铜精矿生产的铜占世界原生铜的90%。其中反射炉和闪速炉法分别占资本主义世界各种炼铜方法总熔炼能力的52% 和16%，其次是电炉和鼓风炉各占 8.0% 左右，三菱法和诺兰达连续炼铜法正在发展中。

  湿法炼铜主要用于氧化铜矿石和采余废矿，约占总熔炼能力的 10.6%。

  进行铜熔炼和精炼的国家少于开采铜矿石的国家，在资本主义世界大约有 28 个国家炼铜，主要精铜生产国近几年精铜生产情况列于表 32.1.5。

表 32.1.5　主要精铜生产国精铜产量　　　（万 t）

国　家	1980 年	1981 年	1982 年	1983 年
美　国	168.6	199.6	168.2	166.0
日　本	101.4	105.0	107.5	108.2
智　利	81.1	77.6	85.2	83.2
赞比亚	60.7	56.4	58.7	58.0
比利时	37.4	42.9	45.8	40.4
西　德	37.4	38.7	39.4	40.6
加拿大	50.5	47.7	31.2	37.8
秘　鲁	—	20.9	22.5	17.0
其　他	54.0	147.0	154.5	159.4
总　计	691.1	735.8	713.0	710.6

　　由于某些国家和地区矿山生产能力和冶炼能力的不平衡，从而导致铜精矿的大量国际贸易。值得指出的是日本。它的铜矿山产量不到资本主义国家铜产量的 1.0%，而冶炼能力却占 15%；西欧矿山生产能力占 5%，冶炼能力占 9.6%；美国实际上是平衡的，矿山生产能力占 19%，冶炼能力占 17%。

　　近几年世界各国精铜产量，由于需求量的不景气，加之精铜库存量达到空前水平，1977 年库存量超过 230 万吨，1979 年到 1980 年仍有 100 万吨，因此递增缓慢。

　　D　世界各国铜的消费量

　　在铜市场上，铜主要消耗于传送电力和信号用的电线和电缆，其他的用途包括建筑，交通运输和工业设备。大约 70% ~ 80% 的精铜消耗于线材和电缆上，在这方面传统地构成了铜工业的增长部分。另外黄铜工厂也以较低的速度增长，其他方面在过去 20 年间处于静止状态。

　　1983 年，资本主义各国精铜消费量达 680 万吨左右，与 1982 年的消费量相当（表 32.1.6），其中美国增长 15 万吨（9%），英国增长 0.9 万吨（2.5%）；加拿大增长 3.7 万吨（25%）。其他各主要发达国家精铜的消费量普遍下降。

32.1.1.4　铜选矿技术现状

　　铜矿石基本上都要经过选矿，浮选是选别铜矿石的主要方法，重选和磁选也有应用。当前，由于入选矿石品位低、难选的复合矿、氧化矿比例增加，能源和设备涨价再加上环保的限制，致使选矿成本增加，因此铜选厂必须进行工艺改造和应用节能技术，提高矿产资源的综合利用程度，并充分回收伴生的金、银、钼等有价元素。例如加拿大已从铜矿石中回收了镍、钼和锌等共生金属。为提高铜矿石的综合利用水平，应用选冶联合流程是一个重要的发展趋势。例如苏联的胡杰斯克矿山用浮选水冶流程处理含铜黄铁矿回收八种元素，回收率分别为：铜 97%、锌 92%、钴 66%、镉 64%、铁 90%、硫 82%，以及金和银。

表 32.1.6　主要消费国精铜消费量　　　　　（万 t）

国　家	1980 年	1981 年	1982 年	1983 年
美　国	196.8	203.0	166.1	181.1
日　本	115.8	125.4	124.3	120.0
西　德	74.8	74.8	73.1	71.7
英　国	40.9	33.3	35.5	36.4
法　国	43.3	43.0	41.9	38.2
意大利	38.8	36.6	34.2	34.0
比利时	30.4	26.0	27.7	24.5
加拿大	20.9	24.2	14.9	18.6
其　他	160.1	157.0	158.2	151.5
总　计	711.8	723.3	675.9	676.0

A　国外铜选矿现状　　国外的铜选厂虽有几百家，但大型选厂多集中于几个产铜大国，其中，美国有 25 座（占全国矿产铜的 95%），苏联 40 座，加拿大 20 座，赞比亚 10 座。近年来，尽管国外铜的选矿技术没有重大突破，但在选矿工艺、设备、浮选药剂、自动控制及联合流程的运用等方面还是取得了很大的进展。在资源和其他条件允许的情况下，新建选厂规模日益加大，老厂不断扩建增加能力，当前国外铜选厂的特点：

a　选厂规模扩大　　大量开采低品位矿石是当今世界增加铜产量的重要措施，而开采品位在逐年下降。20 世纪 50 年代为 1.85%，

1960 年为 1.33%，1970 年为 1.09%，1977 年为 0.9%；1980 年降至 0.55%。美国在 70 年代兴建的大型铜选厂入选品位多数较低，如西雅里塔选厂入选矿石铜品位仅为 0.32%，日处理矿石 9 万吨。

随着入选矿石品位的降低，国外铜选厂的规模日趋扩大。以美国皮马铜选厂为例，1957 年日处理量是 3500 吨，原矿铜品位为 1.74%，1972 年原矿铜品位降至 0.55%，日处理量增至 54000 吨，扩大了 14 倍。目前选厂日处理量已从万吨级扩大到十几万吨级，在美国 25 座铜浮选厂中，处理量高于 5 万吨的有 6 座；2.5～5 万吨的有 9 座，1～2 万吨的有 5 座，0.5 万吨的有 5 座。世界大型露天铜矿丘基矿，日处理量从目前 8.5 万吨将扩建至 16 万吨。1979 年下半年投产的拉卡里达特铜选厂，日处理矿石 7.2 万吨，年产铜金属 18 万吨。

b 设备大型化 选厂规模的扩大，导致设备大型化，特别是破碎、磨矿设备的规格大型化较为明显。

美国皮马选厂在 1.4（万吨/日）规模的扩建中，采用半自磨-球磨流程以处理中等硬度的矿石，扩建系统选用两台 8500×3600 毫米的自磨机及两台 5000×5800 毫米的溢流型球磨机；平托瓦利铜选厂安装了 5400×6400 毫米的球磨机，每台球磨机与 8 台 660 毫米的旋流器构成闭路。用旋流器代替分级机这是近年磨矿、分级的主要变革。国外把节约能源看成是工业发展的基点，浮选设备大型化在继续发展，大型浮选机在铜选厂中也大量推广使用，目前生产的大型浮选机介于 5～17 米^3 之间，最大的浮选机是加拿大奥皮米斯卡（Opemiske）选厂用的马克斯韦尔（Maxwell），Mx-14 型，其槽容积为 57 米^3。这种浮选机是圆桶形，其特点是功率为一般浮选机的 35%～40%，维修费为其 20%～25%，占地面积和安装费均为其 30%～35%。浮选机除向大型化发展外，还力求进一步提高效率，目前充气搅拌式浮选机发展较快，如丹佛（Donver）D-R 型，波立登 FR 型，阿基泰尔（Agitair）型等。

c 选冶联合流程的应用 为了充分地综合回收有用矿物，发展了联合流程。美国 1975 年建成的湖岸铜矿，日处理硫化矿

9150 吨，氧化矿 6450 吨，年产铜金属 6.26 万吨，其中沉淀铜
3.45 万吨，阴极铜 2.81 万吨。硫化矿在磨矿浮选后得铜精矿经
过焙烧，烧渣送浸出，经澄清和过滤，约含 55 克/升的铜溶液送
电解车间。氧化矿经酸浸后用海绵铁置换为沉淀铜，其原则流程
如图 32.1.1 所示。

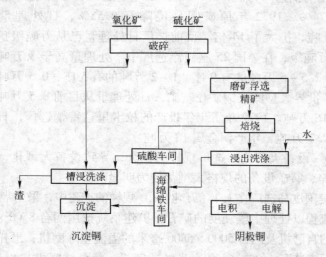

图 32.1.1　选冶联合流程

　　美国的莫伦西选厂将矿石破碎后进行硫酸浸出，浸出液用
硫化物沉淀，得到硫化铜，浸渣部分再进行细磨、浮选回收全部
硫化物。

　　70 年代以来，由于石油和化学工业的飞速发展，萃取法提
铜的工业化生产逐年增加，目前国外已有十几座萃取厂投产。采
用离析-浮选法处理难选氧化铜矿石已有成功的实例，1970 年毛
里塔尼亚建成了一座日处理 4000 吨矿石的阿克朱季特（Acshu-
git）离析-浮选厂，以处理含硅孔雀石高的氧化铜矿石。

　　d　自动化水平高　由于选厂规模和设备的大型化，对自动
化要求也越来越高。据统计，自动化一般可使选厂设备能力提高
10%～15%，劳动生产率增加 25%～50%，生产成本降低 3%～

5%。所以在新建的选厂中大都采用机组或生产工段的自动控制乃至全厂集中控制。80年代以来，计算机控制在美国、英国、加拿大、芬兰、瑞典、澳大利亚、赞比亚和菲律宾等国30多座浮选厂得到了广泛的应用。1980年投产的菲律宾地宗选厂，对入选斑岩铜矿石采用泥砂分选流程，配有现代化的计算机系统。澳大利亚芒特-艾萨（Mount Isa）4号铜选厂用HP2116C计算机控制磨矿回路，在粒度不变的情况下，使处理量达到最大值。通常用闭路电视来监视碎矿和磨矿作业。

e 从尾矿、废渣、废水中回收铜 从尾矿中再回收金属，日益受到重视，日本足尾铜选厂对尾矿进行充分回收，建成日处理150吨尾矿再选车间，获得品位为6.94%，回收率为56.11%的铜精矿。美国奇诺选厂，于1968年建成了尾矿再处理工段，对损失于尾矿中表面被污染的辉铜矿-黄铁矿连生体，再磨至75% –70目后浮选得品位20%的铜精矿，使全厂总回收率提高5%，每日多产铜9吨。

用浮选方法处理炼铜废渣回收金属，是近年来发展的一种新工艺。日本已在八座冶炼厂建立了处理炉渣的选矿车间。芬兰的哈里亚伐尔塔厂以前用电炉贫化铜炉渣，将渣含铜降至0.6% ~ 0.7%，铜的回收率77%，后来改用浮选处理，尾矿含量降至0.3%（渣含铜）铜回收率提高到91.1%。

一些国家铜选厂1981年的生产指标列于表32.1.7。

B 国内铜选矿现状 我国现有32座大中型铜选厂，年产万吨以上精矿含铜量的有铜录山、德兴、白银、易门、落雪等选厂。日处理量在3000吨以上的有13座，500~3000吨的有15座。矿石入选品位平均为0.94%，虽然原矿品位逐年下降，但铜精矿品位则随着选矿工艺的发展和技术进步而逐年提高，如表32.1.8所列。

随着铜选厂的建设和工艺的改进，选厂铜精矿金属量迅速增长。与此同时，选厂自动化水平也有了相应提高，如河北铜矿选厂采用恒定给矿和球磨机浓度自动控制仪；凤凰山选厂采用库里厄-300（Courier-300）型矿浆载流X-荧光分析仪，进行浮选过程稳

表 32.1.7 国外铜选厂平均指标

国　　家	统计厂数	平均原矿品位 %	平均精矿品位 %	回收率 %	富集比 %
美　国	7	0.78	26.7	79.0	34
加拿大	10	1.28	28.1	90.35	22
菲律宾	4	0.51	26.5	83.75	52
赞比亚	4	2.99	34.34	91.5	11.5
智　利	4	1.49	38.2	85.3	25.6
秘　鲁	3	1.40	30.0	88.2	21.4
南斯拉夫：博尔	1	1.20	19.0	86.0	15.8
罗马尼亚	2	0.65	18.0	87.5	27.7
波兰：路德纳	1	2.10	24.0	90.4	12
南非：帕拉博拉	1	0.54	33.0	84.0	61
合　计	37	1.28	28.8	86.45	—

表 32.1.8 全国铜选厂平均指标

年　份	1952	1963	1972	1977	1978	1979	1980	1981	1982	1983
铜精矿品位%	10.94	14.23	16.20	16.40	18.31	20.00	21.80	22.10	22.5	22.5
回收率 %	88.61	82.72	85.60	88.28	88.75	88.50	88.30	88.0	86.3	87.1

定化控制；白银选冶厂研制并采用 BYF 型矿浆载流 X-荧光分析仪，进行在线检测。

32.1.1.5 对铜精矿质量的要求

A 杂质对铜的影响

铜是一种性能良好的有色金属，但应指出，铜的特性与其本身的纯度有极大关系，微量杂质的存在对铜的性能起很大的影响，如粗铜性脆，要加工成铜丝就非常困难，这就是铜必须经过电解精炼方能广泛利用的原因之一。

兹将各种杂质对铜的影响分述如下：

砷　砷对铜的机械性能影响不大，含砷 0.8% 的铜尚能拉成极细的铜丝，当含砷量达到 1% 以上，将引起赤热脆弱现象。另外砷对铜的导电率影响极大，铜中含 0.0013% 的砷，即可使铜的导电率降低 1%。

磷　铜中含磷能改善机械性能，但其对铜的导电率危害很大，故用于制造导线的铜中不宜含磷。

硫　硫是以 Cu_2S 的形式存在于铜中，铜中含硫 0.5% 时则产生低温脆弱现象，含硫 0.1% 时，经碾轧便会发生严重龟裂现象，并对铜的弯曲性能影响很大。此外，含硫的铜在铸造时易产生砂眼。

铁　微量的铁，对铜的机械性能影响不大，当含量达到 2% 时，使强度及硬度稍增，但对导电率影响甚大，并对铜的延展性、抗蚀性均有影响。

锑　锑在铜中亦是有害的杂质，含锑在 0.0071% 时，即可降低导电率 1%。含锑达 1% 的铜，在加工时周边会发生龟裂现象，稍加弯曲即易折断。

铋　铋对铜的机械性能危害最大，含铋 0.025% 的铜，在赤热的情况下锤击，即产生龟裂，甚至粉碎。铜中含铋一般不得超过 0.005%。

以上这些杂质必须在选冶加工过程中尽可能地除去，以减少精炼和机械加工的困难。特别是砷对冶炼工人和炼厂周围的居民身体健康危害极大，必须在选矿过程中最大限度地将砷矿物除去，使铜精矿含砷愈少愈好。

B　铜精矿的质量标准

送往冶炼厂的铜精矿，由于矿石产地，矿石种类和选矿技术条件的不同，其化学成分和矿物组成是极其复杂的。冶炼厂对这些化学成分和矿物组成不作具体规定，仅根据冶炼方法，冶炼工艺特点及冶炼技术的不同，对某些成分加以适当限制。但出于冶炼对精料的要求，以及对选冶联合成本的考虑，对入厂精矿的含铜品位规定了十五个等级（表 32.1.9）。

表 32.1.9 铜精矿标准 (YB112—82)

品 级	Cu,% 不小于	杂质,% 不大于			
		Pb	Zn	MgO	As
一级品	30	—	—	5	0.3
二级品	29	—	—	5	0.3
三级品	28	—	—	5	0.3
四级品	27	—	—	5	0.3
五级品	26	—	—	5	0.3
六级品	25	—	—	5	0.3
七级品	24	6	9	5	0.4
八级品	23	6	9	5	0.4
九级品	22	6	9	5	0.4
十级品	21	6	9	5	0.4
十一级品	20	6	9	5	0.4
十二级品	18	7	10	5	0.5
十三级品	16	7	10	5	0.5
十四级品	14	8	10	5	协议
十五级品	12	8	10	5	协议

注: 1. 表中注有"—"者为该项杂质不限制;

2. 精矿含氧化镁不大于 5%, 采用电炉熔炼时不在此限;

3. 精矿水分不超过 14%, 在取暖期内不超过 8%;

4. 精矿中, 银、硫为有价元素, 必须报分析数据。

32.1.2 硫化铜矿选矿厂

32.1.2.1 牟定铜矿选矿厂

A 概况

牟定铜矿位于云南省境内。该矿于 1966 年开始设计施工, 至 1968 年基本停工, 又于 1969 年至 1970 年恢复建设, 至 1972 年 5 月建成一个系统, 进行单项试车。1973 年 7 月一个系统正式投产。1973 年底至 1975 年底由于井下施工还未完成, 保有三级矿量不足, 属于边生产、边建设阶段。

选矿设计规模为日处理矿石 1500 吨。碎矿为三段一闭路流程。磨浮分两个系统, 为阶段磨矿、阶段选别的二粗、二扫、三精流程。精矿为两段脱水流程。

选厂处理的矿石，投产前期（1973～1975年）为易选的单一硫化矿石，选别指标较高，三年平均选别指标：原矿品位1.00%、精矿品位21.67%、尾矿品位0.046%、回收率95.57%。1974年创历史最高水平：原矿品位1.02%、精矿品位22.98%、回收率96.47%。

1976年7月清水河坑口投产，1982年12月郝家河上部矿段坑口投产，弥补了供矿不足。选厂自1976年下半年开始处理硫化矿和氧化矿的混合矿。由于氧化矿的混合入选，选别指标开始下降，随着氧化矿供矿比例逐年增加，选别指标也逐年下降（表32.1.10）。

B　矿石性质

牟定铜矿床位于云南中部紫色盆地内，属中生代河湖相沉积砂岩铜矿床。矿石按埋藏深度可分为硫化矿、氧化矿和混合矿。矿石多由浅色石英、方解石和长石等细粒物质胶结成的块状砂岩，含铜矿物绝大多数呈不规则粒状、散点状嵌布在石英、方解石颗粒间。原矿含泥少，矿石较致密、坚硬、耐磨，含硫、铁都比较低，矿石含水3%，密度为2.33～2.66克/厘米^3。

硫化矿中的铜矿物主要是辉铜矿，并有少量斑铜矿、黄铜矿、孔雀石和铜蓝等。

脉石矿物主要为石英，占矿物总量的75%左右；其次是方解石，并有少量长石、绿泥石、蛇纹石、电气石、锆石、金红石、闪锌矿、氢氧化铁、氢氧化锰及碳质等。矿物相对含量列于表32.1.11。

铜矿物嵌布在原矿中的颗粒大小及形状，随石英、方解石砂粒之间的空隙不同而异，多数呈粒状及散点状，铜矿物嵌布粒度极细，一般在0.009～0.045毫米之间。脉石矿物的产出粒度为0.013～0.35毫米。原矿粒级回收率列于表32.1.12。原矿多元素分析及物相分析列于表32.1.13和表32.1.14。

表32.1.10　牟定铜矿选厂历年生产指标

年份	1973	1974	1975	1976	1977	1978	1979	1980	1981	1982	1983	1984	1985	1986
氧化矿所占比例,%				11.07	5.70	4.57	11.92	15.96	26.24	25.61	31.76	41.06	40.27	41.33
氧化率,%								12.12	9.96	8.70	15.35	18.68	20.24	24.40
结合率,%								5.41	5.82	4.29	7.69	8.83	9.22	10.13
原矿品位,%	1.11	1.02	0.89	0.99	1.05	1.04	0.93	0.87	1.05	1.05	0.92	0.91	0.92	1.04
精矿品位,%	22.93	22.98	21.88	22.85	23.67	24.79	24.04	25.21	24.66	28.62	30.22	30.82	29.24	28.15
尾矿品位,%	0.070	0.038	0.040	0.067	0.068	0.061	0.090	0.084	0.131	0.096	0.102	0.128	0.143	0.166
回收率,%	94.34	96.47	95.66	93.57	93.75	94.37	90.66	90.69	89.31	90.81	88.56	86.53	85.46	84.05
磨浮系统处理量,t/h	21.92	24.74	23.99	26.13	29.02	28.48	31.58	32.87	28.22	31.27	31.83	34.25	34.49	34.84
钢球消耗,kg/t	5.92	5.52	4.92	5.14	3.26	3.57	3.19	2.74	3.44	3.44	3.65	2.82	2.80	3.09
黄药用量,kg/t	0.45	0.43	0.38	0.38	0.28	0.23	0.23	0.20	0.22	0.17	0.13	0.15	0.18	0.16
硫化钠用量,kg/t	0.15	0.09	0.11	0.20	0.22	0.17	0.18	0.16	0.27	0.25	0.30	0.37	0.28	0.45
起泡剂,kg/t	0.08	0.04	0.04	0.08	0.07	0.06	0.05	0.05	0.06	0.07	0.09	0.09	0.07	0.10
电耗,kW·h/t	46.96	53.88	54.65	56.83	52.82	52.34	46.62	44.05	53.04	45.73	47.82	46.03	44.11	41.57
精矿水分,%	15.53	13.51	13.31	12.35	12.89	12.62	13.36	14.03	15.49	14.67	14.52	15.61	16.09	16.15

表 32.1.11　矿物相对含量

矿物名称	石英长石	方解石	氢氧化铁氢氧化锰	蛇纹石绿泥石	电气石	辉铜矿	斑铜矿	自然铜	铜蓝	黄铜矿	孔雀石
含量%	75.10	16.30	3.42	2.47	0.037	2.36	0.07	0.14	0.078	0.033	极少

表 32.1.12　粒级回收率

粒级，μm	+74	+37 −74	+19 −37	+10 −19	−10
粒级回收率，%	92.3	97.5	95.9	92.8	62.7

表 32.1.13　原矿多元素分析结果

元素	Cu	Pb	Zn	SiO_2	Fe	Al_2O_3	CaO	MgO
含量，%	1.39	0.018	0.023	72.48	2.80	3.52	7.35	0.48

元素	Mn	TiO_2	Mo	Ca	Ge	Ag	Au
含量，%	0.18	0.30	0.001	0.00016	0.00005	10.55 克/吨	0.03 克/吨

表 32.1.14　原矿铜物相分析

项目名称	全铜	游离氧化铜	结合氧化铜	次生硫化铜	原生硫化铜
含量，%	1.428	0.024	0	1.402	0.002
分布率，%	100	1.68	0	98.15	0.17

C　工艺流程

由于原矿中二氧化硅含量高达 75% 左右，矿石比较坚硬、难磨。所以碎矿采用三段一闭路流程（图 32.1.2），磨浮采用阶段磨矿、阶段浮选流程（图 32.1.3）。全厂日处理 1500 吨，分为两个系统，即每个系统安装 2.7×3.6 米格子型球磨机两台，分别用于一段磨矿和二段磨矿，一段磨矿与 $\phi 2$ 米高堰式螺旋分级机构成闭路；二段磨矿与 $\phi 500$ 毫米水力旋流器构成闭路，最终产品为 80%－200 目给入浮选作业，浮选的粗、扫选均采用 6A 浮选机。

选厂自 1973 年投产以来，一直沿用原设计的阶段磨矿、阶段选别流程。实践证明，该流程对处理石英砂岩含铜硫化矿是合理的、有效的。但从 1976 年 7 月开始，选厂由处理郝家河中部易选硫化矿变为硫化矿和氧化矿的混合矿，供矿由一点变为多点，原矿性质发生了很大的变化，氧化率和结合率逐年升高，含泥量增加，嵌布粒度愈来愈细，原矿品位降低。为适应原矿性质的变化，经过小型试验和工业试验，于 1983 年将阶段磨矿、阶段选别流程改为两段磨矿、集中选别流程，如图 32.1.4 所示。

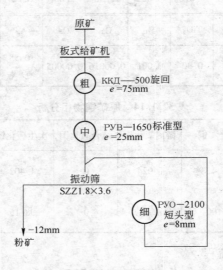

图 32.1.2　碎矿流程

改进后在原矿品位和精矿品位相同的条件下，可以提高回收率1%～2%，使浮选操作稳定，药耗保持稳定。

1984年底在一系统安装了五台KYF-16型浮选机，取代了原设计的24台6A改造型浮选机，用于粗、扫选作业，经过工业对比试验，证明KYF-16型浮选机的性能优于6A改造型浮选机。于是，1986年5月又安装了7台KYF-16型浮选机，完成了全厂粗选、扫选作业大型浮选机的改造工作。实践证明，使用大型浮选机，全厂节约用电42.97%，节省占地面积44.5%，易磨件寿命延长一倍，易磨件消耗量节省78.12%。

D 药剂制度

以前在精选作业添加水玻璃，主要作为石英和硅酸盐矿物的

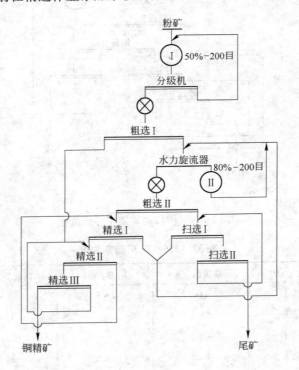

图 32.1.3 阶段磨矿阶段浮选流程

抑制剂，并且用来分散硅酸盐和氧化铁等矿泥，但生产实践中往往达不到预期效果，故以后停用。该矿生产中必须添加硫化钠，以稳定泡沫，使用的药剂列于表 32.1.15。

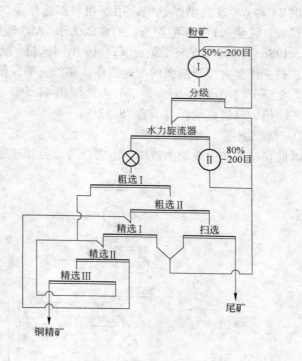

图 32.1.4　阶段磨矿集中浮选流程

表 32.1.15　选厂药剂制度

加药地点	丁基黄药, g/t	松油, g/t	硫化钠, g/t
粗选 I	114	21.8	—
粗选 II	59.8	—	31.4
扫选 I	43.5	—	31.4
扫选 II	43.5	10.8	31.4
合　计	260.8	32.6	94.2

32.1.2.2 大姚铜矿选矿厂

A 概况

位于云南省大姚县的大姚铜矿分一、二期工程进行建设。一期工程建成氧化矿选厂，于1976年5月1日正式投产。二期工程建成硫化矿选厂，于1980年初投产。

全矿区共有六个矿点，即六苴、凹地苴、落及木乍、石门坎、团山和大村除铜外，还伴生有银。含铜平均品位为1.36%，含银为11克/吨。目前，主要开采第一个矿点的矿石。

B 矿石性质

大姚铜矿属湖相沉积含铜砂岩矿床，矿石为灰白色石英砂岩。脉石矿物以石英、长石为主，约占93%；次为方解石，黏土矿物及少量绿泥石、氢氧化铁、氢氧化锰。石英和长石呈不规则粒状、碎屑状、被黏土矿物和方解石等紧密胶结。铜的硫化物以辉铜矿为主，次为铜蓝、斑铜矿及少量黄铜矿。铜的氧化物以孔雀石为主，次为蓝铜矿和硅孔雀石等。

辉铜矿呈细点状较均匀地分散嵌布于岩石中，产出粒度较细，一般为0.017~0.085毫米。孔雀石多呈粗粒不均匀散点状嵌布在石英或方解石之中，产出粒度0.04~0.25毫米占67%；0.25~0.5毫米占33%。该矿铜物相分析和矿石多元素分析分别列于表32.1.16和表32.1.17。

表 32.1.16 大姚铜矿铜物相分析

矿石类型	游离氧化铜		结合氧化铜		次生硫化铜		原生硫化铜		全 铜	
	含量 %	分布率 %	含量 %	分布率 %	含量 %	分布率 %	含量 %	分布率 %	含量 %	分布率 %
氧化矿	0.535	46.48	0.295	25.62	0.298	25.89	0.023	2.01	1.151	100
混合矿	0.13	9.22	0.12	8.52	1.14	80.91	0.019	1.35	1.409	100
硫化矿	0.066	4.69	0	0	1.335	94.81	0.007	0.5	1.408	100

表 32.1.17 大姚矿石多元素分析

矿石类型	Cu	F	S	Mn	Pb	Zn	SiO	AlO	MgO	CaO	Ag, g/t
氧化矿 含量,%	1.13	2.53					80.18	3.73	0.58	3.20	7.88
混合矿 含量,%	1.40	1.92	0.30	0.24	0	0.1	80.14	3.91	0.88	4.45	11.20
硫化矿 含量,%	1.40	1.65	0.31	0.037	0	0.1	82.0	3.50	0.82	3.71	3.91

C 硫化矿选别工艺

a 破碎与筛分

硫化矿采用三段一闭路常规碎矿流程。原矿由井下提升到选矿厂原矿仓。经重型板式给矿机给入一台 700 毫米的液压旋回碎矿机，粗碎产品用皮带运输机给入 φ2200 毫米中型圆锥碎矿机进行中碎，中碎产品和细碎产品合并送往筛分室，筛分室设有分配矿仓，将矿石均匀分配给三台 1800×3600 毫米的自定中心振动筛，筛孔为 18×18 毫米及 12×70 毫米。大于 12 毫米的筛上物送往 φ2200 毫米短头圆锥碎矿机进行细碎，小于 12 毫米占 70% 的筛下产品给入粉矿仓。

b 磨矿与浮选

该矿矿石特点是难磨易选，所以采用了三段磨矿集中浮选的流程，分为两个系列，见图 32.1.5。第一段磨矿使用 2 台 φ2700×3600 毫米棒磨机，棒磨排矿给入 2 台 φ2400 毫米高堰式双螺旋分级机，返砂给入 2 台 φ3200×3100 毫米格子型球磨机，球磨机排矿返回分级机形成闭路。第一段分级溢流细度为 55% -200目，给入 10 台 φ500 毫米旋流器进行二次分级，旋流器排砂进入 2 台 φ3200×3100 毫米格子型球磨机，旋流器溢流细度为 80% -200 目，溢流自流入浮选工序。浮选采用两次粗选，一次扫选，三次或四次精选，粗精矿再磨的流程。粗选、扫选使用 104 台 6A 浮选机，精选使用 20 台 6A 浮选机，精矿再磨使用 2 台

ϕ1500×3000 毫米格子型球磨机，分级使用 8 台 ϕ300 毫米旋流器。浮选得到含铜 30% 左右，含银 100 克/吨左右、铜回收率为 90% 左右的铜精矿。

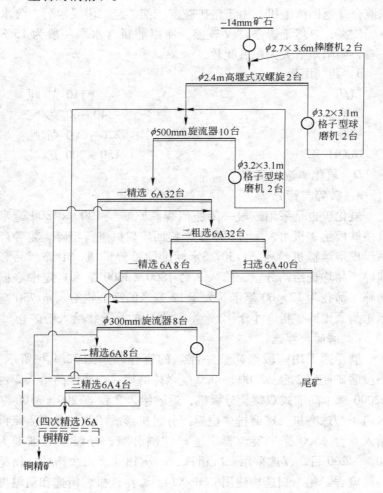

图 32.1.5 硫化矿磨浮流程

c 精矿脱水

硫化矿精矿的脱水车间距主厂房 400 米单独建立，采用两段流程。经过三次精选的铜精矿用管道输送，给入 2 台 φ18 米周边传动浓缩机，浓缩机底流浓度为 55% ~ 60% 泵送至一台 68 米²圆盘过滤机。浓缩机溢流经沉淀池，清水作为回水利用，沉淀与滤液合并返回浓缩机。由于精矿粒度较细，经二段脱水后，含水率仍较高，自然干燥条件又较差，所以滤饼含水率一般为 15% 左右，阴雨季节大大超过此数。

　　d　药剂用量

黄药	110 克/吨
2 号油	40 ~ 60 克/吨
硫化钠	220 ~ 300 克/吨
NaOH	150 ~ 200 克/吨

　　D　氧化矿选别工艺

　　a　破碎与筛分

　　氧化矿也是采用三段一闭路流程。原矿经 1200 × 1800 毫米重型铁板给矿机给入 1 台 500 毫米旋回碎矿机进行粗碎，粗碎产品经皮带运输机给入 φ1750 毫米标准圆锥碎矿机，中碎产品和细碎产品均送给筛分室，给入 2 台 1800 × 3600 毫米自定中心振动筛，筛孔为 12 × 60 毫米。大于 12 毫米的筛上物给入 φ1750 毫米短头圆锥碎矿机，小于 12 毫米占 75% 的筛下物给入粉矿仓。

　　b　磨矿与浮选

　　磨浮是采用两段磨矿集中浮选的流程，如图 32.1.6 所示。一段磨矿使用 2 台 φ2100 × 3000 毫米棒磨机，棒磨产品给入 2 台 φ2000 毫米高堰式双螺旋分级机，返砂给入 2 台 φ3200 × 3100 毫米格子型球磨机，球磨排矿也返回分级机形成闭路。分级溢流再给入 6 台 φ500 毫米旋流器，进行控制分级，分级溢流细度为 80% −200 目。浮选采用二次粗选、一次扫选、二次精选、精尾再选流程。粗、扫选均使用 CHF-X14 米³ 浮选机，精选和精尾再选均采用 6A 浮选机。目前精矿含铜 15% 左右，回收率 70% 左右。

　　c　精矿脱水

　　氧化矿精矿的脱水车间建在山脚下，精矿经叠井自流给入 2 台 ϕ18 米周边传动浓缩机，浓缩产品给入 2 台 58 米² 圆盘过滤机，滤饼送入 ϕ2.2×14 米回转窑干燥。精矿经三段脱水，含水率不超过 10%。

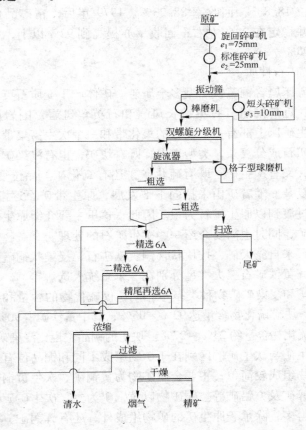

图 32.1.6　氧化矿生产流程

d　药剂用量

黄药	200 克/吨
2 号油	70~90 克/吨
硫化钠	900~1200 克/吨

32. 1. 2. 3 白银铜矿选矿厂

A 概况

选矿厂于 1958 年基建，1960 年投产，随着生产的发展，除原设计产出铜精矿和硫精矿外，还产出了锌精矿。按原设计，铜精矿品位 18.8%，回收率 88.23%。1979 年后，精矿品位突破 20%，并稳定在 22% 左右；回收率亦提高到 92% 以上，稳定在 94%～95%。

B 矿石性质

该矿床属含铜黄铁矿型多金属矿。矿体产于变质石英角斑凝灰岩中，近矿围岩有石英钠长斑岩和石英角斑岩，围岩质地坚硬。原生矿床上部有一个发育的氧化带和一个次生富集带，因而该矿区矿石成分复杂，类型繁多，既有块矿，也有浸染矿；既有原生矿，又有次生矿；既有硫化矿，还有氧化矿。品位变化大，可选性复杂。随着矿山采掘向下部发展，原生带矿石逐渐暴露，目前已过渡到以原生矿石为主。因此，这里主要介绍原生硫化矿石的选矿，同时也简要介绍一些次生矿石的处理。

矿石来自露天矿，按块状含铜黄铁矿石，浸染状铜硫矿石及块状铜锌黄铁矿石三大类型分别在三个系统入选。

块矿和浸染矿矿物种类基本相同，仅硫化物的含量和铜品位有差别。块矿硫化物含量达 92%～95%，其中黄铁矿占 90% 以上，浸染矿硫化物含量约 24%～27%。块矿的铜品位也比浸染矿高。

原生矿与次生矿的区别在于矿物组成不同和铜品位有异。原生矿矿物组成较简单，主要金属矿物为黄铜矿、次生黄铜矿、铜蓝、闪锌矿及方铅矿等。铜矿物以黄铜矿为主。次生矿矿物组成则复杂得多，除承袭原生矿的矿物组成外，还有辉铜矿、磁黄铁矿、白铁矿等，有的地段还含有胆矾、孔雀石等，可溶性盐含量也较高。铜矿物以铜蓝为主，次生铜占总铜的 80% 以上。次生矿的铜品位也比原生矿高。

各类矿石的脉石矿物大致相同，主要是石英、绢云母、绿泥石、石膏等。

矿石的结构构造也因矿石种类不同而不同。原生块矿呈块状构造，铜矿物嵌布粒度不均；可分粗粒不均匀嵌布，以圆滑状和港湾状嵌结为主；中粒均匀嵌布，以平直状和圆滑状嵌结为主；细粒不均匀嵌布，以圆滑状和港湾状嵌结为主。次生块矿具有疏松块状、条带状、多孔状构造；黄铁矿以细粒为主，在裂隙和破碎强烈处常被其他矿物（多为铜蓝）所充填；铜蓝常在孔隙发育处成块状、叶片状、囊状等。浸染矿石中铜矿物和其他金属矿物呈柱状结合体或散点状沿脉石的层理、片理浸染或沿裂隙充填，少部分黄铜矿颗粒很细，和黄铁矿接触比较复杂。

C 工艺流程

a 破碎

采用三段开路，第二、三段带预先筛分的破碎流程。

原矿运到容积 400 米^3 的两个粗矿仓后，进入两个平行的碎矿系统分别处理。设计的最终碎矿粒度 95% – 25 毫米，实际达到 80% – 25 毫米。

b 磨矿和浮选

从粉矿仓出来的矿石，通过扇形闸口，直流调速皮带运输机控制砂量，然后进入磨矿浮选系统。各类矿石的物质组成和结构特点不同，因而需要不同的浮选条件。下面按块状铜硫系统，浸染状铜硫系统和块状铜锌系统分别介绍。

1）块状铜硫系统

原设计流程（图 32.1.7）为阶段磨矿阶段浮选，粗选精矿经三次精选后得到铜精矿，浮选尾矿即为硫精矿。

选厂投产后，基本上按照该流程生产，直至 1969 年才改为两段磨矿一段浮选流程（图 32.1.8）。

块状铜硫系统，用 2700 × 3600 毫米格子型球磨机与直径2400 毫米双螺旋分级机闭路进行一段磨矿，分级机溢流与第二段 2700 × 3600 毫米溢流型球磨机排矿合并泵送入直径 500 毫米或 750 毫米旋流器，旋流器沉砂再入二段磨矿，溢流进入粗选。一段磨矿细度 50% – 200 目，浓度 45% ~ 50%，二段磨矿细度

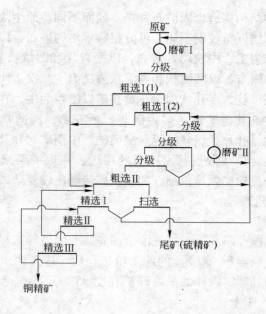

图 32.1.7   白银选厂原设计流程

80％ －200 目，浓度 45％；浮选采用一粗一扫三精流程。用石灰作黄铁矿抑制剂，矿浆中游离氧化钙含量为 800～1000 克/米³左右，加丁基黄药和松醇油选铜，尾矿即为硫精矿，浮选全用维姆科 16 米³ 浮选机。

原生块矿要求细磨，回收率几乎与磨矿细度成正比，但嵌布粒度不同的块矿，适宜的磨矿细度也不同。从表 32.1.18，不难看出，在同样的磨矿细度下，中粒嵌布块矿回收率最高，细粒嵌布块矿最差。其次，所有各类块矿的铜回收率均随着磨矿细度的提高而增加。一般地说，中粒嵌布块矿要求磨矿细度 70％ 以上－200 目，粗粒嵌布块矿要求 75％～80％－200 目，而细粒嵌布块矿要求 95％ 以上－200 目。原生块矿比较易选，生产指标较高，对氧化钙含量适应的范围也大，一般控制在大于 600 克/米³，黄药用量必须与氧化钙含量相适应，掌握"高钙高药、低

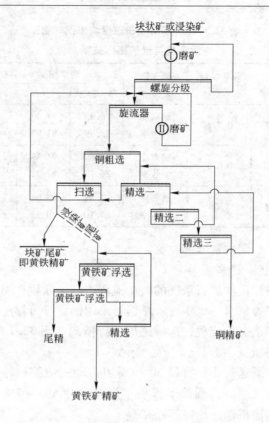

图 32.1.8　白银选厂块状矿和浸染矿浮选流程

钙低药"的原则。次生块矿的浮选流程与原生块矿相同，只是次生块矿不宜磨得过细，否则会引起次生铜过粉碎，一般磨到85%－200 目即可。氧化钙含量不宜过高，其适应范围是 200～400 克/米^3 或 800 克/米^3 以上。次生块矿铜品位高，要求药剂用量大。由于次生矿矿石性质复杂，其选别指标要低于原生矿。

2）浸染状铜硫系统

浸染矿原设计用混合-优先浮选流程综合回收铜、硫两种产品。由于流程复杂，包括四段磨矿分级一次浓缩作业，使用五种药剂，消耗定额又高，因此未能在生产中实现。投产后按块矿的

表 32.1.18   不同嵌布粒度块矿铜矿物

解离度与选矿指标关系

矿石类型	原矿品位 % Cu	指　标 %	磨矿细度% –200目		
			73 ~ 74.9	90	95 ~ 97.1
粗粒嵌布块矿	0.772	解离度	76.35	87.39	89.13
		回收率	79.99	81.87	87.55
中粒嵌布块矿	0.815	解离度	87.80	91.39	93.0
		回收率	86.17	87.72	92.0
细粒嵌布块矿	1.08	解离度	72.98	75.91	79.68
		回收率	65.10	70.15	80.43

生产流程回收铜，暂未回收硫。

　　3）块状铜锌系统

　　块状铜锌黄铁矿石系统的磨矿流程也与块状铜矿石相同，二段磨矿细度为90% –200目。浮选时采用铜锌等可浮—铜锌分离—浮选尾矿选锌的流程，选锌尾矿即硫精矿（图32.1.9）。

　　c　精矿脱水

　　铜精矿泵送入2台直径30米周边传动式浓缩机浓缩后，又经圆盘过滤机过滤，圆筒干燥机干燥，水分5%～7%的干燥产品用皮带运输机送入冶炼厂精矿仓。

　　锌精矿脱水流程与铜精矿相同，干燥产品单独堆积销售。

　　硫精矿脱水按三种办法处理。一是经浓缩—过滤—干燥后，送入冶炼厂制酸系；二是经旋流器，由圆盘过滤机过滤后，露天堆放，自然干燥后，用抓斗吊车装火车外销。三是直接泵送精矿沉淀池，沉淀后自然干燥，产品用索斗铲装火车外销。这三种办法根据生产需要灵活运用。

　　d　尾矿处理

　　第一尾矿坝容积1700万米³，1980年4月期满，堆存尾矿2900万吨；第二尾矿坝容积2000万米³，尾矿送入第一尾矿坝时，前期用254毫米巴格尔泵一段泵扬送，后期用254毫米巴格尔泵二段泵扬送；送入第二尾矿坝时为三段泵扬送。堆坝方式采用周边分段放矿自然堆积，并用推土机配合筑坝。第一尾矿坝采用明沟引水，用泵扬送回选厂使用；第二尾矿坝使用溢水井方式引水。回水利用率60%～70%。

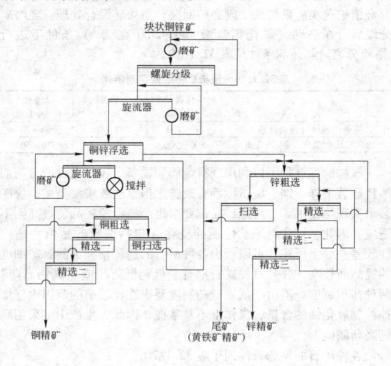

图 32.1.9 块状铜锌矿石磨浮流程

D 药剂制度及生产指标

原生浸染矿石中主要铜矿物黄铜矿易浮，溶盐含量少，药剂消耗低，对氧化钙含量要求不严，只要保持氧化钙与黄药用量比例适当，即"低钙低药"或"高钙高药"，就能获得较好的指标。生产指标与磨矿细度成正比。次生浸染矿则难选得多，磨矿中应注意防止过粉碎，氧化钙含量应仔细控制在300～500克/米³或大于800克/米³，否则将导致细粒在尾矿中损失。

　　为了从浸染矿中回收硫，该厂曾做过大量试验研究，经过反复探索和多种方案比较，最后采用"掺矿脱油药法"成功地实现了铜、硫综合回收。该法的要点是，浸染矿在低钙条件下（氧化钙含量 50～150 克/米^3），混合浮选得到铜-硫混合精矿，混合精矿送块矿系统的二段磨矿回路，与块矿混合处理，经磨矿分级后，在高钙（氧化钙含量 800～900 克/米^3）条件下进行铜-硫分离。其药剂条件见表 32.1.19。

表 32.1.19　浸染矿掺矿法药剂条件

项　　目	CaO 含量 g/m^3	丁基黄药 g/t	2 号油 g/t
浸染矿系统（混合浮选）	50～150	100～120	60～70
掺矿后块矿系统（铜-硫分离）	800～900	80±	30～50

　　该法的优点是可以利用现有流程和设备，操作也方便，药剂消耗显著下降，铜、硫指标都有改善。但该法要求浸染矿、块矿必须实现均衡供矿，对原矿品位要求也严格，原矿品位过高则不适应。因此，该法对原矿性质的变化（包括铜硫的品位）适应性较差。综上所述，可以看出各种矿石的选矿指标都随磨矿细度的提高而提高，并且每种矿石都有"低钙低药"或"高钙高药"两种药剂制度。但由于低钙低药制度要求在比较窄的范围内仔细地控制氧化钙的含量，操作上不易掌握，因此，生产中多采用高钙高药制度。

　　各种矿石的浮选条件列于表 32.1.20。

　　因矿石性质复杂多变，该厂选矿工艺指标差别也较大。1984年全年平均生产指标列于表 32.1.21 所示。近年来由于原矿品位波动大，生产不够稳定，大体上铜精矿品位可达 20% 左右，回收率可达 90% 以上，锌精矿品位可达 40% 左右，锌精矿回收率可达 50% 左右。

32.1.2.4　红透山铜矿选矿厂

A　概况

红透山铜矿选矿厂于 1959 年 11 月部分建成投产。

表 32.1.20 白银厂铜硫矿石浮选条件

矿石类型	溢流浓度 %		溢流细目 % −200 目		CaO 含量 g/m³		黄药 g/t	2 号油 g/t
	一段	二段	一段	二段	粗选	精选		
浸染矿①	48±	28~82	45	75	200~400	800	40~100	
次生块矿②	44~48	35±	60	85	200~400	800	120~80	
原生块矿 原矿品位 % <1.5	44~48	30~35	65	90	800~900	900~1000	<120	
1.5~2.00	44~48	30~35	65	90	800~900	900~1000	100~140	
2.00~3.00	44~48	30~35	65	90	800~900	900~1000	140~180	
3.0~4.0	44~48	30~35	65	90	800~900	900~1000	180~250	

①浸染矿浮选条件，指单一回收铜的条件；
②次生块矿指不含铅钒者。

表 32.1.21 白银选厂生产指标

矿石类型	原矿品位,%			同名精矿品位,%			同名精矿回收率,%		
	Cu	Zn	S	Cu	Zn	S	Cu	Zn	S
浸染矿	1.641		15	27.125		37.25	95.140		30±
块 矿	3.042			20.110			94.542		
铜锌矿	0.601	3.534		8.667	37.782		80.344	47.806	

B 矿石性质

红透山矿床是由火山沉积杂岩变质而成。矿体主要赋存于以黑云母片麻岩为主的薄层互层带中，属混合岩化热液交代矿床。主要矿物有黄铁矿、磁黄铁矿、闪锌矿、黄铜矿和石英、绿泥石、方解石、透闪石等；伴生有金、银、硒、钴、铟等。

矿石主要由粗粒硫化矿物组成。有细粒致密状、角闪状、晶洞状、浸染状和条带状构造。在结构上可分为结晶、斑状、他形粒状、似斑状、环带状、胶状和溶蚀结构。属于边缘溶蚀结构类型。

黄铁矿：呈粗粒立方体或正多面体存在，一般颗粒是 2~

0.5 毫米。随颗粒的增大，钴含量随之升高。由于黄铁矿粒大、疏散，裂隙常被闪锌矿、磁黄铁矿、黄铜矿充填胶结和包裹。

闪锌矿：是属于含铁闪锌矿类型，粒度为 1.0 ~ 0.1 毫米。暗褐色，常以脉状、网状穿插交代、胶结于黄铁矿中；常与黄铜矿、黄铜矿-磁黄铁矿共生，呈散点、斑块、固溶体产出；含有不同量镉和锰。

磁黄铁矿：粒度为 10 ~ 1 毫米，常与含银黄铜矿、铁闪锌矿共生；呈块状、斑块状、散点状产出；包裹、交代、胶结于黄铁矿和主岩中；它是闪锌矿的密切伴生物；微细磁黄铁矿呈脉状、似层状产于各类金属矿物裂隙中。

黄铜矿：是一种含银黄铜矿，颗粒为 1 ~ 0.1 毫米。常在主岩中呈浸染状产出或与铁闪锌矿、磁性黄铁矿呈散点和斑块状产出。

总之，矿石的矿物组成比较简单而其结构与构造比较复杂。镜下观察资料表明，矿体延深后的金属矿物结构将向微细粒和浸染状发展，基本属于粗细粒不均匀嵌布类型的硫化矿。

C　选矿工艺

a　磨浮流程　红透山矿目前开采的矿石主要来自两大矿体。一是低硫低锌矿石（简称低硫矿石）；一是高硫高锌矿石（简称高硫矿石）。高硫矿石中的铜矿物嵌布粒度比低硫矿石细，所以需要细磨。对于高硫矿石，当磨矿细度达80% -200 目时，其单体解离度为70% 左右，磨矿细度愈粗，单体解离度愈差，连生体大部为黄铜矿与脉石、黄铜矿与磁黄铁矿的结合体，对于低硫矿石，在磨细到65% -200 目时，其单体解离度可达 80% 以上，连生体主要是黄铜矿与闪锌矿或磁黄铁矿的结合体。因此，处理高硫矿石适于采用两段磨矿或一段磨矿控制分级流程，处理低硫矿石适于采用一段磨矿或阶段磨矿流程。

目前选厂所处理的矿石为高硫与低硫之比约为1:1 的矿石，所以采用了阶段磨矿、阶段选别的磨浮流程，如图 32.1.10 所示。

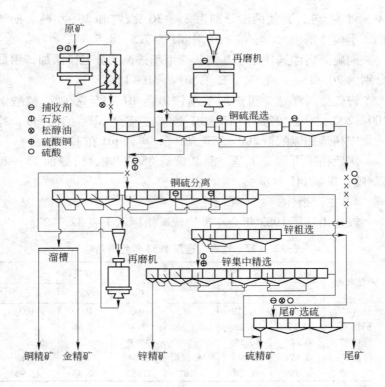

图 32.1.10 红透山选厂磨浮流程

浮选流程结构可分为四个部分:第一部分是铜、硫等可浮,即不加硫酸铜,只加黄药和少量石灰,在 pH 为 8~9 的情况下,浮选得到铜、硫混合精矿(其中有少量易浮锌)。然后在尾矿中加入硫酸铜活化,将难浮的锌矿物和硫化铁浮出,得到锌硫混合精矿和尾矿。第二部分是铜、硫分离,优先浮出铜精矿,底流即为硫精矿。第三部分是锌、硫分离,优先选锌,底流即为次硫精矿。第四部分次硫精矿经过再选,得硫精矿和废弃尾矿。

b 药剂制度

铜硫混合浮选使用的药剂为正丁基黄药与混基黄药按 3:1 的比例混合物,主要加于球磨机中 80~90 克/吨,加入再磨机中

50～55 克/吨，其他两段分别为 25～30 克/吨和 20 克/吨。松醇油加于搅拌槽中 55 克/吨；矿浆 pH 为 7.5～8.5。

铜硫分离浮选使用丁基黄药与丁基铵黑药分三段添加，用量分别为 20、15、5 克/吨，矿浆 pH 为 10～11。

锌硫分离浮选：粗选加丁基铵黑药 10～15 克/吨，硫酸铜 100～200 克/吨，松醇油 15～20 克/吨，矿浆 pH 为 10～11，锌的集中精选加硫酸铜 200～250 克/吨，矿浆 pH 在 12 以上。

次硫精矿再选：丁基、混基黄药 65 克/吨，松醇油 15～20 克/吨；矿浆 pH 为 8～9。

c　生产指标

红透山选厂 1983 年全年平均选矿指标示于表 32.1.22。

表 32.1.22　红透山选厂 1983 年生产指标

产品名称	含量,%			回收率,%		
	Cu	Zn	S	Cu	Zn	S
原　矿	1.264	1.819	16.463	100	100	100
铜精矿	20.695	5.71		93.16	17.86	
锌精矿	0.273	50.363		0.408	52.26	
硫精矿	0.159	1.075	38.194	3.74	17.55	68.89
尾　矿	0.054	0.357	4.187	2.692	12.33	15.95

D　选矿工艺进展

自投产以来的工艺变革可分为三个重要的发展阶段。

第一个阶段是沿用简单的工艺进行生产，对铜硫矿物采用优先浮选法或铜硫全浮选再分离的方法进行选别。磨矿是一段闭路流程，细度为 55%－200 目。原矿中低品位锌没有利用。铜与硫的原矿品位分别为 1.2%～1.45% 和 11.9%～12.8%，铜精矿品位 12%～16%，硫精矿品位 20%～38%，铜回收率 90.8%～92.8%，硫回收率 31.5%～42.2%。

第二阶段从 1964 年末开始综合回收锌的工艺流程投入生产，一段闭路磨矿，铜硫混合再分离及其尾矿选锌的工艺，使生产指标保持了稳定和提高，取得了综合回收的初步效果。在锌原矿品位不足

1%的情况下，精矿品位可达39% ~51.5%，回收率达19.5% ~33.6%，铜精矿品位稳定在16%，回收率93.5% ~94.8%。硫的精矿品位30% ~40%，回收率41% ~47%。浮选指标虽有不同程度的改善，但工艺改革走了不少弯路。主要原因是缺乏试验研究的手段，对矿石的基本特性考察不够。在这段时间内曾经采用过铜硫混合精矿的再磨工艺，没有收到良好的效果；曾经采用过两段细磨工艺，因受矿石性质的影响，浮选指标波动较大；但在调整浮选系列，低品位锌的集中精选工艺方面取得了成效。

第三个阶段是推行阶段磨阶段选工艺流程。根据各作业的矿物解离度和矿石的基本特性采用多段磨多段选的流程收到了一定的效果。从1980年5月开始采用混选第四槽尾矿的再磨再选流程。1982年下半年又发展到铜硫混合精矿分离精选尾矿的再磨及混选第四槽尾矿和混选第一扫选泡沫混合后再磨的新工艺。取得了预想的技术经济效果。在矿体逐年向深部开采，矿石性质有所变化并时有尾砂充填的污染物混入矿石的情况下，稳定了三种精矿的指标，在原矿品位铜1.2% ~1.3%，锌1.4% ~1.8%，硫12% ~18%的条件下，铜精矿品位上升到20% ~21%，回收率达93% ~94%，锌精矿品位50%，回收率50% ~55%，硫精矿品位37% ~40%，回收率提高到68% ~72%。红透山选厂投产后历年选矿指标见表32.1.23。

表 32.1.23　历年选矿指标

指　标		1965 年前	1966 ~1970 年	1971 ~1975 年	1976 ~1980 年	1981 年以后
原矿品位%	Cu	1.395	1.421	1.184	1.218	1.298
	Zn	0.911	0.865	1.254	1.707	1.889
	S	12.434	12.785	13.231	16.307	17.293
精矿品位%	Cu	14.413	15.894	15.919	17.880	20.399
	Zn	51.087	46.060	47.136	49.898	50.148
	S	34.902	35.270	42.282	42.093	39.890
回收率%	Cu	92.23	94.33	94.12	93.06	93.14
	Zn	29.75	22.21	34.73	45.45	52.73
	S	37.12	45.37	54.42	61.53	66.65

32. 1. 2. 5　铜矿峪铜矿选矿厂

A　概况

铜矿峪选厂属中条山有色金属公司三大选厂之一。选矿厂位于山西省垣曲县。该铜矿采用分段崩落法开采。

B　矿石性质

该矿床属斑岩型铜矿床。含矿岩石主要为变质花岗闪长斑岩和变质基性岩。矿体顶底板主要为绢云母石英片岩、绢云母石英岩和石英绿泥片岩。

全矿区共有七个主要矿体，其中又以 5 号和 4 号矿体为最大。5 号和 4 号矿体 $B + C$ 级矿石储量占全区 $B + C$ 总矿石储量的 97.2%，平均地质品位为含铜 0.66%。

矿石分为硫化矿及氧化矿两种，以硫化矿为主。氧化矿的矿石量只占全矿区矿石总量的 6.64% 左右，氧化率平均为 48.9%。氧化矿主要分布在矿体的上部。

矿石的矿物组成比较简单，铜的硫化矿物主要为黄铜矿，其次为斑铜矿和辉铜矿。铜的氧化物主要为孔雀石，其次为蓝铜矿。共生矿物有少量黄铁矿，微量褐铁矿、赤铁矿。伴生有价元素为钼、钴等。非金属矿物以石英、绢云母、长石为主，其次有绿泥石、黑云母、白云母、角闪石、方解石、方柱石等。

硫化矿物中黄铁矿多呈细脉浸染状及散点状产出，次为囊状充填，嵌布粒度为 0.3 ~ 0.01 毫米，小于 0.016 毫米者占 16% ~ 30%。氧化矿物中的孔雀石大多呈薄膜状沿解理和裂隙产出。伴生金属矿物呈散点状或细脉状产出，在晶洞内或较大裂隙面上孔雀石有时结晶成针状、放射状聚合体，矿物嵌布粒度为 0.4 ~ 0.016 毫米。

矿石密度为 2.71 ~ 2.74 克/厘米^3，松散密度为 1.62 克/厘米^3。矿石松散系数为 1.69。变质花岗闪长斑岩的普氏硬度为 10 ~ 15，变质基性浸入岩的普氏硬度为 5 ~ 6。矿石与围岩的含水率为 1% 左右，自然堆积角为 35° ~ 45°，坑内最大出矿粒度为 600 毫米。原矿多元素分析、矿物物相分析列于表 32. 1. 24 及

表 32.1.25。

表 32.1.24　铜矿峪原矿多元素分析

元　素	Cu	S	Mo	Co	Pb	Zn
硫化矿中含量,%	0.58	0.74	0.004	0.0075	痕	0.18
氧化矿中含量,%	0.52	0.155	0.0035	0.0075	0	0.22
元　素	Mn	Ni	V	Au, g/t	Ag, g/t	Cr
硫化矿中含量,%	0.42	0.001	0.001	0.06	0.07	0
氧化矿中含量,%	0	0	0.0025	痕	0.33	0
元　素	TiO_2	SiO_2	CaO	Al_2O_3	MgO	P_2O_5
硫化矿中含量,%	0.49	62.28	1.79	14.74	3.71	0.208
氧化矿中含量,%	0.40	59.64	2.24	13.55	3.78	0.164

表 32.1.25　铜矿峪铜矿物物相分析

矿石类型		原生硫化铜	次生硫化铜	结合氧化铜	游离氧化铜	全　铜
硫化矿	含量,%	0.42	0.072	0.0053	0.0015	0.4993
	分布率,%	84.12	14.42	1.16	0.3	100.00
氧化矿	含量,%	0.241	0.0901	0.0304	0.21	0.57
	分布率,%	42.41	15.81	5.28	36.50	100.00

C　选矿工艺

铜矿峪选厂分一、二、三期工程进行建设,一期工程为自磨系统,于1974年3月投入生产。二期工程为常规碎矿系统,于1978年9月投入生产。三期工程已完成设计,近期将进行施工。

供矿　地下开采的矿石(最大块度为600毫米)用20吨架线式电机车牵引矿车,每矿车容积为10米³,由690米主平硐将矿石运到粗碎车间的粗矿仓。粗矿仓下设置重型板式给矿机,将矿石给入2台φ900毫米旋回碎矿机进行粗碎,粗碎机排矿口为150毫米,粗碎产品粒度为200~220毫米。然后经由3号、5号皮带运输机将矿石运到地下半埋式矿仓。粗碎为一期工程、二期工程和三期工程合用,各系列处理能力基本相同。

二期工程碎矿系统　也叫2、3、4系列。粗碎产品由储矿仓经1200×4500毫米板式给矿机,2号皮带运输机给入 PYB-2200

毫米标准圆锥碎矿机，排矿口为 42 毫米。中碎产品与细碎产品合并后经 4 号及 6 号皮带运输机卸入筛分工段的分配仓，矿石由矿仓底部的 D26 电振给矿机给入 SZZ$_1$-1800 × 3600 毫米的自定中心振动筛，振动筛共有 6 台，筛孔为 16 毫米。筛上产品经 8 号皮带运输机返至细碎分配矿仓，再经由三台 HBG-1200 × 4600 毫米的板式给矿机给入三台 PYB-2200 毫米短头圆锥碎矿机，排矿口为 9 毫米。筛下产品经 10 号、12 号皮带运输机及 14 号可逆式移动皮带运输机，将矿石卸入粉矿仓。最终碎矿产品粒度为 20 毫米者小于 27%。粉矿仓下安装 8 台 φ1000 毫米圆盘给矿机，将矿石给入 8 台 φ2700 × 3600 毫米格子型球磨机，球磨机与 φ2000 毫米高堰式双螺旋分级机构成闭路，分级溢流送至浮选。碎矿流程如图 32.1.11 所示。

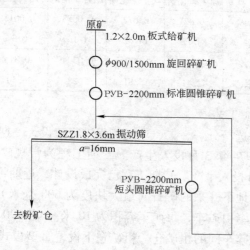

图 32.1.11　三段一闭路碎矿流程

浮选　浮选分为 8 个系列，每个系列安装有 24 槽 6A 浮选机，浮选采用一粗、二精、二扫循序返回的流程。浮选产出单一铜精矿，尾矿自流到尾矿坝。精矿自流给入 φ30 米周边传动式浓缩机，浓缩机底流浓度 55%，用砂泵扬至过滤工段，精矿经 5

台 40 米外滤式过滤机过滤后，外运至冶炼厂。滤饼含水 11.4%。浮选流程如图 32.1.12 所示。选厂近年生产指标列入表 32.1.26。

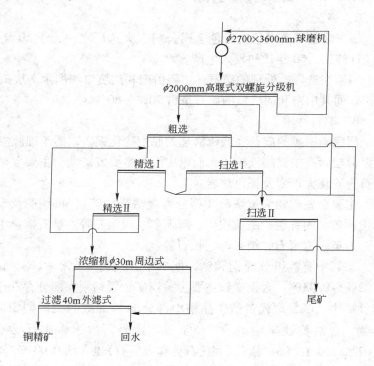

φ2700×3600mm球磨机

φ2000mm高堰式双螺旋分级机

粗选

精选 I   扫选 I

精选 II   扫选 II

浓缩机φ30m周边式   尾矿

过滤 40m 外滤式

铜精矿   回水

图 32.1.12   浮选生产浮选图

表 32.1.26   铜矿峪选厂近年生产指标

年 份	原矿品位,%	精矿品位,%	精矿回收率,%
1978 年	0.650	19.786	76.80
1979 年	0.486	18.349	51.65
1985 年	0.505	23.003	85.37
1986 年	0.520	23.815	84.17

尾矿处理　选矿厂的尾矿自流输送至 5 公里以外的十八河沟

滩堆积储存。输送槽总长 10 公里左右，坡度为 0.7%，共设两条流槽。尾矿库储存容积约为 8500 万米^3。

32.1.2.6 胡家峪铜矿选矿厂

A 概况

胡家峪选厂属中条山有色金属公司三大选厂之一，于 50 年代设计施工，60 年代初投入生产。

胡家峪选厂所处理的矿石，主要由南和沟坑口和桐木沟坑口供矿，而其中南和沟坑口的矿石量占 70% ~80%。

B 矿石性质

胡家峪铜矿的矿石为低硫易选的原生硫化铜矿，属于细脉浸染型似层状高中温热液矿床，而以中温为主要成矿期。主要含矿岩石为矽化大理岩及黑色片岩。

主要金属矿物为黄铁矿（部分为含钴黄铁矿）、黄铜矿及少量镜铁矿、闪锌矿、磁黄铁矿、辉铜矿、斑铜矿等。脉石矿物主要为石英、方解石、绢云母、长石等。

矿石中有益组分为铜和钴，原矿中含铜约 0.6% ~1%，钴 0.02% ~0.03%。含铜矿物主要为黄铜矿，而钴则大部分存在于黄铁矿中，Co^{2+} 取代黄铁矿晶格中部分 Fe^{2+} 而成为类质同象混杂物。含钴黄铁矿中约含 0.5% Co。此外，黄铜矿中还含有 0.027% ~0.1% Co，脉石矿物（石英和方解石）也含约 0.004% Co。钴绝大部分为硫化物，氧化物微量。原矿化学全分析列于表 32.1.27，铜矿物物相分析列于表 32.1.28。

表 32.1.27 原矿化学全分析

项目	Fe	S	Cu	SiO_2	CaO	Al_2O_3	MgO	TiO_2
品位,%	8.56	3.49	1.06	44.28	9.66	7.83	5.5	0.42

项目	Mn	V_2O_5	ZrO_2	Co	Ag	P	Ga	
品位,%	0.17	0.021	0.08	0.02	6.5g/t	0.13	0.00075	

表 32.1.28　铜矿物物相分析

名　称	原生硫化矿	次生硫化矿	氧化铜
相对,%	96	2	2

矿石属中等嵌布粒度。黄铜矿主要呈细脉状或星点状穿插浸染于矿石中；粒度大于 0.074 毫米含量占 80% 以上。黄铁矿呈细脉状或浸染状嵌布于矿石中，常沿方解石边缘或方解石的解理交代；粒度大于 0.074 毫米含量占 90% 以上。如表 32.1.29 所列。

黄铜矿与黄铁矿（包括含钴黄铁矿）共生关系甚为密切，主要共生关系有：黄铜矿呈不规则粒状嵌布于黄铁矿中，黄铜矿沿着黄铁矿晶粒边缘嵌镶，也有少量的黄铜矿与黄铁矿成相互包裹体，其粒度在 0.045 毫米以下。

表 32.1.29　黄铜矿与黄铁矿矿物粒度特性

粒度, mm	黄　铜　矿		黄　铁　矿	
	含量,%	累计,%	含量,%	累计,%
0.208	50.39		68.90	
0.147	13.62	64.01	8.07	76.96
0.104	7.10	71.11	8.89	85.86
0.074	8.96	80.07	5.38	91.24
0.052	4.17	84.24	2.85	94.09
0.037	10.27	84.51	3.99	98.08
0.026	1.39	95.90	0.31	98.39
0.018	1.57	97.47	1.33	99.72
0.013	0.91	98.38	0.24	99.96
-0.013	1.48	99.86		

C　工艺流程

该厂原设计用浮选法单一回收铜。设计采用一般磨矿至 65% -200 目，在搅拌槽中加药后进入浮选，粗选共 4 槽 6A 浮选机，粗选精矿用 4A 浮选机精选两次，得到最终铜精矿。粗选尾矿再扫选两次,然后废弃。中矿依次返回各作业。设计指标为原矿品位 1.0% Cu,铜精矿品位 12.0% Cu,铜回收率 93%。设计流程如图 32.1.13 所示。

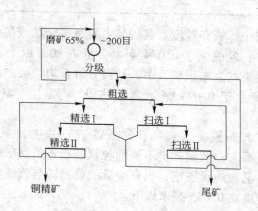

图 32.1.13　胡家峪选厂设计流程

1960 年投产以后,进行了多次改进,生产指标逐年提高。从 1961 年起突破设计水平,铜回收率达 93.3%,铜精矿品位 15%。1964 年下半年起,铜回收率开始突破 97%。1966 年创造了该厂历史最好水平,铜精矿品位 22.095%,铜回收率 97.24%。1970 年该厂又自力更生建成了钴车间,开始综合回收铜、钴两种产品。所用流程为直接优先浮选流程,即铜回路维持原有浮选流程和药剂制度不变,将选铜尾矿送至浓缩机脱去高碱度矿浆水,然后进入钴回路浮选。钴回路采用一次粗选、两次精选和两次扫选。选厂生产改革情况见表 32.1.30。

胡家峪选厂现行生产流程如图 32.1.14 所示。

D　药剂制度及生产指标

a　铜回路　该厂铜回路原来所采用的药剂制度是:在球磨机中加入石灰抑制黄铁矿和调整矿浆 pH 值(pH 值为 11~12)。起泡剂曾分别使用过 2 号油和重吡啶。由于重吡啶兼有一定的捕收性,其效果较 2 号油稍优,且价格也较低廉,唯其气味有一定刺

表 32.1.30 胡家峪选厂生产改革

改 革 内 容	效 果
1. 设计流程（图 32.1.13）	1. 设计指标：$\alpha = 1.0\%$ Cu $\beta = 12.0\%$ Cu $\varepsilon = 93.00\%$
2. 投产初期	2. $\beta = 13.41\%$、$\varepsilon = 88.96\%$
3. 中矿改用砂泵送至水力旋流器分级，溢流入螺旋分级机，沉砂入球磨	3. 精矿品位提高 2% ~ 3%；回收率提高 1% ~ 1.5%
4. 原粗选前增加 2 槽 6A 作优先富集，直接产出部分合格精矿	4. 突破设计水平，达到 $\beta = 15\%$ Cu，$\varepsilon = 93.3\%$
5. 调整球磨机装球比例，提高磨矿浓度，推行高碱度低油的药剂制度和"三度一准"操作法	5. 磨矿细度由 60% ~ 65% - 200 目提高到 70% - 200 目，铜回收率开始突破 97%
6. 优先富集产品增加精选，精选浮洗机由 4A 改为 5A	6. 铜品位大幅度提高，达 21%；铜回收率持续稳定在 97%
7. 建成钴车间，铜尾矿浓缩选钴铜回路使用新药剂 Z-200	7. 较单一回收铜为综合回收、钴回收率提高 12% 以上，石灰用量降低一半

激性，是它的主要缺点。目前该厂使用重吡啶作起泡剂。捕收剂过去一直是用丁基黄药，获得了较为满意的工艺指标。

自钴车间投产以后，由于要在选铜尾矿中回收钴，过去那种在高 pH 值下用丁基黄药选铜的药剂制度就显得不合理了，因为它对钴的回收不利，它使含钴黄铁矿抑制太深，选钴指标不理想，且选钴黄药消耗大。该厂为解决这一问题，积极寻求高效能选择性捕收剂，会同有关研究单位做了大量试验研究工作。曾进行了 Z-200 的工业试验，取得了满意的结果，随后正式开始在铜回路中使用 Z-200 作捕收剂。实践证明，由于 Z-200 对黄铁矿捕收力弱，选择性好，因此它可在较低的 pH 值（pH 值为 9 左右）下从铜钴矿石中选铜，石灰用量减少一半，钴回路黄药用量也因此可大大减少，并且钴回收率可提高 12% 以上。表现了明显的优越性。

但是，由于 Z-200 的捕收力稍低于黄药，加之它本身具有较强的起泡性能，用量稍大则泡沫难于控制，因此用 Z-200 选铜时

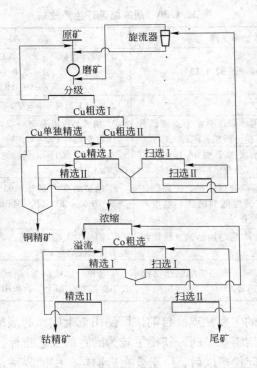

图 32. 1. 14   胡家峪选厂生产流程

回收率略低于黄药。为了达到与使用黄药基本一致的选铜回收
率，经过在实践中反复摸索，最后形成了丁基黄药与 Z-200 混合
使用的药剂制度，即粗选用 Z-200，扫选用黄药。这样既发挥了
Z-200 选择性好的优点，同时又以黄药捕收力强的长处弥补了 Z-
200 的不足，兼顾了捕收性和选择性两个方面，结果可在低 pH
值下进行铜浮选，取得与单用黄药基本相同的选铜指标。Z-200
和黄药分别单独使用以及两者混合使用这三种不同药剂制度的工
艺指标列于表 32. 1. 31 和表 32. 1. 32。

    b   钴回路   选钴回路中使用丁基黄药作捕收剂，同时补加
起泡剂重吡啶，黄药用量因铜回路的药剂制度而异（表
32. 1. 33），重吡啶酚量添加。

表 32.1.31　各种药剂制度的工艺指标

选铜捕收剂	原矿品位,%		同名精矿品位,%		同名精矿回收率,%	
	Cu	Co	Cu	Co	Cu	Co
丁基黄药		0.036		0.284		48.13[1]
	0.918		21.099		97.15	
		0.021		0.318		55.27[2]
Z-200	0.905	0.032	21.400	0.430	96.24	61.38
Z-200 + 丁基黄药	0.906	0.026	22.744	0.379	96.88	62.55

[1]钴回路不加活化剂;
[2]钴回路加 $CuSO_4$ 74 克/吨。

表 32.1.32　铜回路不同药剂制度的药剂用量,g/t

选铜捕收剂	石灰	Z-200	丁基黄药	重吡啶
丁基黄药	8000	0	60.56	167.27
Z-200	3300	16.39	0	192.16
Z-200 + 丁基黄药	4400	3.99	29.77	164.78

表 32.1.33　胡家峪选厂药剂制度,g/t

药　剂	球磨机	铜　回　路			钴　回　路		
		搅拌槽	一次扫选	二次扫选	搅拌槽	一次扫选	二次扫选
石灰, kg/t	3 ~ 4	—	—	—			
Z-200	—	3 ~ 5	—	—			
丁基黄药	—	—	20 ~ 40	—	50 ~ 100	50 ~ 100	
重吡啶	20 ~ 30	—	—	60 ~ 80	酌量添加		

　　生产中曾使用硫酸铜和硫酸作钴矿物活化剂,收到一定的效果(参看表 32.1.31),选钴回收率和钴精矿品位随原矿性质的不同而有不同程度的提高。但是,由于它们对设备腐蚀性强,司药工劳动条件差,因此现厂目前已停止使用活化剂。

　　在铜回路和钴回路中,药剂分段添加,添加量如表 32.1.33 所示。70 年代以来胡家峪选厂的生产指标逐年都有提高,1979 年达到历史最好水平，原矿含铜 0.8% ~ 0.9%，精矿品位为 27.15%，铜回收率为 96.45%。目前原矿含铜稳定在 1% 左右，精矿品位稳定在 23% ~25% 之间，回收率保持在 94% ~95% 以上。

32.1.2.7　凤凰山铜矿选矿厂

A　概况

凤凰山选厂位于安徽省境内，是铜陵有色金属公司主要选厂之一。该选厂是国内目前机械化和自动化程度较高的一个厂。

B　矿石性质

该矿为接触交代矽卡岩型铜铁矿床。分氧化矿和硫化矿两大类型。氧化矿位于地表，设计中暂未考虑，硫化铜矿石可分为含铜磁铁矿石（包括块状含铜菱铁矿，角砾状矿石），矽卡岩矿石（分高铜矽卡岩和低铜矽卡岩矿石），含铜黄铁矿石、花岗闪长岩和大理岩矿石五个工业类型。其中按矿石储量分：含铜磁铁矿石占 41%，矽卡岩铜矿石占 41%，含铜黄铁矿、花岗闪长岩矿石、大理岩矿石占 18%。

当前入选矿石主要为含铜磁铁矿石和高铜矽卡岩矿石两个类型。矿石中铜矿物以黄铜矿为主，斑铜矿次之，还有少量的辉铜矿、铜蓝、孔雀石和黑铜矿。伴生有用矿物有磁铁矿、菱铁矿、黄铁矿、赤铁矿，少量的方铅矿、辉钴矿以及金、银。脉石矿物包括柘榴石、透辉石、斜长石、绿帘石、绿泥石、方解石、石英、云母等。铜矿物呈不均匀嵌布，粒度 0.001 ~2 毫米。铁矿物（磁铁矿、赤铁矿和褐铁矿）也呈不均匀嵌布，粒度为 0.001 ~2 毫米，黄铁矿结晶粒度为 0.1 ~1 毫米。多元素分析列于表 32.1.34。

铜、铁物相分析列于表 32.1.35。

试金分析列于表 32.1.36。

金银主要是以银金矿和自然银充填在黄铁矿的裂隙中及包裹在黄铁矿、黄铜矿、磁铁矿与脉石矿物晶体中，如表 32.1.37 所示。

表 32.1.34 各类型铜矿石多元素分析

矿 样	元 素 含 量,%				
	Cu	S	Fe	Mo	SiO$_2$
含铜磁铁矿	1.54	3.10	43.54	0.0037	6.99
高铜矽卡岩	1.53	5.52	26.16	0.007	22.11
低铜矽卡岩	0.62	5.61	16.43	0.0032	32.77

矿 样	元 素 含 量,%				
	CaO	Al$_2$O$_3$	Mn	Mg	As
含铜磁铁矿	4.40	1.90	0.32	1.65	0.005
高铜矽卡岩	8.85	5.04	0.30	1.43	0.02
低铜矽卡岩	16.10	7.54	0.34	1.88	0.03

矿 样	元 素 含 量,%				
	Pb	Zn	Cd	Co	Se
含铜磁铁矿	<0.001	0.10	<0.015	0.013	0.00051
高铜矽卡岩	0.022	0.16	<0.015	0.011	0.00082
低铜矽卡岩	0.03	0.15	<0.015	0.0086	0.00078

矿 样	元 素 含 量,%				
	Te	Ga	Ge	P	F
含铜磁铁矿	<0.0005	0.001	0.0000	0.021	0.05
高铜矽卡岩	<0.0005	0.0014	0.0000	0.031	0.06
低铜矽卡岩	<0.0005	0.0013	0.0003	0.036	0.05

C 工艺流程

碎矿使用 16-50 型和 4-60 型液压圆锥破碎机,分别用于中碎和细碎。中碎前装有筛孔 40 毫米和 80 毫米的双层振动筛,主要是将 +40 -80 毫米的大石块筛出供给砾磨机作磨矿介质用。

磨矿系统是采用棒磨机与砾磨机相互配合的流程,棒磨是开路磨矿,砾磨是闭路磨矿。由于它们与旋流器,浮槽分级机实行二次控制分级,所以磨矿细度比较均匀,也避免了过磨碎,一般细度可达 70% -200 目左右。

表 32.1.35   各类型矿石铜、铁物相分析

元 素	矿石类型	原生硫化铜		次生硫化铜	
		含量 %	占有率 %	含量 %	占有率 %
Cu	含铜磁铁矿	0.48	31.17	0.89	57.79
	高铜矽卡岩	0.46	30.87	0.98	62.42
	低铜矽卡岩	0.47	78.33	0.09	15.00

元 素	矿石类型	结合氧化铜		自由氧化铜		全 铜	
		含量 %	占有率 %	含量 %	占有率 %	含量 %	占有率 %
Cu	含铜磁铁矿	0.01	0.65	0.16	10.39	1.54	100
	高铜矽卡岩	0.01	0.67	0.09	6.40	1.49	100
	低铜矽卡岩	痕	—	0.04	6.67	0.60	100

元 素	矿石类型	磁性矿物中 Fe		碳酸盐矿物中 Fe		硫化物中 Fe	
		含量 %	占有率 %	含量 %	占有率 %	含量 %	占有率 %
Fe	含铜磁铁矿	14.61	33.51	17.76	40.74	2.26	5.18
	高铜矽卡岩	2.11	8.01	13.93	53.45	4.47	17.15
	低铜矽卡岩	1.94	11.62	3.75	22.46	4.86	29.10

元 素	矿石类型	氧化物中 Fe		硅酸盐中 Fe		全 铁	
		含量 %	占有率 %	含量 %	占有率 %	含量 %	占有率 %
Fe	含铜磁铁矿	5.38	12.34	3.59	8.23	43.60	100
	高铜矽卡岩	3.89	14.93	1.66	6.37	26.66	100
	低铜矽卡岩	3.64	21.80	2.51	15.02	10.70	100

表 32.1.36   各类型铜矿石试金分析

矿石类型	元 素 含 量,%			
	Au	Ag	Pt	Pd
含铜磁铁矿	0.42	22.10	<0.05	<0.05
高铜矽卡岩	0.55	17.00	<0.05	<0.05
低铜矽卡岩	0.30	12.30	<0.05	<0.05

表 32.1.37 单矿物中金、银含量表，g/t

黄铜矿		斑铜矿		黄铁矿		磁铁矿		赤铁矿	
Au	Ag	Au	Ag	Au	Ag	Au	Ag	Au	Ag
4.089	19.611	1.415	87.26	0.653	10.346	0.25	9.217	0.24	3.97

这种半自磨系统还具有钢耗少（以砾石代替钢球破碎小物料），电耗低（有6%的砾石不经中、细碎，即可直接使用）的优点。同时因采用自控装置控制棒磨的给矿量和砾磨机碎石的添加量，从而保证此系统经常处于高效能状态下工作。但其缺点是流程结构比较复杂，设备种类较多。

浮选是用 BFP 型浮选机；粗扫选用 BFP-240-2B 型，精选用 BFP-240-2L 型，分离浮选机为 BFP-120-2B 型。这种形式浮选机的特点是：空气进入方式是压入空气与机械搅拌相结合；液面调节方式是调节槽子一端的闸板，或用闸门调节压入空气量；除精选作业为一侧刮泡外，其余均为两侧刮泡。

浮选流程原设计为混合浮选流程，混合精矿分级后再磨，然后进行铜、硫分离。混合浮选过程还进行中矿再磨，但一次精选尾矿和一次扫选泡沫是分别进行再磨的。通过生产实践已将一次精尾和一次扫选泡沫合并为中矿进行分级再磨。混合浮选尾矿进行选铁。这也是现场投产初期的流程（图 32.1.15），由于尾矿中斑铜矿、辉铜矿嵌布粒度均较黄铜矿为细，而铁矿物又比铜硫矿物嵌布更细，同时近几年处理的原矿中次生硫化铜较多，所以采取这种阶段磨矿阶段选别流程是合理的。对提高铜、硫、铁指标也是有益的。

最近几年，由于原矿含硫波动较大，以及一些回收硫的措施未解决，特别是因选厂扩建一台球磨系统而占用了部分铜硫分离浮选机，所以现在只回收铜而没回收硫（图 32.1.16）。此流程为现生产流程。

该矿山井下利用尾矿作充填料，所以磁选铁的最后尾矿经二次旋流器分级后脱 -27 微米细泥，+27 微米粒级送井下作胶结充填料用。过去采用与水泥胶结充填，目前是以石灰窑的废石合并充填。

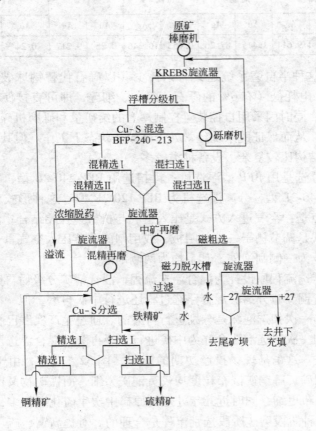

图 32.1.15　凤凰山选厂工艺流程

D　药剂制度及选别指标

该厂现用药剂种类主要为黄药、松醇油、石灰三种，氰化物对入选矿石无显著效果，相反会降低铜的回收率，仅用单纯的石灰作抑制剂即能保证铜精矿的质量，但 pH 值必须严格控制。如果采用优先浮选时 pH 必须控制在 12.3 左右，采用混合-优先浮选流程的分离时 pH 必须控制在 12.4 以上。

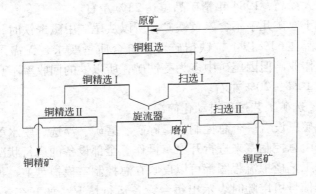

图 32.1.16　目前的生产流程（即单选铜流程）

投产初期，除用黄药、松油外，曾用乳化机油来强化扫选作业，由于机油需要乳化剂进行乳化后才溶于矿浆，使用不方便，效果并不显著，采用多点多段添加黄药，也同样可获得较高指标，故现厂已停止使用乳化机油。现厂目前生产的浮选技术条件列于表 32.1.38。

表 32.1.38　浮选技术操作条件表

浮选作业	浮选浓度 %	pH 值	丁基黄药用量 g/t	2 号油用量 g/t	加入地点
精选作业	25.0	12～12.4			搅拌槽
粗选作业	32.0	优先：12.3	45～52	120～128	
一次扫选作业	32.0	混合：10	18～26		一次扫选第一槽
			45～52		一次扫选第三槽
二次扫选作业			18～26		二次扫选第一槽

该厂自 1970 年投产以来，根据入选矿石中铜矿物呈不均匀嵌布的特点，采用了阶段磨矿、阶段选别的流程，加之选矿过程中基本采用了多点自动化控制，致使浮选作业比较稳定正常。几年来在工艺流程、药剂制度和生产操作上的不断改进，使铜的选别指标不断上升；1975 年以前铜的精矿品位在 16% 左右，铜的

回收率为93%左右；近几年在回收率相同的情况下铜精矿品位有了很大提高，1984年精矿品位达23%左右。

由于原矿几乎不含磁黄铁矿，所以从尾矿中磁选铁时，铁精矿品位都在63%以上，铁精矿含硫符合质量要求，无需采用脱硫浮选作业。但因尾矿中多为菱铁矿，所以铁的回收率不高，一般仅达10%~20%左右。

E 选矿工艺过程自动化简况

选矿厂设有一个总控制室，碎矿、磨矿、浮选、脱水等全部设备均由总控制室来进行开停车操作。全部设备的运行状况，经过生产工艺模拟流程图都可以反映在总控制室模拟盘上，再通过声、光信号可以随时表示出每台设备运行情况，如开车、停车、故障等。通过功率仪表，可以了解全厂生产情况。

a 碎矿自动化控制点

碎矿控制系统，设有连锁控制；粗矿仓装有 γ 射线料位计，检测粗矿仓料位情况，应用它可以使箕斗在矿仓满时自动停车，矿仓不满时自动提升。几年生产实践证明，这种仪器可以长时间连续工作，使用寿命长、故障少、运行可靠。碎矿机是液压圆锥破碎机，排矿口可通过液压控制系统进行人工调节或自动调节。另外皮带运输机设有断带、皮带打滑保护装置，沿皮带长度装有钢绳式紧急故障停车开关；碎矿主机装有润滑系统控制保护装置，如油温、油压、油量、回油等。

b 磨矿自动控制点

磨矿自动控制 棒磨机工作的效率好坏，是受磨矿介质及矿石性质，磨矿浓度来决定的，一般情况下，水量是固定的（用电磁流量计控制定量给水），钢棒的磨耗量是不太大的，所以只要矿石的加入量能够稳定控制，则整个磨矿机就能够处在稳定状态下工作，该厂磨矿机的原矿量是通过可以调速的皮带给矿机及皮带电子秤形成一单环闭路调节系统。从而达到恒定给矿的目的。

磨矿机矿浆浓度的控制 各种矿石都有最佳矿浆浓度，浓度受矿石的影响很大。低于矿浆最佳浓度时，矿石在磨机中停留时间就短，造成跑粗，使磨矿效率降低。该厂于 1973 年起利用 γ 射线浓度计控制棒磨、球磨的排矿浓度，不但可进行测量，而且可以调整浓度，提高浮选指标。

浮选矿浆浓度的控制 浮槽分级机的溢流浓度一般在 45% 左右，而进入浮选机的浓度要求在 35% 左右，因此必须另外加一定量的水，该厂是在浮槽的溢流管道上装一台 γ 射线浓度计进行测量和自动调节进浮选机前的矿浆浓度。

浮选 pH 值的自动控制 石灰乳添加量多少，是根据浮选过程所需 pH 值大小来决定的，矿浆 pH 值的测定，过去是用"手上滴定法"，1973 年开始使用 pH 计，进行 pH 值指示。它是由 pHG-21A 型工业酸度计和 pHGF-B 型沉入式清洗酸度发送器组成，配套应用。

砾磨机的工作原理 是以砾石代替钢球破碎小物料，但砾石的磨耗速度要比钢球的磨耗速度快得多，所以砾石补加量非常频繁，相应的引起砾磨机的功率变化无常，为此必须采用功率自动检测控制，以保证磨机充填率的正常和尽可能的工作峰值功率。

该厂认为此功率控制设备的主要优点是：结构简单、体积小、工作可靠、维修量小。此设备自 1969 年投产以来，一直安全运行，没有发生误动作现象。

风力提升泵 该厂在运输矿浆的基础上，扩大风力泵的使用范围，把它用于转送固体物料，使砾磨机排出的粗颗粒重新返回再磨，大大减轻了工人的笨重体力劳动。目前，风力泵操作已利用超声波实现自动控制。

8″泵池液位自动调节 磨矿生产过程中，由于矿浆量的变化，造成 8″泵"喘气"，用人工操作电机与 8″泵间的流压联轴节调速装置，不易稳定，造成金属流失，管路堵塞，破坏了旋流器的稳定运转，严重的影响了旋流器的分级。采用 8″泵池液位自动控制系统后，8″泵"喘气"现象基本消失，并使磨矿生产得到稳定运转。

c 浮选自动化控制点

自动式液位装置 采用液压自动控制浮选机液面，能保持矿浆液面恒定，现已设计符合该厂浮选机风压 24516.6 帕（0.25千克/厘米²）的自立式液面装置。

药剂添加自动控制及调节 该厂目前所用药剂主要为丁基黄药和 2 号浮选油。供给丁基黄药是用定量给药泵与分配器联合使用，它可以根据加量多少而进行给药。定量给药泵是一种往复运动的柱塞泵，其特点是给量较精确，能自动调节柱塞泵冲程在 0~3000 毫升/分范围内调节给药量，在最大给药时压头为 98066.5 帕（1 千克/厘米²）。其缺点是结构比较复杂。

32.1.2.8 永平铜矿选矿厂

A 概况

永平铜矿是一个采选联合企业。从 1980 年开始建设，于 1984 年 9 月基本建成，同年 10 月 23 日投入试车、生产。

该矿坐落在赣东北，交通极为方便。选厂所产精矿可经过铁路运往贵溪冶炼厂。

B 矿石性质

永平铜矿处于武夷山隆起北缘，信江凹陷带南侧。是一个以铜矿为主，伴生有铅、锌、铁、钨、金、银、锗、镓、碲、硒等的综合矿床，属广义矽卡岩型矿床。矿体形态以似层状为主，透镜状次之。其围岩有石英砂岩、含砾石英砂岩、千枚状页岩、矽卡岩化灰岩等。矿石类型以硫化铜、铁类为主，含铜磁铁矿类与褐铁矿铁帽类次之。

主要金属矿物有黄铁矿、黄铜矿、赤铁矿、辉铜矿、孔雀石、自然铜、磁黄铁矿、白钨矿、闪锌矿、方铅矿、银金矿等；非金属矿物有石英、石榴石、阳起石、绿泥石、方解石、云母等。

有用矿物嵌布特性：黄铁矿以他形粒状为主，自形、半自形晶次之。黄铜矿以他形粒状为主。在原生矿中以单独他形晶粒、集合体产于脉石矿物与黄铁矿的粒间或裂隙中。辉铜矿为粒状。

自然铜分布于矿床氧化混合带中，呈他形不规则粒状。矿岩物理性质见表 32.1.39。

表 32.1.39 矿岩物理性质表

矿 岩	密度，g/cm³	松散系数	硬度，f	自然安息角
矿 石	3.12	1.5	8～10	36°
岩 石	2.75	1.5	1～12	36°

C 工艺流程

选矿工艺流程主要是依据原省属永平铜矿小选厂十年生产的实践流程，和江西有色冶金研究所所做的多次选矿试验报告确定的。由于矿床上部为氧化矿、混合矿，下部为硫化矿。因此，前期采用泥砂分选的具有洗矿作业的流程，后期基本为处理硫化矿单一流程。采用的工艺流程如图 32.1.17 所示。

a 碎矿流程

碎矿流程采用三段一闭路的流程。碎矿系统分为粗碎、洗矿、中细碎、筛分四个车间，分成两个平行系统。

矿石由矿山运至选厂粗矿仓卸矿，该矿仓有效容积为 512 米³。粗碎采用 2 台 1500×2100 毫米颚式碎矿机，破碎后的矿石由 2 条皮带输送到洗矿车间。洗矿由 4 台 1700×3500 毫米重型振动筛，4 台 1800×3600 毫米自定中心振动筛和 4 台 φ2400 毫米单螺旋分级机依次构成两个洗矿系统。洗矿筛上粗矿用 2 条皮带运往中细碎车间。螺旋分级机溢流，脱泥后输入 φ45 米浓缩池；返砂由皮带运至粉矿仓。中细碎和筛分由 2 台 φ2200 毫米标准型圆锥碎矿机、4 台 φ2200 毫米短头型圆锥碎矿机和 6 台 2100×6000 毫米自定中心筛构成两个破碎筛分系统。中、细碎产品经筛分后，筛上产品（大于 15 毫米）返回细碎而构成闭路；筛下产品（小于 15 毫米）由 2 条皮带运往粉矿仓。

整个碎矿自动化程度较高，主要工艺设施都设在中细碎车间的集中控制室集中调度、自动控制。控制方式有集中连锁、就地连锁和就地非连锁三种。各可逆配仓皮带运输机卸料控制分为自

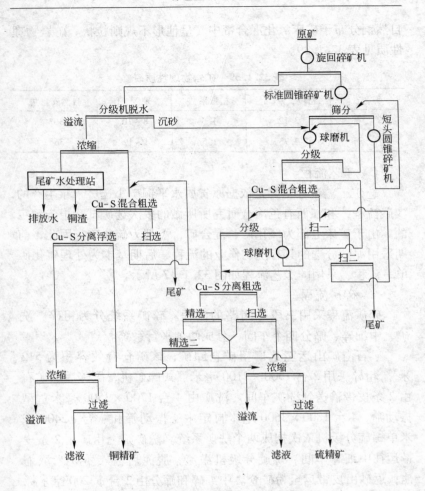

图 32.1.17　永平铜矿选矿厂工艺流程

动和手动两种。集中连锁采用 SMD 系列低速数字功能组件组成
无触点自动控制系统；就地连锁及就地非连锁均为有触点继电接
触系统。

　　b　磨浮流程

　　磨浮流程采用一段闭路磨矿，铜硫混合浮选，混合精矿再磨
后铜硫分选（图 32.1.17）。磨矿、浮选部分为两个系统。一段

磨矿细度为 65% – 200 目，设备是从加拿大艾利斯·查默斯公司引进的 2 台 ϕ5.03×6.4 米大型溢流型球磨机。每台磨机与 ϕ600 毫米水力旋流器构成闭路磨矿系统。为了检修和装卸衬板方便，磨机还配有微拖装置和机械手。随磨机同时引进的还有莱姆西系列电子皮带秤装置、PSM-200 型粒度监测系统和自动化控制仪表。

铜硫混合粗精矿再磨至 95% – 200 目以上进行铜硫分选，获得铜精矿和硫精矿。浮选的铜硫混合精矿送至两组 ϕ350 毫米水力旋流器进行分级和两台 ϕ3200×4500 毫米球磨机进行二次磨矿，混合浮选流程为一粗二扫，每个系统粗、扫选分别使用 12 台 CHF-X14.4 米^3 机械搅拌充气式浮选机。铜硫分选流程为一粗一扫二精，铜硫分离粗、扫选也采用上述浮选机，每个系统采用 6 台；铜精选使用 XJK-2.8 型浮选机每个系统各 6 台。

泥矿单独处理，从 ϕ45 米洗矿浓缩池底流出来的矿泥，通过 3 个缓冲调浆槽（ϕ4×4 米）进入泥浮选搅拌槽，用 12 台 XJK-2.8 型浮选机，其中铜硫混合粗选 6 台，扫选 4 台，铜硫分选 2 台。

选矿工艺设计指标列于表 32.1.40。

表 32.1.40 选矿工艺设计指标表

| 产品 | | 品位,% | | 回收率,% | | 备注 |
		Cu	S	Cu	S	
前期（氧化矿混合矿）	铜精矿	22	29.93	70	5.34	
	硫精矿	0.15	42	5.42	85	
	可溶铜	22		5		
	尾矿	0.19	1.67	19.58	9.66	
	原矿	0.70	12.5	100	100	
后期（硫化矿）	铜精矿	22	35.5	88	7.5	
	硫精矿	0.11	42	4.25	85	
	尾矿	0.071	1.30	7.75	7.5	
	原矿	0.66	12.5	100	100	

铜硫混合浮选以丁黄药为捕收剂，2 号油为起泡剂。铜硫分选添加丁黑药浮铜抑硫，黄铁矿的抑制剂采用石灰和亚硫酸钠。

泥系统在混合浮选中添加硫化钠作为矿泥中氧化矿的硫化剂。

浮选药剂除石灰和再磨机中添加的亚硫酸钠外，全部由药剂室的电子数控给药机添加。设计药剂耗量见表 32.1.41。

表 32.1.41   选矿设计药剂耗量表

药　　物	单耗，kg/t 矿	药剂浓度,%	备　　注
石　　灰	3.9	10% 石灰乳	
丁黄药	0.152	10%	
丁黑药	0.083	原　状	
2 号油	0.065	原　状	
硫化钠	0.126	10%	
硫　　酸	6.00	10%	
碳酸钠	0.062	10%	

c　精矿脱水

铜、硫二精矿分别自流到 1 台和 2 台 ϕ45 米的浓缩机。浓缩精矿分别由 3 台和 7 台 60 米^2 圆盘过滤机进行过滤。过滤后的精矿通过皮带运输机送到精矿仓库。仓库全长 318 米，共分 4 个仓；一个铜精矿仓，有效容积 3000 米^3；二个硫精矿仓库，有效容积 21200 米^3；另外一个铜渣仓库供贮污水处理的铜渣用，容积 1000 米^3。精矿仓库内另一侧是铁路专用线，产品由库内 4 台 15 吨抓斗吊车直接装入火车，以供外运。

d　尾矿处理

日处理原矿为 10000 吨的尾矿量是 7300 吨，每年为 241 万吨。

浮选尾矿先经 2.2 公里自溜槽（0.5×0.6 米）送至 1 号砂泵站，溜槽坡度 7‰。两条溜槽平行架设，一条工作，一条备用，1 号砂泵站配置灰渣泵 3 台（1 台工作、2 台备用），设 D500 毫米铸铁管路两条，扬程 76.2 米，输送至尾矿坝。尾矿库有效容积为 4000 万米^3，堆存高度 60 米，可满足露采生产服务年限的需要。

e　自动化设施

碎矿车间设有自动连锁控制系统和自动除铁装置；

磨浮车间引进有恒定、调节给矿控制系统；浮选机液面自动控制系统；pH 自动控制系统等。

精矿车间过滤机液面自动控制，自动放水等。

32.1.2.9 皮马选矿厂（美国）

A 概况

皮马（Pima）公司由塞浦路斯矿业公司、加利福尼亚联合油业公司和犹他国际公司三家组成，其投资分别为 50.01%、25%、24.99%。

该矿体于 1950 年发现，1956 年 10 月开始动工，当年 12 月选厂投产，当时选厂仅有一台棒磨机和两台球磨机，规模 3000 吨/日。1962 年开始第一次扩建，增加二个系列，生产量增加到 6000 吨/日，1966 年第二次扩建又增加四个系列，1968 年又增加四个系列，总共增加十个系列，1972 年进行第四次扩建，使规模增加到 55000 吨/日。前三次扩建生产能力从 3000 吨/日，扩建到 36000 吨/日，经以后改进提高生产能力到 40000 吨/日。第四次扩建是在老厂东西 600 米处建立另一新选厂，规模为 14000 吨/日（即第二选厂），整个选矿厂总能力达到 54000 ~ 56000 吨/日。

原矿铜品位 0.54%，钼品位 0.014%，铜精矿品位 27.3%，钼精矿含 Mo42.16%，铜回收率 84.44%，钼回收率 62.9%（作业）。

B 矿石类型

主要铜矿物是黄铜矿、高品位铜矿产于接触变质岩的角页岩中，在角页岩中含有少量辉铜矿、斑铜矿、自然铜、硅孔雀石和赤铜矿，黄铜矿在长石砂岩中呈斑岩化，而石英长石砂岩矿石是低品位矿石。

C 选矿工艺

a 皮马第一选厂

皮马第一选厂 40000 吨/日碎矿和磨浮流程如图 32.1.18 及图 32.1.19 所示。原矿经格筛预先筛分后，筛上产品给入一台 1370×1880 毫米的旋回碎矿机粗碎，破碎产品与格筛筛下产品

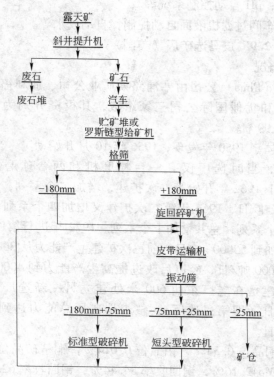

图 32.1.18　皮马选矿厂 I 破碎流程

合并用 1370 毫米钢绳皮带运输机运到有效容量 24000 吨的露天
矿石堆，矿石由矿仓送到三台泰勒（Tyler）1520×4260 毫米双
层筛，筛上产品给到第二段三台 2130 毫米西蒙斯标准型圆锥碎
矿机。筛下产品送到粉矿仓。第二段碎矿产品给到皮带运输机送
细碎矿仓的卸矿车，分配给 7 台 1830×4260 毫米泰勒双层筛，
上层筛网是 25 毫米的圆棒，其间距为 25 毫米的条筛，下层
12.5×50 毫米或 15×50 毫米的筛孔是根据矿石粘性而定。筛上
产品给到 7 台西蒙斯短头型圆锥碎矿机进行第三段破碎，破碎产
品和标准型圆锥碎矿机产品一起闭路返回，筛下产品运到粉矿
仓。粉矿仓下有十个给矿机分配给十个磨矿系列，每系列具有一

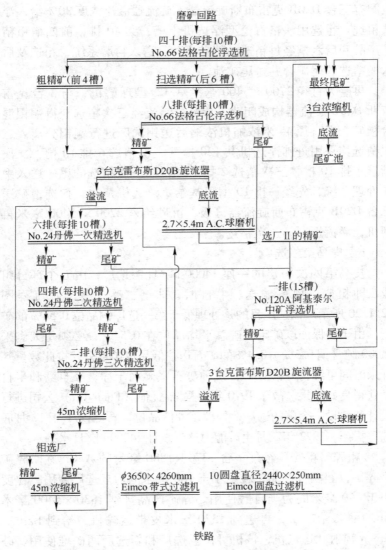

图 32.1.19 皮马选厂 I 浮选流程

台直径 3000×4800 毫米的 A. C. 棒磨机和两台直径 3200×4000 毫米的 A. C. 溢流型球磨机，棒磨机排矿给入球磨机，每台球磨机配有三台 D20B 克雷布斯旋流器，旋流器溢流浓度30%给入浮选粗选。粗选用法格古伦型浮选机十槽，共 40 排，前四槽粗精矿产品和后六槽经过精选的精矿合并，送入再磨系统，粗选及后六槽精选的尾矿合并送尾矿池。

再磨为直径 2700 × 5400 毫米 A. C. 型球磨机，与 3 台克雷布斯 D20B 旋流器构成闭路，旋流器溢流经三次精选获得铜钼混合精矿，经直径 45 米浓缩机浓缩后送钼选厂进行铜钼分离。三次精选均采用丹佛浮选机共 120 槽（一次精选 6 排 10 槽，二次精选 4 排 10 槽，三次精选 2 排 10 槽）。一次精选的尾矿送入中矿处理系统，先经一排 10 槽阿基泰尔浮选机精选，扫选精矿送三台 D20B 克雷布斯旋流器分级，沉砂给入 2700 × 5400 毫米再磨机，溢流返回第一次精选。

b   皮马第二选厂

皮马第四次扩建的一座 14000 吨/日铜选厂，由五个部分组成，即粗碎、物料输送、半自磨、球磨、浮选等，如流程图 32.1.20 所示。该选厂目的是处理低于第一选厂铜品位 0.54% 的矿石，由于要保证该矿床出矿总平均品位在 0.54%，必须每天剥采 14000 吨含铜 0.3% ~ 0.4% 的矿石送往低品位矿堆去，按此数量其开采时间可维持 8 ~ 10 年，该种矿石坚硬而干净，经自磨和半自磨获得良好结果。故于 1970 年由福陆-犹他（Flour-Ult）公司进行设计和建设一个新的选厂，处理该种低品位矿石。1971 年 12 月底选厂投产，1972 年 3 月生产能力达到设计 14000 吨/日水平。

粗碎   粗碎厂经过一台 1370 × 1880 毫米的 A. C. 旋回碎矿机碎矿，获两种产品，粒度小于 180 毫米的为老选厂使用，粒度小于 250 毫米的为半自磨使用。碎矿产品排到 1830 × 5400 毫米 NICO 铁板给矿机，再送到 1370 毫米皮带运输机，给到 Barber-Green 辐射状运输机，该机可供老选厂和新选厂两矿堆使用。破碎厂生产能力为 3000 吨/时。

物料输送   新选厂矿石由 4 条 1220 × 3650 毫米 NICO 铁板给矿机（每个系列 2 条），给到两条 1220 毫米皮带运输机，再从

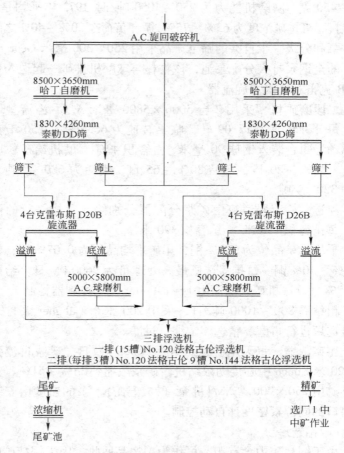

图 32.1.20 皮马选厂 Ⅱ 浮选流程

此输送到二台哈丁（Hardinge）半自磨机，其排矿经 1830×4260 毫米双层筛筛出小于 20 毫米产品。筛上物料和磨矿介质用一台公用的 900 毫米皮带，按比例分配返回到磨机中。

半自磨机　2 台 $D \times L = 8500 \times 3650$ 毫米哈丁半自磨机,每台磨机共 4500 千瓦电动机,磨机转速 10.95 转/分,75% 临界转速。磨机加 8%～10% 的钢球（直径为 100 毫米）,每次加入 6 吨。钢耗为

270～450克/吨,磨机能力为250～1050吨/时,1973年平均是415吨/时,磨机排矿浓度为65%～75%,循环负荷在20%～40%之间。

泵和分级　半自磨的筛下产品采用250×300毫米 Georgia 铁工厂的全钢泵打入分配泵池,该物料与球磨机排矿一起送入4台D26B 克雷布斯水力旋流器。

二段磨矿机　采用2台5000×5800毫米 A. C. 溢流型球磨机,每分钟转速为13.09转,临界转速为66.5%,2250千瓦电机驱动。每台装入钢球90毫米,占容积42%,磨机给矿粒度为75%～80%－20目,产品80%－65目,钢耗为680克/吨,球耗为320克/吨。

浮选　旋流器溢流由矿浆分配器分别给入三排平行的浮选机,每排容积130米^3,总容积390米^3。

平均给矿品位为0.5%铜,尾矿平均品位为0.07%铜,粗精矿8%～10%铜。每排浮选机最高处理量为9600吨/日,给矿浓度35%,浮选机矿浆液面由 Frsch-Porter 气动控制器控制。

粗精矿800～1000吨/日,采用200毫米 Caligher 泵打入第一号选厂进行再磨、精选、浓缩、过滤。

尾矿浓缩　每天尾矿量5000～20000吨/日,矿浆自流到直径120米 Eimco 中心传动浓缩机。矿浆浓缩到35%～51%,浓缩机排矿由250×200毫米丹佛泵(75千瓦),泵的速度由安装在排出口的同位素密度计自动控制。

c　钼选厂

由于铜精矿中含有钼,可作为副产品回收。因受铜精矿的给矿量波动,以及辉钼矿数量和矿石类型,脉石数量的影响,给选钼生产带来许多困难,因此,要求钼的选别工艺流程及药剂制度具有简单和较高的灵活性。

浮选流程包括铜钼分选和六次精选,选厂按作业划分五个区,有预搅拌、分离、一精选、中间精选和最终精选等。其流程如图32.1.21所示。

分离工序使用一台48号 Caliger 搅拌槽和16台48号阿基泰

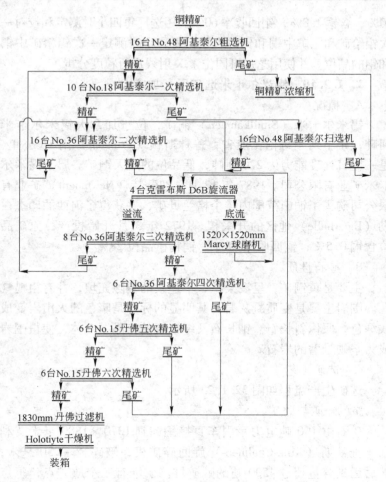

图 32.1.21 皮马钼选矿厂流程图

尔浮选机，矿浆添加硫氢化钠搅拌，其用量为 1.8～3.6 千克/吨钼给矿量，药剂用量用硫化氢离子浓度来调节。从第二次精选后添加硫氢化钠和氰化物（包括氰化钠和锌氰化物）。第二次精矿在 1520×1520 毫米 Marcy 磨机中再磨，然后进行第三次精选，在第五次精选时使用 Exform636 药剂作为增加聚泡作用，并添加高锰酸钾抑制黄铁矿。第六次精选时添加水玻璃和氰化钠。平均品位

40%，含铜1.8%，钼回收率60%。钼选厂每四小时测定和校对一次钼给矿和尾矿中铜和钼的含量，每二小时测定一次钼精矿中铜和钼的品位。并使用芝加哥同位素X射线进行粒度分析。

32.1.2.10　锡米尔卡米选矿厂（加拿大）

A　概况

锡米尔卡米（Similkameen）铜矿，位于加拿大锡米尔卡米河畔，距不列颠哥伦比亚省，普林斯顿（Prinston）南16公里，是一座日处理能力为22000吨，低品位的露天铜矿。属于锡米尔卡米矿业有限公司。1987年12月，纽蒙特（Newmoent）矿业有限公司购买了铜山范围内整个格兰贝矿，并获得了河西的印杰白勒（Ingerbelle）地区的开采权。1972年3月开始投产，原矿品位含铜0.5%，铜回收率88%。铜精矿品位28%。

B　矿石性质

主要是黄铜矿，呈浸染状，不连续的裂隙充填，并有粗糙气孔。围岩主要是变质凝灰岩，其明显的标志是暗色的火山岩变成浅绿色，假像斜长石、钠长石及绿帘石的伟晶混合体，使得围岩成为坚硬难磨的岩石。

C　选矿工艺

选矿生产流程如图32.1.22所示。

a　碎矿与磨矿

矿石由100吨电力牵引车直接翻卸到1370×1880毫米艾利斯·查默斯（Allis-Chalmers）旋回碎矿机，破碎至−230毫米；然后运到容量超过4500吨的贮矿堆。矿堆有三个放矿点，每点有两台液压冲击给矿器，把矿石给入三台直径为9.75米、长4.26米的第一段磨矿的哈丁（Harding）半自磨机。磨机排矿端有间隙为75毫米的格栅，使磨机产品进入滚筒筛，筛出−20毫米的物料进入螺旋分级机。而+20毫米的砾石排到一条运输带上，与+6目的分级机返砂一起返回磨机。分级机溢流（45%−200目）用泵扬到第二段磨矿回路的分配箱。在此与第二段磨矿的排矿汇合后进入旋流器给料泵池。

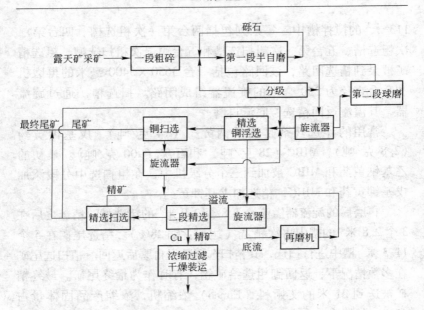

图 32.1.22 锡米尔卡米选矿厂生产流程

第二段磨矿系统包括两台 4800×8500 毫米的多米尼恩（Dominion）球磨机，每台与 4 台 750 毫米直径的旋流器构成闭路。旋流器溢流（−200 目含量大约为 70%）的粒度和浓度由自动"粒度检验器"连续监测，以便帮助操作人员能够看出回路是否过载，或者是两台球磨机负荷是否平衡。当遇到较软的矿石，处理量增大时（每个回路负荷量超过 400 吨/时），将第一段的一台磨机与 4 台直径为 500 毫米的旋流器闭路以减轻第二段磨矿的负荷。

第一段磨机的衬板由原来的平衬板和提升式衬板全部换成铁轨型提升衬板，使之能够提升 125 毫米的钢球并减少停产时间。目前每台半自磨机装球量为 140 吨，其中 100 毫米球占 50%，125 毫米球占 50%。二段球磨机中填装 62.5 毫米和 75 毫米球使之接近磨机额定功率。再磨机装 37.5 毫米钢球。整个磨矿系统钢消耗量为 630 克/吨。

b 浮选和药剂

旋流器溢流被泵到浮选回路，并分配到三个相同系列前的

113 米³ 的搅拌槽中。每系列包括两台第一次粗选槽、四台第二次粗选槽、五台第一次粗扫选槽和五台第二次粗扫选槽，粗选精矿被泵到精选回路，该回路包括一台 3650×5400 毫米的再磨机和 8 台直径为 250 毫米的旋流器组成闭路。扫选精矿通过旋流器，其溢流返回精选，底流再磨。

常用的浮选药剂是乙基钠黄药（14 克/吨），戊基钾黄药（2.8 克/吨），MIBC（28 克/吨）和石灰（900 克/吨）。最初的乙基钠黄药和 MIBC 被加到三个分级机中，在粗扫选中分段添加戊基钾黄药和 MIBC，精选加戊基钾黄药。

再磨后的旋流器溢流给入 8 个 2.8 米³ 的精选槽，精选之后在 3 个 2.8 米³ 的槽中再次精选（达到含铜 28%）。精选尾矿在 5 个 11.3 米³ 槽中进行扫选，其精扫选精矿经再磨后返回。精扫选尾矿在多数情况下，返回到粗选给矿箱，有时作为最终尾矿。最终精矿被送到 21 米的艾姆科（Eimco）浓缩机，浓缩产品固体量占 65%，然后在一台 2440×250 毫米×8 盘的过滤机上过滤，在一台 1520×15200 毫米的端封式海根泰特（Haggentrate）干燥机上干燥至含水 8%，再由干燥机运到仓库。最后装上卡车或装船。

当原矿品位高，以及处理量大时，在过滤机进料斗中加 Cyanamid Aerodri 100 辅助过滤剂（4.5 公斤/吨），通过在水面上的吸水器，加快过滤和干燥的速度。铜的平均回收率是 88%，该指标在很大程度上依赖于磨矿细度，最佳磨矿细度是 -200 目含量 68%，铜精矿品位为 28%，其中含金 12 克/吨，含银 45 克/吨。

　　c　尾矿的处理和供水

选厂尾矿自流长度 275 米，流经吊桥穿过锡米卡尔米峡谷，再流经 1066 米到旋流器站，通过旋流器（4 台直径为 750 毫米）分级，溢流流进斯迈尔特（Smelter）湖。底流用来在湖的两端建坝，在两个尾矿池的端部均设置渗流泵，以保证没有污染物排入周围环境。

在尾水池中有两台泵船，把水返回到浮选厂，这些水占总耗水量的 75%。其余 25% 作为冷却水和水封水的净水来自选厂下面 30 米处的锡米尔卡米河。

d 选厂控制

锡米尔卡米选厂自动化程度高，有中心控制室联 A 接各作业段，通过矿浆控制台监测和控制。中心控制室的 INAX·X 射线分析仪给浮选工提供快速分析结果，淘汰了跟班分析员。

采选所用动力由 B、C 水电公司供应，在选厂近旁有一辅助电站。大约 95% 的电力消耗在选厂，其中主要消耗在磨矿上，其余5% 是由采矿消耗的。选厂每选一吨矿的电耗是 34 千瓦·小时。

32.1.2.11 丘基卡马塔选矿厂（智利）

A 概况

矿床位于智利北部安托法加斯塔省拉马城附近的丘基卡马塔（Chuquicamata）镇。地理坐标南纬 22°17′，西经 68°55′，海拔标高 2830 米。西距安托法加斯塔海港 240 公里。该矿现有矿石储量约 100 亿吨，控制铜金属量 6000 万吨，是世界上最大的斑岩铜矿床。目前露采规模日采剥总量 32 万吨，其中矿石 3.4 万吨，为世界最大的露天铜矿山。经过选矿、冶炼，年产铜精矿及精铜 50 万吨（其中电解铜 40 万吨，精矿铜 10 万吨）。

丘基卡马塔矿区由三个矿床组成。除丘基卡马塔本矿外，还有丘基南矿（即埃克索提卡矿床）和丘基北矿（即潘帕诺特矿床）。南矿全为氧化矿，现有确定储量 1.7 亿吨，含铜 1.5%；北矿为一个独立的斑岩铜矿床，探明矿石储量 5 亿吨，平均含铜0.7% ~0.9%，尚未开采。

丘基卡马塔矿区为一个联合企业。由三个部分组成：矿区本部、包括两个矿山（即丘基本矿和丘基南矿）及选矿厂、冶炼厂，有职工 9600 人；托克比雅发电厂，有职工 400 人，发电能力为 20 万千瓦，是丘基卡马塔矿的电力供应者。安托法加斯塔港口，共有职工 326 名，为原料及成品集散地，海港吞吐量约 3万吨/月。全企业共有职工 10300 余人，每年的铜产量约占智利全国铜产量一半左右。

B 矿床类型及矿物组成

矿体南北长 3.5 公里，东西宽 1.2 公里，控制深度 1000 米以上。矿体呈楔状向下延伸，绝大部分赋存在斑岩体中，特别是斑岩体北部的东斑岩中。主要矿物有黄铁矿、硫砷铜矿、黄铜矿、斑铜矿、辉钼矿，在矿体外部有少量闪锌矿、方铅矿、赤铁矿等，浅部有辉铜矿、蓝铜矿，受后期淋滤作用形成孔雀石、硅孔雀石、水胆矾，块铜矾等矿物。矿石为细脉浸染状结构。

a　丘基卡马塔南矿

位于丘基卡马塔南 4 公里，于 1970 年正式开采，并入丘基卡马塔矿区。矿体全部由氧化矿石组成。主要矿物有孔雀石、硅孔雀石、绿铜矿及少量铁、铜、锰的氧化物。矿石储量 1.75 亿吨，平均含铜 1.5%。

b　丘基卡马塔北矿

位于丘基卡马塔矿体的北部 6 公里，是一个独立的斑岩铜矿床。矿体的垂直分带是：顶部为淋滤氧化帽带，氧化矿体长 1600 米，宽约 600 米，厚度 80 米，含铜 0.8% ~ 0.9%。次生富集带含铜 1% ~ 2%，主要由辉铜矿、黄铜矿组成。下部为原生硫化矿带，含铜 0.8%，由黄铜矿、黄铁矿、斑铜矿及辉钼矿组成。目前矿石储量为 5 亿吨，平均含铜为 0.7% ~ 0.9%。

C　工艺流程

该矿于 1915 年投产，原属美国安那康达铜公司的分公司-智利开发公司。1969 年与智利政府联合成立南美丘基卡马塔铜公司。智利拥有 51% 股份，1971 年智利将该矿收归国有。

选厂于 1952 年投产，刚投产时，既有氧化矿，又有硫化矿，由于氧化矿严重影响选厂能力的发挥，故 1959 年以来，选厂主要处理硫化矿，氧化矿送浸出厂。

目前矿石中主要有用矿物以辉铜矿和黄铁矿为主，其次是黄铜矿、铜蓝、硫砷铜矿、氯铜矿、斑铜矿和辉钼矿等。将来黄铜矿、黄铁矿增加，辉铜矿减少。原矿的化学分析列于表 32.1.42。

a　破碎与筛分

粗碎机有两台。一台设在露天采场，一台在破碎车间。矿石

表 32.1.42　原矿化学分析

元　素	Cu	Mo	Fe	As
含量,%	2.1	0.05	1.8	0.06

都是用汽车送到缓冲矿仓,进入筛孔为 200 毫米的格筛,筛上产品到艾利斯·查默斯 1370 毫米旋回破碎机,其破碎产品和筛下产品汇合运到露天储矿场(容量为 10 万吨),再经转运系统送到中间矿仓(容量为 3.5 万吨),再经 5 条皮带送到中碎前的 F-900 双层振动筛,其筛上产品给入 5 台 φ2130 毫米西蒙斯标准圆锥碎矿机,小于 16 毫米的筛下物料运往粉矿仓,中碎产品经皮带转运到 10 台 F-600 双层振动筛,其筛上产品给入 10 台 φ2130 毫米西蒙斯短头圆锥碎矿机,细碎后的矿石 90% 小于 12 毫米,经皮带送到粉矿仓(容量为 2.5 万吨)。其破碎流程见图 32.1.23。

　　b　磨矿与浮选

　　其工艺流程如图 32.1.24 所示。

　　磨矿有 12 个系列,每个系列有一台 φ3000×4260 毫米棒磨机及两台 φ3000×3650 毫米的格子型球磨机,其中每台球磨机与一组 4 个 φ500 毫米的旋流器构成闭路,旋流器的溢流细度为 60% -200 目,固体含量 42% ~ 45%,加水稀释到 38% 给入粗选。

　　12 个系列的粗选浮选机,型号不完全相同。其中有九个系列,每个系列用 64 槽 1.13 米³ 浮选机组成。另有两个系列,每个系列用 14 槽 A-120 型,容积为 9 米³ 的浮选机组成。再有一个系列是用一排 6 槽 A-120 型、容积为 9 米³ 和一排 7 槽丹佛型,容积为 8.5 米³ 的浮选机组成。粗精矿经浓缩后,给入 φ1830×3650 毫米的溢流型球磨机进行再磨。每台再磨机与 4 个 250 毫米的旋流器构成闭路。溢流细度为 80% ~90% -325 目,固体含量 16%,经二次精选,第一次粗选的尾矿进行扫选。扫选精矿经 30 米的中矿浓缩机浓缩后给入 φ1830×3650 毫米的中矿再磨

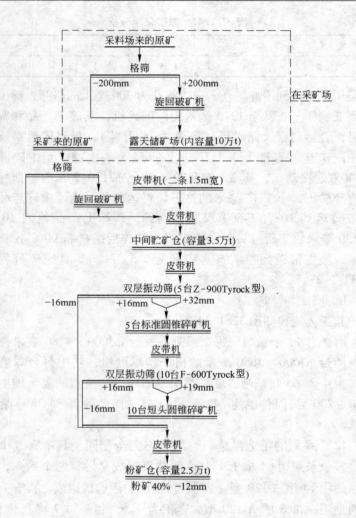

图 32.1.23　丘基卡马塔选矿厂碎矿流程

机，配有 4 个 250 毫米的旋流器构成闭路。磨矿细度为 90%
-325 目，旋流器的溢流固体含量 16%。二次扫选后的尾矿送往
φ90 米的尾矿浓缩机。

　　c　选钼工艺

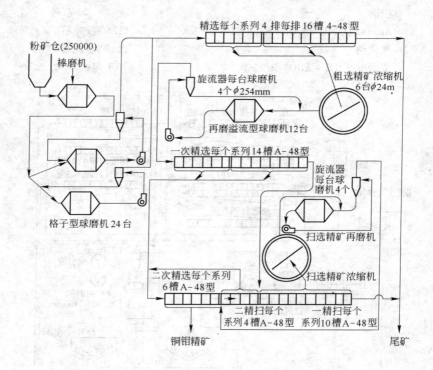

图 32.1.24 丘基卡马塔选矿厂磨浮流程

铜钼混合精矿，经浓缩后送往两个串联的摩擦槽，通过强烈的机械搅拌和擦洗作用，达到脱药的目的，经五次精选，使钼精矿中的含铜量降到 0.25% 以下，然后过滤经回转窑干燥后，送往储矿仓，包装外运。流程见图 32.1.25。

d 浮选药剂

目前生产上采用的浮选药剂有以下几种：

石灰	1575 克/吨（铜钼粗选 pH = 10～10.8）
黄药（Z-11）	40 克/吨
黑药（A-238）	5 克/吨
起泡剂（DF-25）	20 克/吨
MIBC	10 克/吨

松油   5 克/吨

Anamol D（即 $AS_2O_3 + Na_2S = 2:8$）   1125 克/吨精矿

氰化钠   1125 克/吨精矿

絮凝剂（BTI - AIIO）2.25 克/吨   （用于尾矿回水）

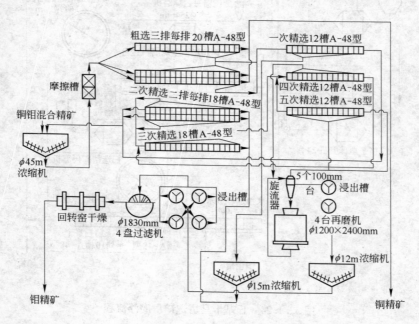

图 32.1.25　丘基卡马塔选矿厂钼浮选流程

　　在选钼时只加 Anamol D，其比例根据矿石性质而定，把它配成 20% 的水溶液使用，至于药剂加入量，在丘基卡马塔选矿厂精选加 75%，第一次精选 10%，第二次、第三次、第五次精选各加 5%。其消耗量是以生产一吨钼精矿来计算的。

　　e　选矿指标

　　选矿生产指标列于表 32.1.43。

　　钼精矿中含 Na_2O 加 K_2O 小于 0.2%，含 SiO_2 5% ~ 7%，含水小于 2%。

　　f　自动控制

表 32.1.43 选矿生产指标

含量 产品名称	品位,%			回收率,%	
	Cu	Mo	As	Cu	Mo
原 矿	2.1	0.05			
铜精矿	40~42		0.8	90~92	
钼精矿	小于 0.25				65
尾 矿	0.20				

控制系统包括粗选矿浆浓度、药剂、再磨矿浆 pH 值等。贮矿槽中的最终精矿矿液面高度用传统的仪表来测定。

g 生产管理

矿山工作制度为每周 6 天,每天三班。矿山职工人数为2693 人。其中矿山生产人员 1300 人,维修 1300 人,管理、技术 93 人。

设备完好率:汽车 70%,电铲 80%,其他 85%。

矿山生产技术方面的一些管理制度如出矿进行配矿,每个矿堆、每个电铲装矿,都进行分析。对出矿品位的控制是:铜大于1.9%,钼大于 0.05%,砷不能大于 0.08%。

汽车调度是按汽车实际动态用电子计算机控制,调度十分及时,观察站及时用无线电与调度站联系。运输效率提高 12%。

设备专人专机,对设备的操作严格管理,要求工人技术水平高,严格考核,实行奖惩制度。对各种设备建立设备卡片,维修档案。备品备件自制 60%,外购 40%。

32.1.2.12 陶基帕拉选矿厂(秘鲁)

A 概况

陶基帕拉(Toguepala)铜矿属美资南秘鲁铜公司所有。矿床位于秘鲁南部达克那省,海拔标高 3100~3600 米,地理坐标为南纬 17°41′,西经 70°36′,东南距达克那市 90 公里,离西部伊洛港 85 公里，气候干燥，雨量稀少。

1952 年末，由美国阿萨柯公司组成南秘鲁铜公司，1959 年 9 月开始建设，工程项目包括开发陶基帕拉露天矿和选厂，伊洛冶炼厂，通往伊洛冶炼厂的 188 公里铁路，一个发电厂，一个伊洛港口和几个居民点，这些工程都是由美国有关公司设计，绝大部分设备来自美国。

选厂在采场西约 6.4 公里处，海拔标高 3180 米，选矿厂 1960 年投产，原设计日处理矿石 3 万吨，1965 年扩建至日处理矿石 3.6 万吨，现日处理矿石 4.5 万吨。

B　矿石性质

矿床类型属斑岩铜矿，主要由石英粗安斑岩、石英二长岩、安山岩所组成。矿体呈椭圆形，长轴直径 1200 米，随深度变化而变小，在垂直方向似一个倒置的截锥体。矿石边界品位为 0.45%，探明储量为 4.1 亿吨，铜品位 1%，上部氧化矿已采完，现开采二次富集带，铜品位 1.1% ~ 1.2% 左右。

矿体有明显的垂直分带，上部为淋滤带及氧化矿带，中部是次生富集带，深部是原生硫化矿带；矿石属硫化矿，黄铁矿是最多的硫化物，黄铜矿是最多的铜硫化物，辉铜矿是上部形成的最重要的铜硫化物；次生富集带基本上为水平状，厚度 0 ~ 150 米之间，最高品位 2%，主要由辉铜矿组成；围岩是闪长石、石英、二长岩、矿化角砾岩等。

C　选矿工艺

选矿厂包括粗碎、中细碎、磨浮、过滤干燥、钼回收、机修电修等车间。

a　破碎与筛分

矿山运来的矿石，给入筛孔为 200 毫米的格筛，筛上矿石给入 1520 毫米的旋回破碎机，其排矿口为 200 毫米，筛下产品和粗碎产品汇合送至容积为 11000 吨的中间储矿仓，然后进入二台西蒙斯 ϕ2130 毫米标准圆锥碎矿机，其排矿和筛下产品合并进入 4 台筛孔为 12 毫米的振动筛，筛上产品经四台西蒙斯短头圆锥碎矿机（排矿口为 12 毫米）进行细碎，其排矿和筛下产品进入粉矿仓（容量为 28000～30000 吨），碎矿产品粒度为 85% 小于 12 毫米。破碎流程见图 32.1.26。

b 磨矿与浮选

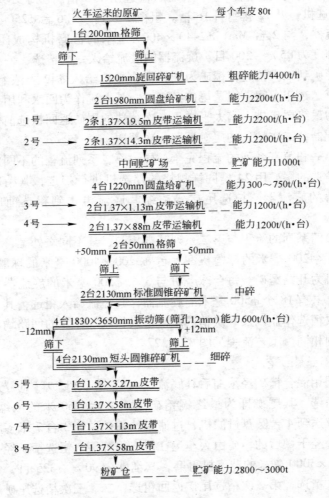

火车运来的原矿 — — — — — — 每个车皮 80t
1台 200mm 格筛
筛下　筛上
1520mm 旋回碎矿机 — — — 粗碎能力 4400t/h
2台 1980mm 圆盘给矿机 — — — 能力 2200t/(h·台)
1号 → 2条 1.37×19.5m 皮带运输机 — — 能力 2200t/(h·台)
2号 → 2条 1.37×14.3m 皮带运输机 — — 能力 2200t/(h·台)
中间贮矿场 — — — 贮矿能力 11000t
4台 1220mm 圆盘给矿机 — — — 能力 300～750t/(h·台)
3号 → 2台 1.37×1.13m 皮带运输机 — — 能力 1200t/(h·台)
4号 → 2台 1.37×88m 皮带运输机 — — 能力 1200t/(h·台)
2台 50mm 格筛
+50mm　　　　　-50mm
筛上　　　筛下
2台 2130mm 标准圆锥碎矿机 — — — 中碎
4台 1830×3650mm 振动筛（筛孔 12mm）能力 600t/(h·台)
-12mm　　　　　+12mm
筛下　　　筛上
4台 2130mm 短头圆锥碎矿机 — — 细碎
5号 → 1台 1.52×3.27m 皮带
6号 → 1台 1.37×58m 皮带
7号 → 1台 1.37×113m 皮带
8号 → 1台 1.37×58m 皮带
粉矿仓 — — — — — 贮矿能力 2800～3000t

图 32.1.26 陶基帕拉选厂碎矿流程

磨浮车间有四个系列。每个系列有两台 Marcy3000 × 4200 毫米棒磨机。每台棒磨机配 2 台 3200 × 4000 毫米球磨机，1965 年后扩建的第四系列一台棒磨机配 3 台球磨机，棒磨机排矿给入 2 台球磨机，每台球磨机与一台耙式分级机构成闭路。

分级溢流入粗选，每个系列的粗选用 192 槽阿基泰尔 1.13 米³ 浮选机，共 12 排每排 16 槽。粗精矿泵到一组 6 台 $\phi250$ 毫米的旋流器，与 2 台 Marcy$\phi2440 \times 4000$ 毫米的再磨机构成闭路，磨矿细度为 85% – 200 目。旋流器的溢流给入一次精选，一次精选的精矿到二次精选，精矿为铜钼混合精矿给入 $\phi42$ 米浓缩机，其底流送选钼车间。粗选尾矿经浓缩，其溢流作为回水利用，底流作为最终尾矿排入南太平洋。一次精选的尾矿返回粗选前的矿浆分配器，二次精选的尾矿返回一次精选。

第一和第三系列的流程完全一样，第二系列流程的不同点是一次精选的尾矿用 24 槽同样规格的浮选机进行扫选，其精矿返回再磨的旋流器，扫选尾矿经浓缩其底流再送到粗选前的分配器。

第四系列的流程与第二系列基本相同，其不同之处是，二台 $\phi3000 \times 4200$ 毫米的棒磨机配 6 台 $\phi3200 \times 4000$ 毫米的球磨机，棒磨机为开路磨矿。每台球磨机与 3 个 $\phi500$ 毫米的旋流器构成闭路。共有 18 个 $\phi500$ 毫米的旋流器，其溢流给入粗选，其一次和二次精选作业以及一次精选尾矿进入扫选等作业的回路均与第二系列相同。工艺流程见图 32.1.27。

　c　选钼工艺

铜钼混合精矿经浓缩后其底流送入 12 槽 1、13 米³ 的浮选机进行粗选，其尾矿即为最终铜精矿送入 2 台 $\phi60$ 米的浓缩机，其底流送到 4 台圆盘过滤机，过滤后的精矿送到 3 台 7 米多膛干燥机，经干燥后的精矿由火车运往伊洛冶炼厂。粗选精矿经一台 $\phi1800 \times 3000$ 毫米的球磨机再磨，其细度为 90% – 325 目，然后经四次精选，第一次精选尾矿返回粗选，二、三次精选尾矿返回一次精选，四次精选尾矿返回三次精选，第四次精选的精矿到一

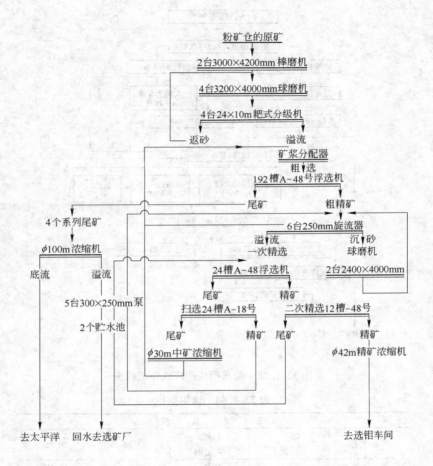

图 32.1.27 陶基帕拉选厂磨、浮流程

台 $\phi1200 \times 2400$ 毫米的球磨机再磨，排矿给入 1×1.5 米的加温槽，用蒸气加温至 80℃ 以上进行脱药，再经四次精选，获得钼精矿经过滤后送往浸出槽，用氢化钠浸出辉铜矿，使最终钼精矿含铜小于 0.3%，再经过滤，干燥获得成品。

其选钼工艺流程见图 32.1.28，选别指标见表 32.1.44。

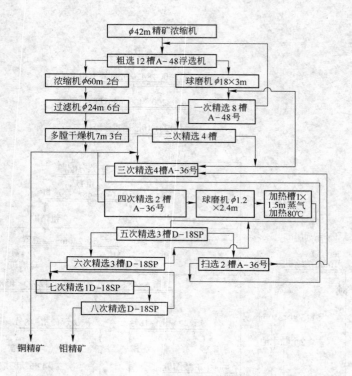

图 32.1.28 陶基帕拉选厂选钼流程图

表 32.1.44 选别指标

选 铜 系 统			
产品名称	Cu% （全铜）	Cu% （氧化铜）	Fe%	Mo%
原 矿	1	0.07	4	0.015
铜钼精矿	26	—	—	0.300
尾 矿	0.15	0.06	—	0.006

选 钼 系 统				
产品名称	Cu 全铜%	Mo%	Mo 回收率%	全 Cu 回收率%	硫化铜回收率%
铜钼精矿	26	0.300	—	—	—
钼精矿	1.3	52.80	66	—	—
铜精矿	26.1	0.102	—	85	90

药剂用量

戊基黄原酸丙烯酯	9 克/吨
异丙基黄药	16 克/吨
石灰 (78% CaO)	1600 克/吨
合成起泡剂 (Aerofroth73 和 38y)	7 克/吨
絮凝剂 (Poly Hall M-59)	2.7 克/吨

选钼是根据生产一吨钼精矿所消耗的药剂来计算，其用量为：

2 号柴油	36 克/吨
合成起泡剂 (Aerofroth73)	9 克/吨
硫化砷	4750 克/吨
三氧化二砷	1580 克/吨
乙二醇结构类药剂 (Exfoam 636)	68 克/吨
氰化钠	1130 克/吨

32.1.3　混合铜矿选厂

32.1.3.1　落雪铜矿选矿厂

A　概况

东川矿务局落雪矿选厂位于海拔 3200 米的高寒山区，全年平均气温 7℃，最高 23℃，最低零下 16℃，气候多变化，冬季风大，秋雨甚多，地理条件比较差。

该厂于 1965 年设计，1966 年 4 月 1 日一期工程正式建成投产。

选厂由龙山、稀矿山、老山、月亮洞、小溜口五个矿区。

B　原矿性质

东川落雪矿区出露的地层为元古代昆阳群，属地槽型沉积矿床，厚度巨大，变质轻微，褶皱强烈，断裂发育。

落雪铜矿床包括两种不同工业类型，即：白云岩层状铜矿床和扁豆状含铁铜矿床，矿石中含铜品位约 0.93%，含铁铜矿石平均含铁为 21%，具有综合回收价值。

铜矿石中，铜矿物以斑铜矿、辉铜矿、孔雀石为主，黄铜矿、铜蓝、硅孔雀石次之。

　　硫化铜矿物主要是斑铜矿、辉铜矿，其次是铜蓝和黄铜矿。其构造以浸染状及星点状散布为主，网脉状较少，部分沿围岩层纹及裂隙浸染成马尾丝状，嵌布粒度一般在 0.0015~0.1 毫米之间。

　　脉石矿物以白云石、石英为主，长石、方解石次之。

　　原矿品位一般在 0.8%~0.9% 左右，平均氧化率为 18%~40%，结合率 7%~14%，氧化率沿矿体由上而下逐渐减弱。矿石密度为 2.77 克/厘米^3，原矿含银 11.1 克/吨左右，可富集于精矿中，其余微量黄金由冶铁厂提取，其他金属无回收价值。

　　含铁铜矿石的铜矿物赋存于沉积变质的铁矿层中和黑云母化的铁质板岩中，其硫化铜矿物主要为细粒不均匀散点状分布，嵌布粒度一般在 0.003~0.12 毫米之间。孔雀石主要以薄膜状在脉石的层理和裂隙中产出，嵌布粒度一般为 0.025~0.25 毫米，膜厚为 0.03~0.12 毫米。含铁铜矿石原矿铜品位一般在 0.90%~1.1%，氧化率略低于铜矿石，但结合率高于铜矿石，矿石密度为 2.92 克/厘米^3。含铁铜矿石的铜矿物主要是斑铜矿，其次为孔雀石、黄铜矿、辉铜矿、铜蓝及少量的硅孔雀石和微量的赤铜矿与砖红铜矿。铁矿物主要是赤铁矿和少量的磁铁矿、褐铁矿、镜铁矿。脉石矿物以绢云母、绿泥石、石英、方解石为主。

　　为了回收含铁铜矿中的铁，东川矿务局设计处吸收了云锡等地的经验，设计从落雪矿含铁铜矿石尾矿中回收铁。生产能力为 1300 吨/日。

　　落雪矿铜矿物物相分析和多元素分析分别列于表 32.1.45 和表 32.1.46。

表 32.1.45　落雪矿铜矿物物相分析（单位：占有率%）

矿石类别	物　相					合　计
	氧化率	游　离氧化铜	结　合氧化铜	活　性氧化铜	惰　性硫化铜	
铜矿石	42.78	27.75	15.03	55.49	1.73	100
含铁铜矿石	41.40	20.22	21.18	57.78	0.82	100

C 选矿工艺

a 碎矿

投产以来，碎矿流程沿用设计的单系列三段一闭路流程。由

表 32.1.46 落雪矿铜矿石多元素分析

矿石类别	元 素 和 化 合 物				
	Cu	Fe	SiO$_2$	Fe$_2$O$_3$	Al$_2$O$_3$
	%	%	%	%	%
铜矿石	0.91	—	25.70	2.12	3.61
含铁铜矿石	1.07	21.30	40.43	—	9.23

矿石类别	元 素 和 化 合 物				
	CaO	MgO	S	P	Ag g/t
	%	%	%	%	
铜矿石	19.78	12.67	—	—	11.10
含铁铜矿石	3.66	2.80	0.37	0.012	1.47

于矿山供矿不足以及设计缺陷，碎矿车间设置的大型中间矿仓已有相当长时间未用。

由于原矿含泥含水较大，各卸矿溜槽易堵，投产后，曾作过些改造，现基本适应生产。同时对铁板给矿机、双层筛和单层筛也进行过改造，由于除铁设备不完善，细碎机排矿口不敢调小，三段闭路碎矿循环量大，影响筛分效率及细碎机处理能力，为适应生产，已将单层筛筛孔由原来的 12 毫米改成 16 毫米，改后基本能适应生产。碎矿流程如图 32.1.29 所示。

b 磨浮

铜矿石系统

铜矿石系统（1、2、3 系统）设计能力为 5200 吨/日。

投产后仍为原设计阶段磨矿、阶段选别流程，只局部进行过改造，原设计二段分级采用两组旋流器，第一组用 ϕ500 毫米 4台，给矿来自一粗选尾矿，矿浆浓度较低（30% ±），给矿中 −200 目含量为 65% ~70%，经第一组旋流器分级后，溢流几乎 100% 通过 −200 目，但溢流浓度也较低（不超过 20%）。第一组旋流器之沉砂与二段磨矿之排矿合并进入第二组旋流器

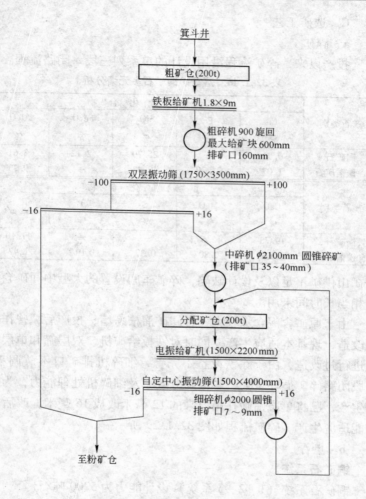

图 32.1.29　碎矿生产流程

（φ500 毫米 7 台），这样一来，第二组旋流器给矿浓度就显得较高（50%），对用砂泵扬送至高位槽产生了困难，砂泵事故较频繁，引起生产不正常，同时，溢流浓度较高（30%±），溢流细度又较差（−200 目含量只有 73%～80%），而且，两组旋流器合并后的细度也较差（一般 200 目含量只有 84%±）。针对这种情况先在铜系统作了生产试验，将两组旋流器改成为一组旋流器。改后砂泵扬送矿浆浓度降低了（约在 45%±），由于旋流器给矿浓度降低，也就提高了分级效率，生产也较之稳定正常。继后，对旋流器的一些参数也作了些适当的改进。采取上述措施后，溢流细度一般能达到 −200 目含量 90%±，沉砂浓度为 70%±，有时达到 80%。两组旋流器合并为一组后，旋流器由原来的 11 台减少到 4 台（其中 1 台为备用，通常只用 3 台），给操作管理也带来方便。

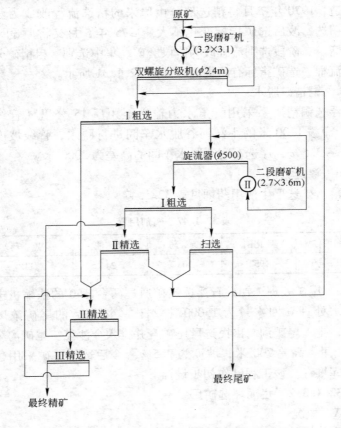

图 32.1.30　铜矿石系统生产流程

原设计流程（两次粗选、一次扫选、三次精选），只有三精选才出最终精矿。后来改为多点出精矿（一粗选头两槽，二精选第一槽及三精选同时出精矿），改后，对提高回收率是有益的，特别是对提高粗粒级的回收率尤为明显。

多点出精矿流程是灵活流程，可以根据需要而调整。目前生产流程如图 32.1.30 所示。

含铁铜系统（即 4 系统）

含铁铜系统设计能力为 1300 吨/日，投产后该系统曾作过两次改造，1970 年 7 月将精选部分由原来的精选流程改成为两组分组精选，改后选矿指标变化不大。1975 年 5 月又将原设计的阶段磨矿、阶段选别流程改为阶段磨矿、集中选别、粗精矿分组精选流程，选矿指标有所提高，如图 32.1.31 所示。

c 铜精矿脱水

浮选铜精矿系采用管道水力输送至距厂 15 公里（管线全长）、海拔 1100 米的小江河谷脱水车间进行脱水，管线坡度为 2.6% ~ 3.5%，浮选车间至脱水车间的高差为 2000 米。

d 浮选药剂

落雪矿选厂生产用药剂见表 32.1.47。

表 32.1.47 药剂用量

药剂名称	硫化钠	黄 药	松 油	黑 药
用量，g/t	1952	303	24	118

e 尾矿处理 铜矿石浮选尾矿通过两台 $\phi50$ 的浓缩机进行回收水处理（回水量为 15000 米^3/日），浓缩后的尾矿浓度为 50%，排入尾矿沟与因民选厂尾矿合并排入金沙江。尾矿沟全长 9.2 公里，高差 700 米，坡度为 2.5%。今后选厂尾矿采用建立尾矿库堆存。该工程已作初步设计。

32.1.3.2 烂泥坪选矿厂

A 概况

东川铜矿烂泥坪选厂位于东川矿区南部，海拔 2800 米，年

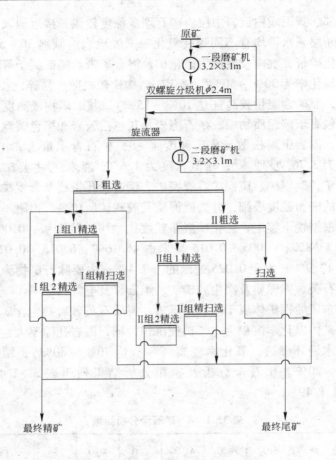

图 32.1.31 含铁铜矿系统生产流程

最高气温 20℃，最低零下 11℃，气候比较寒冷，冬春风大。

供矿主要由黑矿尖子、东风岭、白锡腊三个矿点供给，系单一金属铜矿石。虽分氧化矿、硫化矿、混合矿三种矿石，但由于矿石赋存条件及出矿的限制，设计已考虑为混合处理。

该厂于 1960 年 7 月基本建成简易投产。

B 原矿性质

烂泥坪矿床属交代浸染型层状铜矿床，矿体赋存于灯影白云岩底部、碳泥质白云岩中层，矿石埋藏深度较浅，接近地表，沿节理断层漏水带均有不同程度氧化。一般地表沿倾斜 30～50 米为氧化矿带，坑内及底部为硫化矿及混合矿带。黑矿尖子等矿区平均氧化率为 30%～50%。氧化矿结构比较松散、易碎，水化性较强，原矿含泥量较高（达 10%～15%），其铜矿物成高度分散且多包裹于碳泥质物中。矿石围岩是灰色白云岩和黑色碳泥质白云岩，围岩组织松散，普氏硬度 4～8，矿石含水量为 2.47%，密度为 2.76 克/厘米³，松散密度为 1.6 克/厘米³。主要矿物有黄铜矿、黝铜矿、斑铜矿、辉铜矿、铜蓝、孔雀石及紫铜矿。铜矿物的嵌布粒度极细，并为碳泥质及胶磷矿所包裹，肉眼不易识别。根据镜下鉴定，硫化矿嵌布粒度大致可分为四级：0.005 毫米占 32.8%；0.005～0.015 毫米占 46.16%；0.015～0.025 毫米占 12.9%；大于 0.025 毫米的占 7.4%。主要脉石矿物为白云石、石英、碳泥质及次生胶磷矿、绢云母及电气石。

东风岭铜矿体属于基底角砾岩，泥质石英砂岩共生含矿层类型，矿体以化学沉积为主，机械沉积为辅，围岩孔隙率大，易为地下水循环渗透，氧化率较高（一般达 70%～80%），结合率 10%～20%。矿石全分析及物相分析结果列于表 32.1.48 及表 32.1.49。

表 32.1.48 矿石全分析结果

元　素	SiO_2	Fe_2O_3	Al_2O_3	CaO	MgO	S	Cu
含量,%	20.00	2.89	3.88	18.15	13.85	0.60	0.97

表 32.1.49 矿石物相分析结果

名　称	全 铜	结合氧化铜	游离氧化铜	活性硫化铜	惰性硫化铜
含量,%	1.08	0.06	0.43	0.4	0.22
分布率,%	100	5.4	38.72	36.05	19.83

含铜矿物的组成比较复杂，氧化铜矿物主要是各种铜的砷酸盐，约占氧化铜矿物总量的一半以上，过去长期被认为是砷钙铜矿，但经矿物化学分析、光学特性测定、X 射线衍射分析、差热分析及其他一些物理性质的测定都不同于砷钙铜矿。这些矿物呈两种形态产出：一为板状或放射状、片状，外观翠绿，硬度很低，具有明显的丝绢光泽；二为外观草绿色土状，系一种非晶质物质。化学分析结果含 $CuO32.73\%$，$As_2O_519.4\%$、$Fe_2O_338.32\%$，常和其他砷酸盐共生。其余氧化铜矿物为孔雀石、铜蓝及硅孔雀石，但数量比铜的砷酸盐矿物少。铜蓝常包裹在褐铁矿中，硅孔雀石比孔雀石少，但较铜蓝多，多呈片状集合体分布于裂隙中。

矿石中硫化铜矿物主要也是各种硫砷铜矿物，有砷黝铜矿、黝铜矿、硫砷铜矿及脆硫锑铜矿，多呈粒状或脉状产出。其他硫化铜矿物有黄铜矿、斑铜矿、辉铜矿及蓝铜矿，但数量都比各种硫砷铜矿少。

此外，在黏土及氧化铁中，也含有少量的铜（即一般所谓的结合铜）。脉石矿物组成比较简单，主要为白云石，含量达 60% ~ 70%，石英占 20% ~ 30%，次为黏土、白云母及褐铁矿。由于矿石中主要的氧化铜矿物是各种可浮性较差的铜的砷酸盐，主要的硫化铜矿物也是各种可浮性较差的硫砷铜矿，这就使它成为一种有别于其他氧化铜矿石的比较特殊的类型。虽然矿石中结合氧化铜的含量，并不算太高，但就矿石的可浮性而论，烂泥坪东风岭氧化铜矿一直是东川地区极为复杂的选别对象之一。

小水井、白锡腊矿点由于条件的限制，出矿量都不大。就东川烂泥坪选厂所处理的矿石而言，属于较为难选的铜矿石之一。

C 选矿工艺

a 碎矿

烂泥坪选厂原设计碎矿流程为三段一闭路流程（最终产品粒度 -12 毫米）。投产后，由于原矿含泥、含水量大，黏结性比较强，难以达到设计要求，同时，使破碎作业不能正常进行。针对此种情况，改成为三段半闭路流程，同时又加大了筛孔尺寸（最终产品粒

度 – 20 毫米达 90%）。改进后，基本能适应生产的要求。

b 磨浮

1960 年 7 月按设计流程生产了较短时间，因出矿量不足，明显反映出与生产不相适应，为了适应生产之需要，将原设计的阶段磨矿、阶段浮选流程改为一段磨矿、一次粗选、一次扫选、三次精选的简易磨浮流程。但由于原矿性质决定需要细磨，而简易流程却不能满足生产的要求（ – 200 目含量只达 70% ~75%），因此 1961 年增置了 $\phi 500$ 毫米旋流器分级，溢流经两次粗选，沉砂返回后再磨。从流程结构上看，它具有阶段磨矿、阶段浮选的特点，在一定程度上达到了细磨的要求（ – 200 目含量达 85% ~90%）。由于磨矿细度的提高，选别指标有所上升，但尚欠理想。故 1963 年 4 月对磨浮流程又进行了改造，将一段磨矿的分级溢流用 $\phi 500$ 毫米旋流器进行控制分级。经改造后一段磨细度虽有所提高（ – 200 目由 50% 提高到 75% ~80%），但生产指标未见明显改善。根据多次流程查定分析，中矿具有粒度细（ – 0.01 毫米在 30% ~40% 之间），氧化率高（达 60% 以上），难浮等特点。将中矿（精 Ⅰ 尾矿 + 扫选泡沫）单独进行一粗一扫处理，虽经单独处理，但是产品返回地点仍然未得到解决，故选别指标未见明显提高。在总结了前流程的基础上，结合原矿嵌布粒度极细，氧化矿硫化矿浮游活性不同等特点，1982 年提出了阶段磨矿、集中浮选流程（图 32.1.32），并将粗选的 7A 浮选机改为 CHF – 14m³ 浮选机，精选浮选机仍用 6A 浮选机。改进后的生产实践证明，达到了预期效果，回收率和精矿品位都有明显提高。各流程指标比较列于表 32.1.50。

c 脱水

铜精矿系采用管道水力运输，输送至距厂 6.8 公里，海拔 1556.16 米的黄水箐姑庄脱水车间进行脱水。原设计为两段脱水流程，投产后，突出地反映出干燥机不适应生产。故 1964 年改为三段脱水（图 32.1.33），改后基本满足了生产的需要。脱水后铜精矿用汽车运到新村转铁路运至云南冶炼厂。

尾矿用溜槽送至西牛山后放入小江。

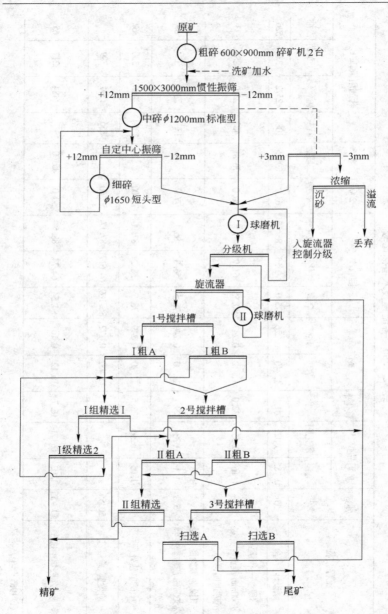

图 32.1.32 烂泥坪选厂生产流程

表32.1.50　各流程技术指标比较

流程结构	处理矿量 t/h	原矿品位,% 全铜	原矿品位,% 氧化铜	氧化率 %	品位,% 精矿	品位,% 尾矿	回收率,% 全铜	回收率,% 氧化铜	回收率,% 硫化铜	-200目含量,% 一段磨	-200目含量,% 二段磨	药剂用量,g/t 石灰	药剂用量,g/t 硫化钠	药剂用量,g/t 丁黄药	药剂用量,g/t 松油
原设计流程	55	0.785	0.322	41.0	12.40	0.226	75.0	90.55	85.05	63.2	89.25	1080	2572	336	526
I段磨—粗II尾矿经ф500mm旋流器分级沉砂返回再磨	33.8	1.168	0.354	32.0	12.12	0.247	80.55	61.9	87.5	50.0	76.81	408	2340	288	73
I段磨繁旋溢流ф500mm旋流器控制分级	35.8	1.1	0.334	29.1	13.00	0.249	78.5	56.3	86.1	77.2		1332	2390	334	69
中矿单独处理		1.05	0.295	28.5	11.20	0.249	78.5	58.2	87.96	77.00		1354	2260	330	367
阶段磨、阶段选	50.55			11.42	11.482	0.172	86.189	60.617	87.17	50.60		856	1391	399	
阶段磨、集中选①	50~55	1.02	0.171	16.79	16.12	0.167	84.54	64.74	88.51	50.0	85.00	腐钠 145 乙二胺 25	1484	217	65

① 1985年生产指标。

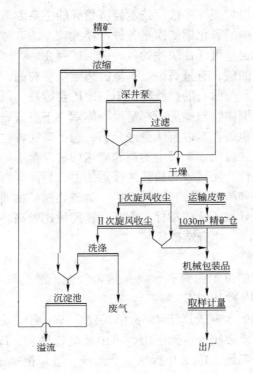

图 32.1.33　烂泥坪选矿厂脱水流程

d　浮选药剂

生产现用药剂

生产上现用药剂仍为常规药剂：丁基黄药、硫化钠、松油、石灰、乙二胺、腐植酸钠等。

试验研究药剂

该厂试验室虽作过多种浮选药剂的试验研究，但效果都不太明显，唯局中心试验所试验的乙二胺在生产上收到了效果，在回收率基本一致的情况下，可提高精矿品位 2% ~ 3%，试验和生产实践表明其主要作用是抑制了碳泥质。

D　其他

影响东川烂泥坪矿选厂技术经济指标的主要因素，是原矿含碳高和矿石中的氧化铜矿物呈各种可浮性较差的砷酸盐；主要的硫化铜矿物也呈可浮性较差的各种砷铜矿存在。

矿石中的碳，有呈石墨、有呈游离碳质颗粒的，还有因碳化不完全而呈碳与脉石的过渡物。不但原矿含碳高，而且嵌布粒度极细，同时铜矿物与碳泥质都呈浸染体赋存于白云岩中，有的被碳泥质污染包裹，难以辨认。经分析，铜、碳在各粒级中的分布几乎一致。这说明该矿石中的铜和碳这两种元素不但明显存在依附性和分散性，而且碳有较强的吸附能力，易浮。再则，丁基黄药对于铜的砷酸盐矿物和硫砷铜矿一类硫化铜矿物捕收性能都比较弱，这就导致了选矿指标不太高，耗药量比较高。

32.1.3.3 木奔选矿厂

A 概述

易门铜矿位于云南省，属亚热带气候，最高气温 38℃，最低 0℃，平均为 19.2℃。

易门铜矿木奔选厂于 1958 年兴建，1960 年 5 月 1 日投产，原设计为三个系统，由狮子山、凤山两坑口供矿，1960 年 12 月扩建为四个系统，1982 年拆除一个系统。选厂由狮子山、凤山、起步郎三个坑口供矿，目前供矿比例约为（%）：42：49：9。供矿品位 0.9% 上下，氧化率 7.5% ±，结合率 1.9% ±。矿山经常供矿的采场有 50 个，由于供矿不足，选厂负荷不满。

原矿由索道电机车从三个坑口运送到选厂破碎车间；精矿运往云南冶炼厂。木奔选厂的电耗、药剂消耗、成本等指标，在同行业中居于前列，铜精矿于 1986 年被评为省和有色金属总公司优质产品。

B 原矿性质

矿床属中温热液交代和浸染似层状铜矿床，含铜基岩为白云岩及泥质白云岩，由于矿石成因不同以及多坑口供矿，使得原矿性质差异较大。铜矿均以黄铜矿为主，孔雀石、斑铜矿次之，还有少量的辉铜矿和铜蓝。脉石矿物以白云石和碳化白云石为主，石英、黄铁矿、镜铁矿、褐铁矿、硅酸盐次之。其中狮子山碳化严重，凤山、起步郎则严重矽化。

  a 矿石鉴定

狮子山矿石赋存于碳质和泥质白云岩中，矿体上下盘均为白云岩。脉石以白云石、方解石、矽化白云石及石英为主，碳化严重，呈板岩结构，含碳质白云岩约60%，因此矿石呈深黑色。局部赋存于矽化白云岩中，碳化较轻，呈白色或浅灰色。铜矿物以黄铜矿为主，斑铜矿、辉铜矿次之，还含有少量铜蓝、孔雀石，砷黝铜矿及黝铜矿。

黄铜矿与斑铜矿呈不规则颗粒嵌布于白云岩中，铜矿物聚集体嵌布粒度可达1毫米左右，一般呈细粒嵌布，粒度约为0.3～0.03毫米，以0.06～0.15毫米常见，少部分微粒呈星点状（0.005毫米±）分散于碳质白云岩中。黄铜矿与斑铜矿共生，有的黄铜矿嵌镶于斑铜矿之中，也有的黄铜矿呈细脉网格结构，有的与辉铜矿、铜蓝、呈接触交代结构，有的呈条带状、脉状（宽约0.45毫米±）嵌布于脉石中。辉铜矿与铜蓝在黄铜矿与斑铜矿周围呈镶边结构产出。孔雀石一般纯度较低，少量呈粒状产出，大部分呈浸染状、薄膜状产出。

凤山矿石赋存于矿化白云岩中，矿体上盘为白云岩，下盘为灰白色白云岩。矿石节理发达，比较松散，透水透气性好，氧化较深，部分矿石严重铁染，节理面上可见树枝状的铁锰氢氧化物。铜矿物以孔雀石、黄铜矿及斑铜矿为主，辉铜矿次之，有少量的砷黝铜矿、蓝铜矿及赤铜矿。脉石以白云石为出，石英次之，尚有部分褐铁矿、赤铁矿。矿石矽化严重，含矽化白云岩约80%，矿石呈土黄至褐黄色。孔雀石多呈薄膜状、浸染状产出，纯度不一，部分呈针状、放射状的聚集体产出，粒度约为1毫米左右，有的是结晶较好的孔雀石与褐铁矿共生，赋存于孔洞中；膜状、脉状孔雀石其膜厚约为0.03～0.09毫米，也有的孔雀石与铜蓝共生。黄铜矿与斑铜矿共生，嵌布粒度约0.03～3毫米。辉铜矿呈镶边结构产出于斑铜矿的边沿。

起步郎矿石主要脉石为矽化白云岩，部分为粉晶质泥质板岩。铜矿物以黄铜矿为主，与斑铜矿紧密共生，嵌布不均匀，一般为 0.06 毫米。孔雀石纯度不一，部分结晶较好，大多数呈浸染状、脉状和薄膜状产出，脉宽为 0.06 毫米。

　　b　化学分析

　　各坑口矿石多项分析结果列于表 32.1.51。

　　各坑口矿石铜的物相分析列于表 32.1.52。

　　c　矿石的物理特性

　　矿石硬度：中硬偏软，密度 2.62～2.8 克/厘米^3，松散密度 1.65 克/厘米^3，含水 2%～5%，安息角 31°～36°。

　　C　选矿工艺

　　a　碎矿

　　碎矿生产流程为三段开路碎矿，第三段配有预先筛分，和原设计流程一致（图 32.1.34）。碎矿生产能力在保持破碎比的前

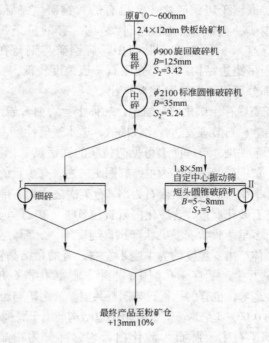

图 32.1.34　碎矿生产流程

提下，处理量为 400~500 吨/时，总破碎比为 $S_{总}$ =33.33，筛分效率75%~82%，历年生产产品指标见表33.1.53。

表 32.1.51　各坑口矿石多项分析结果，%

坑　口	SiO_2	Fe_2O_3	Al_2O_3	$MgCO_3$	$CaCO_3$	S
狮子山	23.28	3.45	5.89	26.48	33.64	0.47
凤　山	25.46	3.54	4.85	27.31	34.42	0.46
起步郎	27.21	4.19	5.47	20.58	32.93	0.18
大混合	25.28	3.81	5.26	27.65	34.23	0.46

表 32.1.52　各坑口矿石铜物相分析

坑　口	全铜，%	硫化铜，%	氧化铜，%		氧化率，%	结合率，%
			游　离	结　合		
狮子山	0.745	0.661	0.044	0.040	11.28	5.37
凤　山	0.803	0.716	0.052	0.035	10.83	4.36
起步郎	0.502	0.295	0.162	0.045	41.24	8.96
大混合	0.779	0.684	0.051	0.044	12.20	5.65

　　b　磨浮

　　磨浮生产流程原设计为阶段磨矿、阶段选别、两次粗选、两次扫选。粗Ⅰ、粗Ⅱ分别进入精选，二段磨和 φ2.4 米双螺旋沉没式分级机构成闭路，精选用 4A 浮选机。选别指标第 1~5 年为：精矿品位 10%，回收率 75%；6~12 年，精矿品位 13%，回收率 85%；12 年以后，精矿品位 15%，回收率 90%。从 1983 年 3 月起到现在，采用的生产流程是：两段磨矿、集中选别、一次粗选、一次扫选、三次精选，精选中矿循序返回，扫选泡沫与精Ⅰ尾返回旋流器。浮选机全部为 6A 型，流程详如图 32.1.35 所示。

　　操作条件：一段分级溢流细度 45%~50% -200 目，浓度 45%~50%，二段旋流器溢流浓度 23%~26%，细度 85% -200 目以上，粗选作业浓度 23%~26%，作业 pH 约为 9 左右，主流程浮选时间约 23 分钟。

　　木奔选厂现在使用四种选矿药剂：石灰、丁基黄药、硫化钠、松油。药剂用量为：石灰 1300 克/吨±，硫化钠 300 克/吨±，黄药 60 克/吨±，松油 45 克/吨±。药剂添加地点：石灰全

表 32.1.53　历年生产指标

年度	药剂耗量, g/t				指标,%				氧化率 %	结合率 %	球磨处理量 t/h	磨矿细度 -200目%	球耗 g/t	碎矿粒度 +18毫米%	原矿成本 元/t	电耗 kW·h/t	精矿水分, %
	石灰	硫化钠	黄药	松油	原矿	精矿	尾矿	回收率									
1960年	1307	2043	294	34	1.001	15.53	0.347	66.87	52.80	13.90	50.06	—	1290	14.4	10.359	33.75	—
1965年	1038	897	158	38	0.737	15.31	0.119	84.57	51.40	9.30	66.27	90.9	897	3.0	5.368	27.41	14.71
1970年	1195	584	150	69	0.761	17.18	0.085	88.74	30.07	5.11	67.28	—	1233	7.8	4.260	28.79	14.39
1975年	1689	598	127	49	0.699	16.53	0.081	88.87	25.50	4.50	69.51	81.3	1295	16.5	4.640	29.14	14.40
1980年	1327	497	92	49	0.810	22.70	0.092	89.00	19.72	3.64	68.70	85.2	948	8.2	5.850	28.40	12.65
1985年	1164	302	62	43	0.885	29.10	0.089	90.19	6.96	1.93	69.40	87.4	1016	7.9	5.174	26.33	13.36
1986年	1324	292	60	45	0.932	29.50	0.098	89.75	7.54	1.93	69.50	86.4	1063	7.1	5.988	25.39	13.16

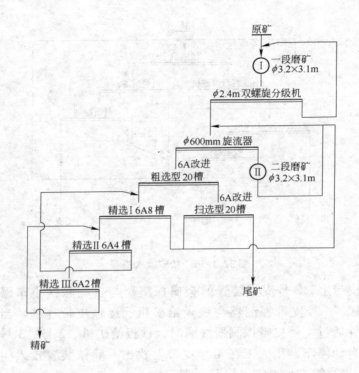

图 32.1.35 磨浮生产流程

量一次加入一段球磨机中,松油一次加入粗选,黄药和硫化钠分三段加入粗选以及扫选、精选。

c 精矿脱水

精矿脱水流程为三段:浓缩、过滤、干燥。流程见图 32.1.36 干燥后水分为 13% ±。

D 几项技术革新

a 碎矿除铁装置的改进

在投产初期,由于除铁设备不过关,经常影响碎矿车间的正常开车,通过改进和完善除铁装置后,基本清除了掉铁事故,保证了碎矿设备的正常运转。除铁装置设在 2 号、3

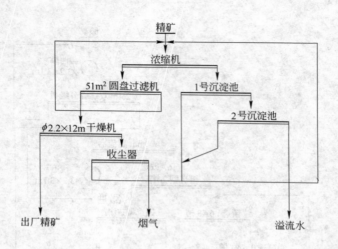

图 32.1.36 精矿脱水流程

号皮带上，2 号皮带装置的金属探测器与自动除铁小车碾辊连锁，4 号皮带探测器与铁板给矿机、运输皮带连锁，当有铁件通过 4 号皮带探测器线圈时，铁板给矿机、2 号、3 号皮带自动停车，用人工在 4 号皮带上找出。除铁装置投入生产后，除铁率达 99%，情况一直良好。

　　b　自定中心振动筛的改进

　　原设计筛分设备为两台 1.8×3.6 米自定中心振动筛，后来处理量提高以后，筛分效率降低。为了提高筛分效率，降低细碎负荷，将 1.8×3.6 米改成 1.8×5.2 米，筛分面积由原来的 6.5 米^2 增至 9.36 米^2，筛面振幅由原来的 6 毫米增至 9 毫米，使筛分效率由原来的 75% 提高到 82.6%。

　　c　提高球磨机转速

　　木奔选厂磨浮车间原有 4 个系统，每个系统用两台 3.2×3.1 米格子型球磨机，原转速为 18 转/分，为临界转速的 76%，生产能力 60.4 吨/小时系统。1971 年将一段球磨机转速由临界转速的 76% 提高到 91%，从而使球磨机的生产能力提高

7. 6% ~ 12. 3%，相当于增加了一个日处理 500 ~ 760 吨的选厂。

具体的改造方法是：

①锉削球磨机轴承底座，将球磨机向分级机一侧移动 32 毫米；

②用 24 齿小齿轮更换原 20 齿小齿轮，使转速由 18 转/分提高到 21.6 转/分；

③原 47 吨装球量（充填率 45%），减少至 34 吨（充填率 32.5%）。

d　对 M - 6A 浮选机的改造

M - 6A 浮选机的缺点众所周知，但对木奔选厂来说，厂房高度和起重设备都不能满足引进大型新型浮选机的要求，而且浮选机更新不久，弃之不经济，于是仿照 DR 型浮选机的原理，把粗扫选作业的浮选机改造为外充气机械搅拌式浮选机。1980 年已全部改造完毕。改造后的浮选机克服了原有缺点；选矿指标略有提高，药剂消耗量降低，硫化钠、黄药、松油分别减耗 32、1、6.6 克/吨；一个系统每小时节电 15.4 千瓦·时，经济效益显著。

e　二段球磨机改型

木奔选厂二段球磨机与一段球磨机一样，选用 3.2×3.1 米格子型球磨机，至 1986 年 4 月止，三台第二段球磨机已全部改造为溢流型。改造的方法是把即将报废的出料端盖的大筋割弃，取消格子板和提升斗，代之以一种新设计的弧弯扇形衬板，出料衬套作局部修改，格子型球磨机即被改造成为溢流型。改型后，容积增加 2 米³，设备重量减 2 吨，球载减少 3 吨，端盖螺栓减少一半，方便维修，减少事故。噪声由原来的 93 分贝下降到 86 ~ 87 分贝，达到了环保标准。钢球消耗每吨矿石减少 26 克，用电消耗每吨矿石减少 1.1kW·h，经济效益显著。对磨矿产品粒度组成进行了多次对比考察，证明产品粒度均匀，不存在增加过磨碎的问题，处理矿量也保持不减，但产品粒度略有降低。

f　冬季提高浮选矿浆温度，稳定回收率，缩小与夏秋季的回收率的差距。通过统计分析，发现每年的十一、十二月和一月的回收率，比七、八、九月的回收率低1.72%。为了提高冬季的回收率，在进行了大量考察和试验的基础上，采取冬季使用水温较高的深井水，而不用成本较低的江面水，使浮选温度提高8℃左右，从而使冬季与夏秋的回收率差值缩小为0.32%，即回收率提高1.4%，扣除用水成本增加因素后，净增经济效益十分显著。

　　g　磨矿分级工艺过程的自动控制

　　木奔选厂一级磨矿分级作业，已实现了常规仪表的自动控制。给矿量的控制，是利用安装在机械皮带秤上的差动变压器，把矿量的变化，转换成标准电信号，输入PID调节器，并经过可控硅直流电机等执行机构，来控制矿量使之恒定。经鉴定，该系统能抗拒21.4吨/时的干扰，控制矿量误差小于±1%。分级机溢流浓度的控制，是采用自己研究制造的重浮子矿浆浓度计，与常规电动单元组合仪表配套，组成自动控制系统。

32.1.3.4　狮子山铜矿选矿厂

　　A　概况

　　易门铜矿狮子山选厂是一个只有十年生产历史的新厂。1977年10月正式投产。当前选矿指标：铜精矿品位25%，铜回收率74%左右。

　　B　原矿性质

　　狮子山铜矿属于中温热液交代矿床，矿体赋存于断裂两侧之白云岩透镜体和碳质白云岩、白云岩及砂岩变质岩石中。整个矿体以硫化矿为主（占85%），其上部有部分氧化矿（占6%）和混合矿（9%）。

　　目前选厂所处理的矿石，主要是矿体表面氧化矿（有少量冶炼炉渣）和部分坑内混合矿。原矿含铜0.55%～0.65%，氧化率50%～80%，其中结合率15%～28%。金属矿物有孔雀石、蓝铜矿，次为黄铜矿、斑铜矿及少量辉铜矿等。非金属矿物有方解石、白云石，次为石英、泥质、碳质、氢氧化铁、氢氧化锰、黏土及少量冶炼炉渣等。

铜矿物呈粗细不均匀嵌布,粒度 0.0045 ~ 4 毫米,多呈密集嵌布,部分呈细点状嵌布,以散点状、条带状、浸染状等形态赋存于围岩中。原矿含泥量大, – 74 微米占 15% ~ 18%,金属率占 28% ~ 33%。

原矿除铜外,还含有 0.007% ~ 0.008% 的钴,在选别过程中,钴大部分富集于铜精矿中。

C 工艺流程及改进

该厂原设计流程为一段磨矿 (– 200 目占 80% ~ 85%),二粗、一扫、三精,中矿返回一粗选的工艺流程 (图 32.1.37)。生产实践表明,该流程有以下不足:1) 由于粗 I、粗 II 泡沫产品性质差异大,合并精选不甚合理;2) 中矿返回是用 4PS 砂泵

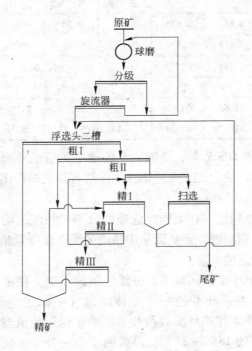

图 32.1.37 设计流程

输送矿浆，使得浮选各作业产出量不稳定，矿液面波动大；3）中矿返回粗选容易造成恶性循环又无单体分离机会，而且还降低了粗选作业矿浆浓度，影响分选效果。基此，该厂参照国内外铜选厂的有关资料，对原设计流程进行了改造：采用分组精选，难选中矿分级再磨，Ⅰ粗选头两槽泡沫与Ⅱ粗选精矿精选Ⅲ泡沫合并再精选的新工艺（图 32.1.38）。从 1977 年 12 月开始对二系统进行了改造，生产实践证明新流程（2 系统）较原流程（1 系统），精矿品位提高 2.09%，回收率提高 2.54%（表 32.1.54）。生产实践还证明，改进后的流程具有下述优点：

表 32.1.54   原流程与新流程的生产指标对比

流 程	原矿品位,%				精矿品位,%	
	一 月	二 月	三 月	四 月	一 月	二 月
新流程	0.651	0.636	0.577	0.58	19.30	20.54
原流程	0.617	0.636	0.567	0.567	19.85	18.87

流 程	精矿品位,%		回收率,%			
	三 月	四 月	一 月	二 月	三 月	四 月
新流程	21.65	24.62	73.63	75.50	71.80	77.17
原流程	19.53	22.17	71.40	72.43	68.71	74.91

1）取消 4PS 砂泵，消除砂泵输送中矿造成液面不稳定，难控制的因素，使生产工人便于控制浮选各作业的产出量，做到操作稳定。

2）分组精选，让不同浮选速度及不同品位的泡沫精矿在不同条件下分别精选，避免因集中精选的混杂而降低精矿质量，特别是过剩药剂的危害。

3）难选中矿返回旋流器分级，沉砂入磨，使中矿在再磨过程中受到摩擦脱药并进一步单体解离（中矿连生体占 25% ~ 30%），使中矿浮选状况有所改善。中矿返回旋流器后粗选作业浓度由原来的 18% ~25%，提高到 25% ~28%。使粗选作业比较稳定，便于操作。

4）将粗Ⅰ头两槽泡沫精矿与难选部分的精Ⅲ泡沫合并再精选，不仅能大幅度地提高铜精矿品位，而且精选效率也有所提高。精矿品位由 14% ~16% 提高到 27% ~32%，再精选作业效率达 80%，精选区难选部分尾矿品位，由不经再精选时的 0.55% 降低到 0.45% 以下，精选作业回收率提高 8% ~10%。

D　现行生产工艺及主要技术指标

继 2 系统流程改进之后，于 1975 年 5 月对全厂整个浮选工艺进行了全面改造，目前所采用的生产流程是：三段一闭路碎矿，一段磨矿两次粗选，一次扫选，粗Ⅰ、粗Ⅱ泡沫分组精选，难选中矿返回旋流器分级再磨。铜精矿经脱水浓缩、过滤、干燥，最终产品含水分 12% 左右。流程如图 32.1.38 所示。选矿厂生产指标列于表 32.1.55。

表 32.1.55　狮子山选厂选矿指标

指标年份	选矿回收率 %	精矿品位,%	备　注
1977 年	58	15	最初生产
1978 年	67	18	已改造一个系统
1979 年	73.2	20.7	已改造一个系统
1980 年	74.15	25.61	流程全面改造

32.1.3.5　芒特·艾萨选矿厂（澳大利亚）

A　概况

芒特·艾萨（Mount Isa）位于澳大利亚昆士兰州，在汤斯维尔西部 960 公里。

矿床于 1923 年发现，1927 年开采，1953 年选矿厂投产。矿区拥有四个选矿厂，一个铅冶炼厂和一个铜冶炼厂。1 号选厂日处理量 6100 吨铜矿石，2500 吨铅锌矿石；2 号选厂于 1965 年进行扩建，日处理量 5500 吨铅锌矿石；3 号选厂建于 1963 年，处理露天开采的辉铜矿石，处理能力为每日 1500 吨；4 号选厂建于 1973 年，处理铜矿石，处理能力为每日 17800 吨。

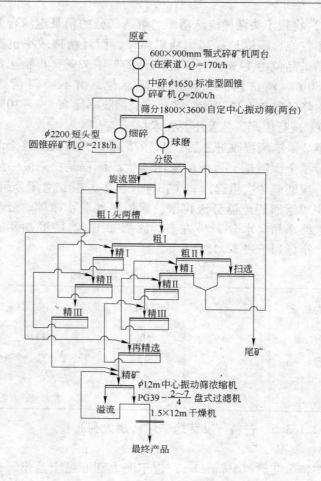

图 32.1.38　改造后的新流程

B　矿石性质

矿带由层状白云石和具有许多细粒层状黄铁矿的火山页岩组成。黄铜矿在含较高的碳酸－二氧化硅体系中析出。

一号选厂所处理的矿石为硫化铜矿。有用矿物为黄铜矿、黄铁矿、磁黄铁矿。原矿含铜 3.1%。

三号选厂所处理的矿石中含铜矿物为黄铜矿、辉铜矿、赤铜矿、孔雀石和硅孔雀石。原矿含铜 3.5%。

四号选厂所处理的矿石中主要含铜矿物为黄铜矿。原矿含铜 3%。

C　选矿工艺

一号选厂

a　破碎、筛分

黄铜矿矿石在井下粗碎，送至 9900 吨的粗矿仓，然后在二个破碎系统进行中碎和细碎。每一个碎矿系统由一台 ϕ1676 毫米的西蒙斯标准圆锥碎矿机和二台 ϕ1676 毫米西蒙斯短头圆锥碎矿机组成。碎矿系统由自动控制进行操作，控制系统以给矿速率作为可控制的变数，碎矿最终产品粒度为 16 毫米。

b　磨矿、浮选

原矿采用三段磨矿。磨矿作业由一台 2700×3600 毫米 Marcy 球磨机和三台 3200×3000 毫米多米尼恩球磨机组成。第一段为开路磨矿，第二段磨矿与旋流器构成闭路，旋流器溢流进入第三段磨矿作业的旋流器进行再分级，溢流送浮选系统，沉砂进入第三段磨矿。

粗选用 12 台机械搅拌式浮选机进行粗选，为提高浮选效率，粗选前将矿浆先送入搅拌槽充气 15 分钟。粗选尾矿进行扫选后弃尾矿。粗精矿进行三次精选得铜精矿。中矿再磨再选。

浮选指标：铜精矿含铜为 25%，铜回收率 96%。

浮选药剂：仲丁基钠黄药 200 克/吨，糊精 1.5 克/吨，氰化钠 36 克/吨，甲基异丁基甲醇 77 克/吨。

浮选 pH = 8.0 ~ 8.2。

c　精矿、尾矿处理

精矿用浓缩机浓缩后送到铜冶炼厂过滤车间进一步处理。

尾矿用泵输送至湿式充填站进行脱泥，粗颗粒用于井下充填，矿泥到尾矿浓缩机浓缩，浓缩机排矿送到尾矿坝，溢流澄清水返回选厂供水系统。

三号选厂

该选厂处理露天开采的辉铜矿和赤铜矿，原矿品位为3.5%，原矿氧化率为20%，浮选时需添加水玻璃进行分散。

a   破碎

碎矿采用三段一闭路流程。第一段破碎用颚式碎矿机，第二段采用标准圆锥碎矿机，第三段用短头圆锥碎矿机。

b   磨矿、浮选

磨矿作业用一台球磨机和二台并联的水力旋流器构成闭路。

浮选流程：先浮硫化铜再选氧化铜，所得硫化铜粗精矿进行两次精选。最终精矿含铜28%~30%。硫化铜浮选后的尾矿添加硫化钠进行硫化，硫化后的矿浆送至浮选机选别，第一槽产品为精矿，其他槽子的泡沫产品返回处理。选矿流程如图32.1.39所示，浮选药剂列于表32.1.56。

表 32.1.56   浮选药剂

硫 化 矿		氧 化 矿	
药剂名称	用量，g/t	药剂名称	用量，g/t
石　灰	113.4	石　灰	113.5
水 玻 璃	3175.2	水 玻 璃	3288.6
戊基钾黄药	907.2	戊基钾黄药	1814.4
硫 化 钠	453.6	硫 化 钠	567
甲基异丁基甲醇	158.76	甲基异丁基甲醇	113.5

浮选指标：原矿含铜3.5%，硫化铜精矿品位28%~30%，氧化铜精矿品位50%，含$SiO_2$70%。

四号选厂

a   破碎、筛分

矿石在井下经颚式破碎机碎至-300毫米，然后提升至选厂粗矿仓，粗矿仓容积61000吨。经过第一段破碎后的矿石送到振动筛筛分，筛上产品用标准圆锥碎矿机进行第二次破碎，筛下产品与第二次破碎产品一起进行第二次筛分，其筛上产品用标准圆锥碎矿机进行第三次破碎。第三次碎矿与筛子构成闭路。碎矿最

终产品粒度为 – 16 毫米。粉矿仓容积 61000 吨。

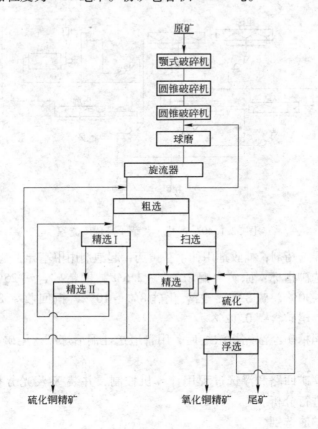

图 32.1.39 芒特·艾萨 3 号选厂生产流程

b 磨矿、浮选

磨矿作业分为两个并列的系统，每一个系统由一台棒磨机和两台球磨机组成。

浮选作业所采用的浮选机全部为阿基泰尔№120。粗选尾矿进行扫选后丢尾矿。粗精矿精选尾矿和扫选精矿合并再磨再选，再选精矿返回第一次精选、再选尾矿废弃。生产流程如图32.1.40 所示。

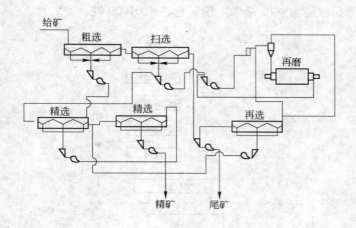

图 32.1.40　芒特·艾萨 4 号选厂流程

浮选药剂：捕收剂用仲丁基黄药，起泡剂用甲基异丁基甲醇。

选矿指标：原矿含铜 2.3% ～2.5%，铜精矿含铜 25%、铁 27% ～30%、硫 32%、二氧化硅 8% ～10%，铜回收率 85% ～97%。尾矿含铜 0.12%。

铜精矿经浓缩机浓缩后，用管道送往铜冶炼厂。尾矿送到充填站。

磨矿回路和浮选过程用计算机控制，并装 X-荧光分析仪对产品进行分析。

炉渣选别

冶炼厂转炉渣在选厂进行处理，用浮选方法回收铜。转炉渣经缓冷后碎至 −6 毫米占 75% 的粒度，给入一台 3150×4260 毫米球磨机与两台 380 毫米克雷布斯水力旋流器构成闭路的磨矿作业进行细磨。球磨机处理能力 20 吨/时，球磨介质采用 50 毫米的铸铁球，球耗量 0.135 公斤/吨渣。

浮选作业包括粗选、扫选和粗精矿两次精选。粗选使用 14 槽 №40 阿基泰尔浮选机，扫选使用 14 槽 №48 阿基泰尔浮选机，两次精选分别用 10 槽和 4 槽 №48 阿基泰尔浮选机，一次精选尾矿和扫选精矿返回粗矿。

浮选药剂：仲丁基黄药45克/吨，甲基异丁基甲醇226克/吨。

32.1.3.6 纳西米恩托选矿厂（美国）

A 概况

纳西米恩托（Nacimiento）铜矿属美国地球资源公司（E. R. C），位于新墨西哥北部的圣佩德罗（San Pedro）山脉的西侧，距离古巴（Guba）城东南约十公里。1970年进行可行性研究，投资1050万美元，于1970年5月动工，同年8月投产，开始是处理硫化铜矿，规模为日处理矿量3000吨。1972年初开始处理氧化矿，日处理矿量增加到4000吨。

B 矿石性质

该矿床属三叠纪沉积砂岩矿，是美国工业生产中最大的砂岩型铜矿床。矿体长760米，宽300米，深150米。目前探明的矿量（包括氧化矿）约1100万吨矿石，氧化矿占2%～6%。原矿品位在0.6%～0.9%，氧化矿回收率为78%，精矿含铜24%～35%。

矿体上部为氧化矿、下部为硫化矿。主要含铜矿物为孔雀石、蓝铜石、硅孔雀石、辉铜矿；少量的赤铁矿、自然铜、铜钒等，在硫化矿中尚伴生有少量的银。矿石尚含有小于1800克/吨的酸溶铜。

C 选矿工艺

a. 破碎

矿石从储矿堆通过450×450毫米格条筛，筛下到125吨的矿仓，再经100毫米开口的滚动式振筛机，筛下卸到750毫米宽的皮带运输机，运输能力每小时600吨。筛上给入750×1000毫米颚式破碎机，碎矿产品排到运输机上。在破碎砂岩矿石时要比一般矿石容易些，因为可以沿矿粒解理面破碎，故采取了双笼式双排破碎机。碎矿产品经双层振动筛筛分，上层筛孔20×20毫米，下层筛孔为10×100毫米。筛上返回破碎机，筛下送到有效容积为8500吨的粉矿仓储存。然后用4台宽750毫米可变速的给矿机，以每小时125吨的能力用皮带运输机送到球磨车间。

b. 磨矿

磨矿使用外径为 3650 × 4200 毫米的球磨机，转速为 16. 9 转/分。电机能力为 1120 千瓦，磨机与一组 4 台 D20B 克雷布斯旋流器和一台 300 × 350 毫米的斜式泵组成闭路，旋流器溢流送浮选。对磨机的给矿量进行控制，磨矿回路的给水是恒定的，旋流器给料处安置了 Kay Ray 型 3600C 浓度测量仪表，对给入矿浆浓度进行连续的测量。磨矿回路采取三种控制方法。

人工控制粉矿仓下的四台给矿机速度。

人工控制粉矿的皮带秤量。

自动控制矿量和旋流器矿浆的浓度，以保证稳定值。

c. 浮选

硫化矿浮选采用 8 台威姆科 8. 5 米^3 浮选机进行粗选，总容积为 68 米^3（每槽 22 千瓦），粗精矿用 8 排 2. 83 米^3 法格古伦浮选机进行精选和再精选。

氧化矿浮选 在矿石露天采场发现大量的氧化矿和混合矿，浮选效果下降。经美国黑兹恩（Hezen）研究所研究指出，氧化铜矿比硫化铜矿浮选要困难得多，必须改变浮选条件，否则浮选指标比硫化矿最佳条件的平均值相差太多。经试验证明，若矿浆在浮选槽内停留的时间增长，并改进浮选条件，其回收率也较高。为了处理氧化矿，将原处理 3000 吨/日规模扩建到 4000 吨/日，其处理能力可达 5000 吨/日。在原安装浮选槽总容积 68 米^3 能力基础上增加到 113 米^3，使选厂能力可达 4000 吨/日规模，此时浮选时间可延长一倍。

增加的浮选容积，仅需安装两台 57 米^3 的马克斯韦尔浮选机，这是美国首次采用该种大型浮选机，若采用美国常用的浮选机则要增加 40 米^2 的厂房面积。

马克斯韦尔浮选机底部装有叶轮搅拌器，每台 57 米^3 浮选机只要用 30 千瓦电动机，浮选浓度在 40% ±，进矿浆位置在距底到顶端的 2/3 处。给矿为旋流器溢流，粗精矿给入单排八台威姆科浮选机精选，每台容积 8. 5 米^3。

氧化矿浮选药剂的控制。氧化矿浮选因硫化剂加入量不易准确控制。硫化剂可能太多或太少，为了保证氧化矿表层的硫化，添加量一般是过量的，但是增加了药剂费用，而且导致矿石中辉铜矿回收率明显降低

经过多次试验，研究出一种准确添加药剂最佳化方案，称为IPC法，其实质是利用自动控制加药装置，按规定数值的要求，将硫化剂和其他药剂连续准确地给入各加药点。用该法可提高回收率17%。

D 技术经济指标

该厂采用 IPC 法后，所得的效益如下：

给料量从每天 2300 吨增加到 5000 吨，通常在 4700 吨。

回收率由 51.60% 提高到 78% 以上。

铜精矿品位从 24% 提高到 35%，合理的品位应为 33%。

选矿厂成本略有增加，每吨矿石成本费增加 25 美分，主要是由于药剂费用增加，其次，马克斯韦尔浮选机驱动及送风总共需增加 112 千瓦的能量。

以上指标与原矿品位 0.6% ~0.9% 有关。

估计矿区有 50% 以上的氧化矿可以回收，氧化矿中铜大约有 18 万吨。每年大约有 200 万美元的收入是从提高回收率和品位获得的，药剂节省费大约 15 万美元。

纳西米恩托氧化矿的投产，给美国西部各州如新墨西哥、亚利桑那、科罗拉多、俄克拉荷马等地的氧化矿处理指明了途径。

32.1.4 氧化铜矿处理

32.1.4.1 酸浸—沉淀—浮选法

此法在我国的应用尚不够广泛，主要原因是我国氧化铜矿的原矿性质大部分不适于用酸浸出，但在个别矿山或矿点，仍然存在着应用此法的可能性。有的矿山已经进行过试验，取得了一定的成果。此法在国外已有大量应用成功的实例，如美国比尤特酸浸厂、津巴布韦曼古拉堆浸厂等。

A　比尤特酸浸厂（美国）

比尤特（Butte）选厂于 1964 年投产，开始是选金矿，已开采了 3.3 亿吨矿石，目前储量还有 3 亿吨。因母岩和断层四周所产矿石中含有硫酸铜，平均含量为 0.18% Cu。为回收这部分铜建立了酸浸—沉淀—浮选车间，工艺流程如图 32.1.41 所示。

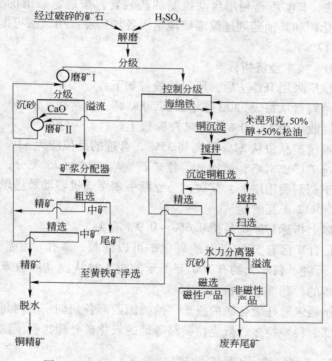

图 32.1.41　美国比尤特酸浸—沉淀—浮选流程

从矿仓出来的矿石进入衬有耐酸材料的转鼓式解磨机中，由于磨机的摩擦粉碎作用，脉石中的细泥和氧化物成为分散状态。向解磨机中加入约 1.5 千克/吨的硫酸使 pH＝2。在解磨过程中，有 70% 的氧化铜转入溶液，溶液中的铜离子浓度达 1.1 克/升，经过解磨后，矿砂再经两段磨矿，用双黄药进行浮选；溢流用海绵铁沉淀铜；然后用双黄药、松油和醇类起泡剂浮选沉淀铜。海绵铁用磁选法回收循环使用。矿砂部分的最终精矿品位为15%Cu。浮选除用双黄药外，还添加了少量的硫醇、起泡剂和石灰乳。

沉淀铜的粗选作业加入14克/吨双黄药和90克/吨起泡剂（50%松油和50%醇类），扫选作业补加一定量的捕收剂。选厂附近建立了制酸厂和海绵铁厂。硫酸是由黄铜矿精矿焙烧产生的二氧化硫制取，海绵铁则由黄铁矿焙烧产生的烧渣经过处理而成。

B 曼古拉堆浸厂（津巴布韦）

曼古拉（Mangula）是津巴布韦的大型矿山之一，该矿床上部被白云砂岩、长石片岩和绿泥石等所覆盖，地表24米以上为氧化矿，以下为硫化矿。氧化铜矿物有孔雀石、硅孔雀石、假孔雀石、蓝铜矿，偶见少量蓝磷铜矿和赤铜矿。硫化铜矿物有斑铜矿、辉铜矿和少量的黄铜矿。金属矿物还有黄铁矿、磁铁矿、镜铁矿和辉钼矿等。所有金属矿物都是细粒嵌布。重要脉石矿物有正长石、石英、方解石、绢云母、绿泥石和少量硬石膏、电气石等。

1957年建成一座日处理能力3000吨的硫化矿选厂，1965年又建成一座日处理能力2000吨的氧化矿堆浸厂。堆浸厂主要处理露天开采的矿体上部氧化铜矿，原矿含铜1.13%。

堆浸厂所用的流程和设备如图32.1.42所示。矿石堆浸场地380米×60米，为不透水地面，矿石可堆高6米，从中心到边缘横向坡度4%，纵向坡度5%。堆浸场地的大小足够完成循环浸出、洗矿和进出矿石。浸过的矿石经洗涤后作井下采矿回填料。浸出作业酸耗3.5~4千克/千克铜，铁耗1.5千克/千克铜。为防止硫酸腐蚀作用，各有关设备分别采用环氧沥青涂层或橡胶和不锈钢做衬里。

32.1.4.2 离析法

根据焙烧阶段物料处理方法的不同，离析法分为"一段离析"和"两段离析"两种类型。一段离析法是将矿石、食盐及还原剂混合后一并进入焙烧炉内（大部分采用卧式回转窑），物

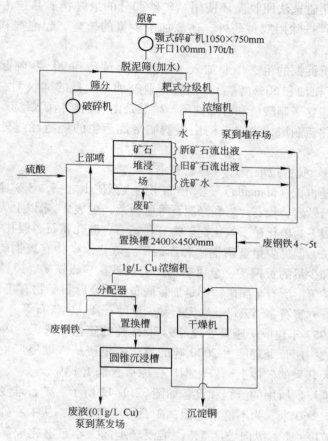

图 32.1.42   曼古拉堆浸流程

料的加热和离析都在同一设备中进行。两段离析法又称"托尔科"法，是先将矿石预热至反应温度，然后混入适量的食盐和还原剂进入离析反应器内离析。现在的生产表明，两种离析法都能达到较高的选别指标。

A   石菉铜矿一段回转窑离析工艺

我国广东石菉铜矿属深度氧化难选铜矿，含铜品位高达1.3% ~ 2.5%。1964 年以来，有关科研、设计单位经过多种方案比较，认为离析—浮选法具有流程简单、精矿品位和回收率较高等优点，于 1966 年进行设计，并于 1970 年建成投入试生产。

难选氧化铜矿直接加热一段离析法是一项新工艺，国外尚无实践经验可以借鉴。在投产初期，遇到不少问题，如处理能力低、设备运转不正常，精矿品位和回收率都比较低，生产很不稳定。经过几年的努力和反复改进，基本上解决了直接加热回转窑一段离析工艺和设备关键，初步获得了较好的离析效果，基本上达到了投入生产的水平。

a 原矿性质

该矿属于石英闪长斑岩与石灰系灰岩接触交代矽卡岩铜矿床。矿石呈土状，氧化程度较深。由于成岩阶段次生富集作用，铜液扩散推移过程中与硅、铁和铝的盐类及其氧化物形成结合性氧化铜，覆盖于表面及间夹于孔雀石类型矿石中。含铜矿物以孔雀石为主，有少量蓝铜矿、硅孔雀石和水胆矾等。铁的矿石主要为褐铁矿，磁铁矿和赤铁矿次之。脉石除铁质黏土外，还有石英、云母、石榴子石、角闪石、蛇纹石、绿泥石和方解石等。原矿中铁质黏土含量很高，－200 目高达 48%，矿石含水 27.1%，矿石最大块 300 毫米左右。原矿物质组成列于表 32.1.57 和表 32.1.58。

原矿被细泥严重污染，铜的结合率较高，一般来说原矿品位高则结合铜相应增高。根据物相分析结果：结合铜占总铜的 5% ~40%，自由氧化铜占 50% ~80%，硫化铜占 9% ~20%。

b 离析—浮选工艺

浮选流程中（图 32.1.43 和图 32.1.44），实线表示 1975 年 3 月以前使用的流程，浮选机三次精选精矿品位可达 40% 以上。

离析回转窑规格为：直径 3.6 米，长 50 米，筒体窑头部分（2 米），为 20 毫米厚的耐热不锈钢板，其余为 22 ~28 毫米厚的 18MnCu 钢板焊接而成。窑内衬为 200 毫米（低温段 150 毫米）厚的高铝砖，并在距窑尾 6 米沿窑头方向安有 15.2 米的金属换热器，窑的倾斜度为 3%，窑用 JZS101 型三相异步整流子变速电动机（$N = 15 \sim 25$ 千瓦，$n = 1050 \sim 350$ 转/分）带动，并设有备用电源供电的辅助传动系统，在正常情况下，窑转速为1.48 ~ 0.493 转/分。

c 离析—浮选的工艺参数和结果

离析技术条件：原矿含铜品位2% ~3%，粒度 –4 毫米，水分5%左右，添加剂配比：煤3.5% ~4%，食盐1.8% ~2%。离析温度：重油燃烧烟气入窑温度1150 ~1250℃；窑头温度880 ~950℃，离析回转窑速度0.66 ~0.75 转/分。

磨浮技术条件：磨矿溢流细度75% ~80% –200 目，分级浓度30%，浮选浓度24% ~28%，丁黄药1.2 千克/吨、25 号黑药0.15 千克/吨，2 号油0.5 千克/吨，水玻璃0.1 千克/吨。

离析—浮选结果：

离析窑处理量	19.36 吨干矿/（台·时）
燃烧率（重油）	4%
烟尘率	25.68%
两级干法收尘率	86.99%
两级湿法收尘率	98.39%
挥发氯化铜的捕收率	72.71%
湿法尘含铜量和水溶铜损失	3.8%
离析窑作业率	70%
精矿品位（浮选柱一次精选）	25%以上
尾矿品位	0.5% ~0.7%
离析—浮选实收率	77%左右

表 32.1.57   原矿化学成分

元素化学成分含量,%	Cu	CO	Ni	Au g/t	Ag g/t	Pt g/t	Si$_2$O$_3$	
	1.38 ~2.39	0.003	0.0075	0.12	9.47	<0.05	44.34 ~42.00	
元素化学成分含量,%	Al$_2$O$_3$		Fe	S	CaO	MgO	Mn	
	11.88 ~14.63		16.43 ~20.48	0.04	0.89 ~1.54	1.19	1.24	

表 32.1.58　物相分析与物理特性

物相分析	结合铜	自由氧化铜	硫化铜	总　铜
	0.49 ~ 0.59	0.53 ~ 1.71	0.16 ~ 0.27	1.38 ~ 2.39
物理特性	密度 g/cm³	松散密度 g/cm³	比　热 J/g·℃	软化点 ℃
	3.09	1.16	0.691	1050

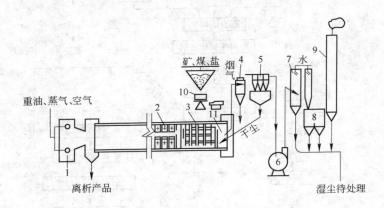

图 32.1.43　离析系统主要设备示意图

1—燃烧室；2—不锈钢放射状换热器；3—普通钢蜂窝状换热器；4—单管旋涡收尘器；5—多管旋涡收尘器；6—排风机；7—湍动收尘冷却塔；8—水膜除尘器；9—塑料烟囱；10—密封圆盘给料机；11—皮带磅秤

d　解决离析工艺及设备方面问题的主要措施

1. 为在热工制度上尽量满足离析的要求，既要有适宜的离析温度，又要使窑内保持适宜于离析的气氛（呈中性或弱还原性）。

2. 为改善重油燃烧条件，避免火焰进窑继续燃烧而引起炉料的烧结，改革了燃烧室。

（1）燃烧室的体积由 22 米³ 加大到 33 米³，降低空间热强度。

（2）将喷嘴位置由原来的正面改为侧面，以延长火焰路程。

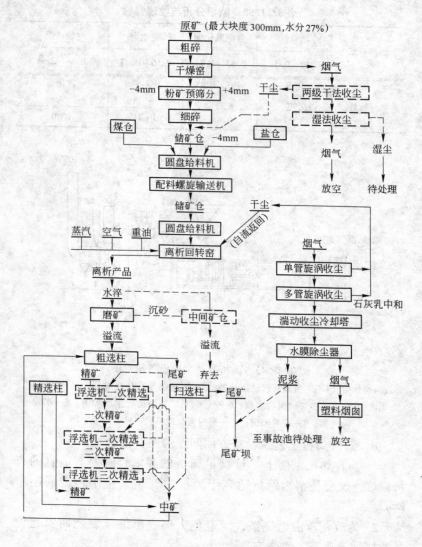

图 32.1.44 离析—浮选工艺流程

（3）将单喷嘴（1000 千克/吨）改为多喷嘴（4×25 千克/吨）。

3. 窑头换接 2 米耐热不锈钢筒体，采用玻璃布伸缩连接活动磨块，无水冷却的密封装置等。

4. 采用风量 10^5 米^3/时、气压 9810 帕（10^3 毫米水柱）的排风机。

5. 为解决防腐问题，1 号窑湍动收尘冷却塔烟气入口短管和塔的下半部均用环氧树脂砌衬石墨板，3 号窑采用花岗岩并以环氧树脂胶泥砌筑的湍动收尘冷却塔，入口衬石墨和钛板短管。

6. 为简化收尘系统和改善操作条件，将干法收尘设备提高 10 米，使干尘自动返回窑内。同时，离析配料和加料全部改装圆盘给料机，并安设了自制皮带磅秤和必要的测量仪表。

7. 改建粉煤系统，采用链磨机破碎，风力分级生产离析用煤，解决离析煤产量不足、质量差、煤中混矿、矿中混煤的问题。

B 罗卡纳两段离析工艺（赞比亚）

a 概况

罗卡纳（Rokana）分公司经营有：地下和露天矿山、罗卡纳选厂、铜冶炼厂、钴冶炼厂（1979 年产钴金属 2000 吨、1982 年产钴 4000 吨）和硫酸厂（年产 25 万吨）。

罗卡纳铜—钴矿床埋藏在近于西北走向的复杂褶皱的恩卡纳向斜的东部边缘。矿脉长约 14 公里，矿石总储量 12500 万吨。原矿含铜 2.36%，矿床深部的矿石中主要铜矿物为黄铜矿、斑铜矿、辉铜矿和硫铜钴矿，接近地表主要为孔雀石、硅孔雀石、含铜锰土和云母。

b 离析—浮选工艺

该厂处理难选铜矿石，于 1965 年投产。它是第一个采用此种工艺的工业规模的厂家。矿石来自 E 区的露天矿，目前供矿 200 吨/日，原矿含铜 4.5%，设计能力为 400 吨/日。离析厂的工艺过程如下：磨矿后的矿石在燃烧煤流态化矿层焙烧炉中加热到 300℃，然后进入离析室，在这里加入盐和煤，产生 HCl 和 Na_2SiO_3，HCl 扩散到矿物颗粒中并形成气体含铜氯化物，几个反应同时在煤颗粒表面发生，包括含铜的氯化物还原成金属铜。离析的炉料用水骤冷，以一般浮选方法回收铜。盐耗 5 公斤/吨，煤耗 10 公斤/吨。离析产品浮选指标为原矿含铜 4.66%，精矿含铜品位为 29.3%，尾矿含铜为 0.72%，铜的回收率为 87.2%。1970 年转入正规生产，成为罗卡纳矿附属车间。

C 阿克朱季特两段离析工艺（毛里塔尼亚）

a 概况

阿克朱季特（Acshugit）矿位于毛里塔尼亚首都努瓦克肖特以北，矿石储量约 3000 万吨平均矿品位为 2.5%，其中氧化铜矿约 800 万吨，该矿体有的露出地表，有的深达 30 米。

氧化铜矿石中含有大量与铜矿物紧密连生的赤铁矿—磁铁矿，矿体下部矿石中主要含磁铁矿和含铁碳酸盐矿物，主要铜矿物为黄铜矿。该矿由奥米拉矿冶公司经营，其中包括美国、英国和法国的资本。该厂于 1970 年建成，日处理能力为 4000 吨矿石。总基建费用 5800 万美元，其中 2000 万美元用于运输基建。

该矿在开采初期的三至四年内，主要为氧化铜矿、含铜平均品位为 2.7%，含金 3.1 克/吨。矿石不可能用普通的选矿方法选别，而采用离析法可有效地处理。曾在赞比亚做过采用铜带矿石的工业试验（规模 500 吨/日），根据赞比亚做过的试验决定选择干磨流程，并用直径为 6.7 米的气落式磨矿机，对磁铁矿采用磁选法选别，可使总处理能力减少 17%，而铜的损失很少。磁选可提高铜的品位，由 2.7% 提高到 3.2%，金从 3.1 克/吨提高到 3.6 克/吨。

b 离析—浮选工艺

为实现焙烧离析，安装四台道尔—奥利沃型具有离析燃烧室的沸腾层反应炉，每台容量为 900 吨。非磁性部分在 760～850℃ 温度之下进行焙烧，然后直接卸入连在一起的竖式离析室，在此加入 2% 的煤和 0.5% 的食盐，进行离析反应。离析的热料水冷后进行浮选，粗颗粒于旋流器中回收，浮选前进行再磨，使金达到单体解离。工业试验浮选精矿含铜 60% 以上，金达 50 克/吨。铜的浮选回收率为 89%～92%，银也大部分进入精矿中。

该厂作业率低，1972 年月平均 39.6%，1973 年月平均

57.2%，其主要原因是四个系列经常只有三个系列生产，一个系列检修。另外离析焙烧前后物料系统机械设备经常出问题，沙漠地区的风沙和高温气候对机械设备磨损严重。其他运输管道经常堵塞、磨损和腐蚀，也经常引起停产。该厂大部分设备靠进口，由于不能及时到货影响设备检修，造成停工待料，使生产不能正常进行。

32.1.4.3 浸出—萃取—电积法

萃取法以前主要用于提取稀有金属。由于萃取剂价格昂贵，故对铜的萃取工艺应用受到限制。20 世纪 70 年代以来，由于有机化学和石油化学工业的迅速发展，为制造和使用新型价廉、有效的萃取剂提供了条件，从而在铜的工业生产中采用萃取法成为可能。溶剂萃取的显著特点是生产效率高、连续作业性强、适用于工业规模的生产、分离效果好、提取率高、操作简便、生产时"三废"少。所以，近年来国外采取萃取法提铜的工业化生产逐年增加。1968 年美国亚利桑那州大牧场勘探和开发公司的兰乌矿，首先建成世界第一座铜的萃取—电积厂。世界上铜的溶剂萃取—电积厂有十多座（表 32.1.59），这些厂所采用的萃取剂几乎都是 Lix-64N。

在国外由于环境保护的严格要求和氧化矿的普遍开采，对铜的溶剂萃取给予了广泛的注意和重视。浸出—萃取—电积法易于处理低品位氧化矿和混合矿，随着铜需要量的增加，将导致对低品位矿的大量开采，加之为了控制二氧化硫对环境的污染，将为萃取法提供更广泛的应用前景。

赞比亚恩昌加联合铜业有限公司，在金哥拉建成年产 9 万吨铜的酸浸—萃取—电积厂，主要处理低品位氧化铜矿石和浮选尾矿，采用三级萃取和二级反萃取工艺，萃取相比为 1:1，60%~70% 的萃取残液返至酸浸系统，铜的损失较小。萃取剂 Lix-64N 是芳香族羟肟 12-羟基-5 十二烷基-二苯甲铜肟，Lix 系萃取剂，是美国通用矿产公司研制的一种含有羟肟（基）的螯合萃取剂，对铜和镍具有良好的萃取性能。

表 32.1.59　国外铜浸出－萃取－电积厂

国家	工　厂	铜产量，t/a	处 理 原 料	投产日期	备　注
美国	大牧厂勘探和开发公司兰乌矿	7000	氧化铜矿石稀硫酸浸出	1968	世界第一座萃取厂
	巴格达德（亚利桑那州）	7000	氧化铜矿石稀硫酸浸出	1970	
	卡皮塔尔公司线材公司卡萨格兰德厂	2500	铜屑和海绵铜的氨浸液	1970	Cu²⁺的萃取取氨再生循环用
	SEC 公司埃尔帕索厂	7000	从电解车间回来的酸性 Cu-Ni 溶液	1970	萃取铜时需调 pH 值
	阿纳康达公司（美国蒙大拿州）	36000	氨浸 25% 的硫化物精矿	1974	
	金属化学公司梅逊厂		铜　屑		采用氯乙烯稀释剂
赞比亚	恩昌加联合公司玫松希矿	26000	氧化矿石酸浸液	1977	
	恩昌加联合公司铜矿	90000	低品位氧化尾矿浸出液	1973	三级萃取、二级反萃
智利	普达惠尔矿业公司	18000	氧化铜矿石硫酸浸出	1977	Lix-64N
	国立铜公司丘基卡马塔矿	36000	氧化铜矿石硫酸浸出	1977	189/e 铜
	阿吉雷厂（C.P.A 公司）	17000	薄层两段浸出一段富液含铜 5.5 克/升	1981.11	世界第一座薄层浸出厂
秘鲁	塞罗维尔德（米尼诺公司）	33000	氧化铜矿堆浸液含铜 5 克/升	1977	三级萃取、三级反萃

我国氧化铜矿石除石菉采用离析—浮选工艺外，基本上采用硫化浮选工艺；目前，酸浸—萃取—电积法在大中型选厂正处于工业试验阶段，一些地方小厂已用于生产。

A 双峰铜选厂（美国）

a 概况

双峰（Twin Buttes）铜矿位于美国亚利桑那州土桑以南约32公里处。阿纳康达公司于 1965 年开始建设该矿山，1969 年11 月建成日处理能力为 3 万吨的硫化矿选厂，1970 年选钼车间投产。1973 年安纳马克斯采矿公司组成后，对双峰进行扩建，新建一座处理氧化矿的水冶厂，年产电解铜 3.6 万吨。硫化矿系统扩建第四系列，全部工程完成后，每年将生产铜 12.6 万吨。其中硫化矿选厂生产 9 万吨，氧化矿选厂生产 3.6 万吨。

b 矿床及矿石性质

双峰铜矿主要为原生矿石，以黄铜矿为主，还有次生斑铜矿和其他硫化物，并伴生有大量的黄铁矿。围岩主要为石灰石、矽化灰岩、接触变质碳酸盐及石英二长岩等，氧化深度一般在 30～60 米以上。矿体埋藏很深，上部覆盖 8～15 米厚的坚硬砾石，再上部为 120～180 米厚的第四纪表土。

c 酸浸—萃取—电积工艺

将氧化矿矿石破碎、磨矿后，用硫酸浸出，浸出液用有机相（一般萃取剂为 Lix64N 与煤油的混合物）萃取铜，使浓度很低的铜转入有机相中，再用硫酸反萃含铜的有机相，将荷铜为 50克/升的反萃液，送入电解车间电解，获得阴极铜。其流程如图32.1.45 所示。

双峰选厂有两部分：一是日处理原矿 36000 吨的硫化矿选厂；另一个是氧化铜矿处理厂，1975 年投产，是世界上最大的浸出—萃取—电积厂。按设计每天处理一万吨氧化矿矿石，平均含铜 1.35%，包含 1.02% 的酸溶铜，日产阴极铜 100 吨，1976年实际生产阴极铜 3 万吨（纯度为 99.995%），处理矿石 290 万吨，平均含铜 1.3%，1977 年达到设计能力产铜 3.6 万吨。

原矿用 2.67 米³ 电铲从矿堆装到 50 吨或 100 吨的运矿卡车上，把矿石运到破碎厂，用颚式碎矿机 1.22×1.52 米一台，破碎到小于 200 毫米，然后用一台 2100 毫米标准型圆锥碎矿机破碎，产品进入两台 2100 毫米短头碎矿机与两台 2.44×6.09 米双层筛组成的闭路流程。最终破碎产品粒度为 13 毫米，粉矿仓的有效容积为 15000 吨。

磨矿有两个平行系列，每系列由一台 φ3.5×5.64 米棒磨机和一台直径 3.81×6.14 米球磨机组成，开路磨矿的产品粒度为 −48 目占 95%，矿浆浓度为 60%。采用开路磨矿的原因是它比闭路磨矿作业可获得更高的浸出给矿浓度。磨矿能力为 440 吨/时。

酸浸

磨矿产品的固体浓度为 60%，通过分配箱分成两股矿浆，一股进入浸出，另一股用作调整 pH 值。

浸出是在五个串联排列的，内衬橡胶的，直径为 9.14 米，高为 9.45 米的机械搅拌式浸槽内进行的，浓度为 93.2% 的硫酸从储酸槽加到第一个浸出槽，硫酸的储槽有四个，总容积为 21000 吨，硫酸耗量为 113 公斤/吨。按每天处理一万吨氧化矿计，每天用酸量为 1000~1500 吨（浓度为 93%~98% 的硫酸），矿石的浸出时间为五个小时，浸出 pH 值为 1.5。

浸出后矿浆浓度为 50%，进到四台直径为 122 米浓缩机，用萃取厂的废液返回进行逆流洗涤。固体由 1 号浓缩机流向 4 号浓缩机，最后到尾矿坝。萃取厂的废液则相反，由 4 号浓缩机流向 1 号浓缩机，作为母液溢流到 pH 调节槽，为适应溶剂萃取，向 1 号浓缩机溢流母液，添加未反应过的磨矿矿浆，把 pH 值由 1.5 调到 2.5。矿浆在三台机械搅拌式 pH 调节槽内的停留时间为 45 分钟。

矿浆由 pH 调节槽出来时的浓度约含固体 10%，经二段浓缩机净化、按设计第一台直径 122 米的净化浓缩机的溢流含固体 30~80ppm，这两台浓缩机的沉砂返回搅拌浸出槽，从第二次净化浓缩机溢流出来的液体，即称为含铜母液，经澄清后进入调整槽，用蒸汽调温到20℃，然后进到压滤机。

溶剂萃取

过滤后母液含铜2.5克/升，总的流量为26.6米^3/分。萃取分两排系统平行进行，每系统四次萃取。用有机萃取剂Lix64N按12%的体积百分数溶于煤油中，萃取后残余水相含铜约0.08克/升，返回浸出作业，负载铜的有机相含Cu约25克/升。分两个平行系统用硫酸进行两段反萃取，荷铜的反萃取液含铜50克/升。

电积

荷铜的反萃取液含铜50克/升送往电解，得阴极铜，其纯度约为99.995%。

一般情况，每升萃取混合液能萃取25克铜，萃取率达到95%以上。

B　普达惠尔铜矿选厂（智利）

a　概况

普达惠尔（Pudahuel）矿物公司位于智利圣地亚哥城西30公里处，有圣地亚哥—瓦尔帕来索公路通过矿山和矿区，矿区最高温度只有35℃，最低为－4℃，年降雨量为300毫米。西北100公里的瓦尔帕来索是智利的主要港口。

1980年末，普达惠尔矿产有限公司（SMP）已有一项7000万美元投资的铜的新工程投产，该工程包括一个露天矿、薄层浸出（TL）、溶剂萃取（SX）及电解（EW）。

在SMP获得该铜矿所有权后，即聘请麦基公司于1970年作可行性研究，认为可获得很高的收益。以后由黑增（Hazen）研究公司修改了原工艺并研究出一个新的冶金方案，采用浸出，溶剂萃取及电解是满意和十分经济的流程。SMP、霍尔来斯及纳尔弗公司达成一项协议，签订了包括设计、经营、建设管理、投产的合同。日处理量为2500吨。

1979年中期，初步设计完成，土木工程于1979年2月开始，矿山的剥离正在进行。矿山需要初步剥200万吨表土，在投产12年内剥采比将保持在3.26：1左右。矿石用公路运输，距离约15公里，公路坡度最大8%。

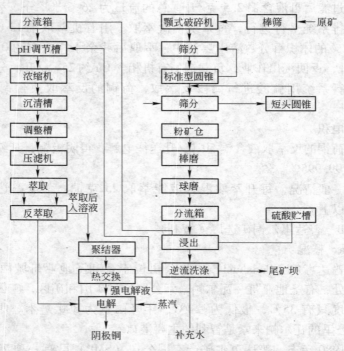

图32.1.45　美国双峰氧化铜浸出—萃取—电积厂流程

b　矿床及矿石性质

罗阿古伊雷矿呈不规则形，约600米长、200米宽和150米厚。矿体露头在南部。矿体上部被氧化，主要为细粒孔雀石。深部为硫化区，主要为辉铜矿和斑铜矿、铜蓝，少量的黄铁矿和黄铜矿。中间区域为混合的氧化铜矿和硫化铜矿。矿物结构致密坚硬。

碎矿的最终粒度为6毫米，然后送去湿法冶金，其流程见图32.1.46。

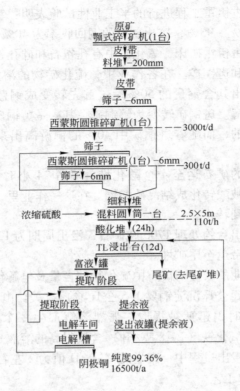

图 32.1.46 普达惠尔铜矿浸出—萃取—电积工艺

c 薄层浸出

"TL"浸出过程适合于某些铜矿床,特别是中小型氧化矿的处理。浸出是将经过细碎的矿石和浓缩的硫酸混合,然后送到酸化堆,在没有溢出物料的情况下,酸化摊成薄层并用水或弱酸浸出。

工艺过程的几个阶段是:1)将矿石破碎到6毫米;2)矿石和酸搅拌;3)矿石酸化处理几小时后再把矿石堆耙成2米高的薄层;4)用SX萃余液喷洗;5)自然排放含矿富液;6)堆筑并处理尾渣;7)用SX—EW作业富集并回收铜。

为罗阿古伊雷工程进行的半工业性试验表明：氧化矿中的铜回收率为 90% ~95%，硫化矿中的铜回收率为 40% ~60%。

在罗阿古伊雷矿床，氧化矿中有孔雀石和硅孔雀石，硫化矿中有辉铜矿和斑铜矿。在各作业中，硫化矿物的溶解是缓慢的。辉铜矿游离出其含铜量的 50% 后，首先转变成铜蓝，然后铜蓝被溶液所分解。斑铜矿转变为辉铜矿，其次是黄铜矿，黄铜矿实际上是不变的，而随着斑铜矿中 40% 的铜游离出来，辉铜矿继续溶解。

处理过的矿石运至 4 个酸化堆，停留 24 小时，在这期间，氧化物间歇被酸转化成结晶硫酸铜。在这一作业里，60% ~70% 的氧化物得到转化。

每个浸出台约处理 1700 吨矿石，浸出周期为 12 天，浸出后的废渣用皮带运至尾矿堆。

浸出周期的长短与矿石中硫化物的含量及电解化学反应时硫酸的耗量（每公斤沉淀铜要 1.5 公斤酸）有关。由于酸化结果，氧化铜几小时内迅速被提取，强烈溶解产生一个总铁（约 30 克/升）和三氧化铁（7 ~8 克/升）含量很高的溶液是分解硫化物的关键。在浸出过程中，产生的富液 pH 值为 2 左右。

d 萃取工艺

对罗阿古伊雷矿石将采用二次萃取和二次反萃，萃取剂是 Lix-64N（Henkel 专利药剂），该药剂已在世界上几个工厂用了许多年。

浸出—萃取—电积（TL—SX—EW）工艺酸耗低，约 2 公斤酸/公斤铜。因酸循环使用，故电解槽酸耗低。

浸出液的萃取采用选择性的肟（Lix 型）用煤油稀释而成。

该厂本身有 5 个混合—沉降槽，其中 3 个用于萃取，两个用于反萃，设备由包有不锈钢的混凝土制成，其规格为长 29 米，宽 12 米，高 1.2 米。混合槽的形状为细长形，取代了传统的圆柱形或立方形。

贮存槽、给料泵和连接管道均用不锈钢材质，混合—沉降槽还有一全套自动系统。浸出液或残液（10.5 克/升的铜和 3 克/升的酸）送电解厂。

e 电解

该厂有 64 个电解槽，每个电解槽有 64 个铅－钙合金阳极，电解槽的电流密度是 240 安培/米^2，能量消耗为 1.95～1.99 千瓦小时/公斤沉淀铜。有三台 2500 千瓦整流器，供应电解所需电能，其他辅助设施是 5 吨吊车。电解厂计划生产能力为日产 47.5 吨阴极铜，年总产量为 17000 吨。

f 工作制度

矿山每周工作 6 天，每天二班，每班 8 小时，每天出矿略多于 3000 吨（已储备 25 万吨）。浸出工厂三班操作，每周工作七天，生产能力为 2500 吨/天。

32.1.4.4 细菌浸出试验及生产实践

A 铜官山老采区细菌浸矿工业试验

a 浸矿地区概况

浸矿地区为松树山 5 米矿段的老采区。地表已陷落，原矿体属于接触带中的高中温热液交代矿床，矿石属于硫化矿中后期氧化阶段。硫酸盐化较剧烈，物相组成复杂，包括地表覆盖物和残留矿石两部分。地表覆盖物有铁帽、红土层和黄色黏土层，铁帽含铜品位 0.2%～0.5%，黏土层含铜品位 0.2%～0.25%，均属低品位矿。由于品位低，金属赋存条件复杂，尚不能被目前采选工业所利用。在残留矿中原生硫化矿以黄铁矿、含铜磁黄铁矿为主，占 34.2%，氧化矿（包括次生硫化矿及氧化铜）占 35.1%。铁帽含铜约占 30.7%。

松树山早在唐代已开始开采，矿体内留有大量空洞，5 米以上曾用崩落法进行开采，故顶盘及地表覆盖物均已陷落。覆盖物疏松利于渗水，这是浸矿的有利条件。不利条件是：地表不平整，布液不均匀，残留矿石被覆盖包裹，菌液难于进入。

b 工艺流程

利用生物的催化作用将硫酸亚铁氧化成硫酸高铁浸矿液。采用喷洒布液法，将菌液洒到地表渗滤场，通过地表覆盖物和残留矿石渗滤浸矿，浸出液由原来采矿坑道聚集在水仓，用耐酸泵扬至地表。富铜液进入铁置换柱进行铁置换，产生粉状沉淀铜；尾液配酸后注入细菌再生池，充气繁殖细菌将 Fe^{2+} 氧化为 Fe^{3+} 制备菌液。菌液和多余尾液混合调酸后再扬至地表喷洒浸矿。贫矿液化为补充水返回淋浸（图 32.1.47）。

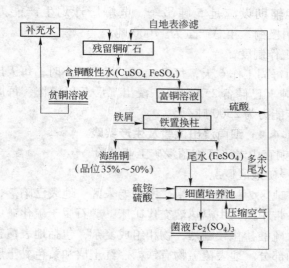

图 32.1.47 老采区细菌浸矿工艺流程

c 渗滤技术参数

浸矿液中全铁、Fe^{2+}、Fe^{3+} 浓度和比例：

分别用全铁浓度 2、4、6、8、10 克/升和不同比例（Fe^{2+} 和 Fe^{3+}）的浸矿液渗滤，其中 pH = 2.0 ± 0.05。

通过对比，浸矿液 pH = 2.0 ± 0.05，Fe = 6 克/升，Fe^{2+} = 3 克/升，Fe^{3+} = 3 克/升时，浸矿效果较好。超过这一指标时效果不显著。但目前现场试验，全铁浓度仅能达到 1.5 ~ 3 克/升。只能做到控制 Fe^{2+}、Fe^{3+} 的比例，有待进一步摸索提高全铁浓度的途径。

渗滤强度和轮休制度

单位面积上的喷水量（渗滤强度）直接影响到浸出规模和浸出液铜离子浓度。该矿以 100 米^2 每小时用 1 米^3 的喷水量时，浸出液最终平均品位将提高 15% 左右，酸耗也相应下降。因此推荐渗滤强度以每 100 米^2 每小时为 1 米^3。

因试验正在进行，轮休周期还待摸索。

d　工业试验主要指标

渗滤场灌水面积　　　　　　　　　约 4000 米^2
浸矿液平均产量　　　　　　　　　368 米^3/天
平均 Cu 浓度　　　　　　　　　　0.41 克/升
月浸出铜量　　　　　　　　　　　4610 公斤
最高的浸出铜量　　　　　　　　　323 公斤/天
浸出液流失率　　　　　　　　　　40% ~ 50%
尾水平均品位　　　　　　　　　　0.067 克/升
铜回收率　　　　　　　　　　　　93%
海绵铜品位　　　　　　　　　　　60% 左右

B　水口山柏坊铜矿用细菌浸出处理含铜尾矿

水口山矿务局柏坊铜矿，地表堆积着大量含铜和稀有金属的贫矿和尾矿。近年来，在中国科学院微生物研究所的帮助和指导下，发展了用硫酸—细菌浸出回收尾矿中的铜和稀有金属的研究工作，并于 1972 年正式投入生产。

几年来的生产实践证明，硫酸—细菌浸出贫矿石的工艺，可以综合浸出矿石中的铜和稀有金属，回收率较高、操作简便、设备少、成本低，是一个变废为宝、化害为利、综合利用矿产资源的有效途径。

该矿含铜尾砂的特点是：除铜外伴生有稀有金属，矿石呈酸性，但脉石碳酸盐含量较高，粒度细（1 毫米），呈黏性，渗滤性能差。尾砂的品位及铜矿物相组成列于表 32.1.60。

细菌参与硫酸高铁溶浸尾砂的工艺流程如图 32.1.48 所示。

含铜尾砂有浮选尾砂、重选尾砂和矿泥三部分，均是目前处

表 32.1.60   铜矿物物相分析

试　料		总铜量	硫　化　铜			氧　化　铜		
			原　生硫化铜	次　生硫化铜	合　计	自　由氧化铜	结　合氧化铜	合　计
浮选尾砂	1	0.246	0.010	0.016	0.026	0.128	0.092	0.22
	2	0.202						
重选尾砂和矿泥混料（1：1）	1	1.494	0.035	0.298	0.333	0.938	0.25	1.188
		0.627	0.0107	0.0838	0.0945	0.386	0.15	0.536

理的对象。

浮选尾砂，粒度为 99% - 20 目，渗滤性好，可直接单独溶浸。

重选尾砂，粒度为 - 2 毫米者约占 95%，渗滤性更好，可直

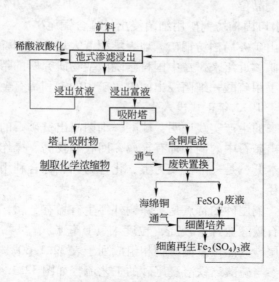

图 32.1.48   细菌浸出处理尾砂工艺流程

接单独处理。

矿泥，系浮选尾砂与重选尾砂的细粒冲刷下来堆积而成，呈细粒状，无法单独渗滤溶液，故采取与重砂混合（1∶1）处理。

a 细菌培养

菌种是采用铜官山铜矿分离筛选出的氧化铁硫杆菌 9 号菌株，细菌培养采用列仁无基亚铁培养基。培养条件见表32.1.61。

表 32.1.61　不同培养条件下的亚铁氧化速率

接种量 %	培养液量 t	Fe^{2+} g/L	pH	温度 ℃	营养物加入量			Fe^{2+} 全部氧化成 Fe^{3+} 所需时间，d
					$(NH_4)_2SO_4$	K_2HPO_4	KCl	
0.004	约 25	12.84	2.0	24~28	2	0.5	0.5	7
0.006	约 30	4.24	1.8	28~32	1.5	1.0	1.0	4.5
0.006	约 25	6.03	1.9	28~31	2	0.5	——	约 3
0.50	约 25	7.70	2.0	24~30	2	0.5		近 2
20.0	约 30	4.49	2.0	24~30	——			1.5

注：培养过程每天通风 4 次（共约 6 小时），其余均给入适量压缩空气。

从表 32.1.61 可看出，当 Fe^{2+} 浓度、温度、pH 值等条件大致相同时，细菌氧化亚铁的速度和接种量关系极大，为了快速培养出细菌高铁浸矿剂和减少压风动力消耗，应扩大接种量或连续培养。

b 渗滤浸出

浮选尾砂含铜 0.11%~0.2%，重选尾砂含铜 1.25%~1.5%，两种尾砂都含有稀有金属。

由于尾砂粒度细、难渗滤，故采用浸出池进行生产，先加酸化水中和矿石中的碱性脉石，待溶液 pH 值达 2.0 左右时，加入含菌高铁（Fe^{2+}）的浸矿剂或浸出贫液（指含铜和稀有金属降低，Fe^{2+} 较高的浸出液）进行循环浸出，直至浸出液铜、稀有金属较低为止。然后，加铜稀有金属含量极低的细菌高铁液，当浸出液浓度更低时，再用水洗两三天排料。尾砂浸出时间为二十天，浸出结果列于表 32.1.62。

表 32.1.62 浸出结果

浸出池编号	投料量 t	硫酸耗量 kg/t	湿度 ℃	浸矿周期 d	铜,%			稀有金属浸出率,%
					原矿	浸液	浸出率	
1	100	34	25~35	27	0.81	0.17	79.02	86.40
2	100	32	25~35	18	1.25	0.48	61.60	51.85
3	100	30	25~35	23	1.51	0.44	70.86	80.37

c 铜的回收

经吸附稀有金属后的尾液含铜 1.5~2(克/升),采用铁屑或废铁置换沉积法使铜呈海绵铜回收。置换过程的操作条件为:

1)置换液含铜越高越好,含铁应尽可能减少,pH = 1.8~2.0。

2)当溶液 pH 在 1.5 左右,铜浓度在 2~4(克/升)时,耗铁比为铜的 2~2.5 倍。当 pH 为 2 左右,铜浓度较高时,耗铁比为铜的 1.5 倍。

3)置换时间与温度、废铁质量和数量、溶液酸度及置换方式有关,一般在温度 >20℃通气情况下,6 小时即可置换完毕。

4)置换后立即排放尾液,调节尾液中 Fe^{2+} 浓度和酸度返回作细菌培养液用。

d 主要技术经济指标

稀有金属的总回收率 75%~80%,铜的总回收率 70%~75%(浸出率 75%~80%,沉淀率 90%~95%)。海绵铜含铜 60%~65%,每吨矿料耗硫酸 40~45 公斤,每吨铜耗铁 2.5 吨折算纯金属每吨铜的成本为 2000 元。

32.1.5 国内外铜矿一览表

国内外铜选厂一览表

中国

序号	厂名	地理位置	设计规模 t/d	矿床类型及矿石组成	投产日期	选矿工艺	综合回收	选矿指标 Cu,% 原矿品位	精矿品位	回收率
1	德兴选厂	江西	10000	斑岩型铜矿床,主要矿物为黄铜矿、黄铁矿、辉钼矿,脉石为石英	1966年	原矿粗碎后经选矿。矿泥单独浮选。砂经粗磨至60%-200目,Cu-Mo混选,丢尾矿,粗精再磨至95%-200目精选	$\alpha_{Mo}=0.08\% \pm$ $\beta_{Mo}=44.56$, $\Sigma_{Mo}=44.15$	0.55	24.4	86.2
2	白银选厂	甘肃	9900	含铜黄铁矿型矿床,主要矿物为黄铁矿、黄铜矿、辉铜矿	1953年建设 1960年投产	阶段磨选流程,块矿一段磨至60%~65%-200目二段磨至90%~200目,浸染矿则为65%~85%-200目	黄铁矿	1.98	20.2	93.0
3	铜录山(为1982年生产指标)	湖北	4000	矽卡岩型铜矿床,原生矿为磁铁矿、黄铜矿、氧化矿为孔雀石、赤铁矿、褐铁矿	1970年	浮选-磁选流程,氧化矿石用硫化浮选流程	铁	原生矿: Cu1.79 Fe35.51 氧化矿: Cu2.13 Fe48.64	原生矿: Cu24.55 Fe64.60 氧化矿: Cu16.03 Fe60.23	原生矿: Cu93.61 Fe52.56 氧化矿: Cu79.02 Fe33.93
4	赤马山	湖北		主要矿物为辉铜矿	1960年	用浮选选铜	—	0.70	30.0	92.5

续表

序号	厂名	地理位置	设计规模 t/d	矿床类型及矿石组成	投产日期	选矿工艺	综合回收	选矿指标 Cu,%		
								原矿品位	精矿品位	回收率
5	丰山	湖北	3500	矽卡岩型铜矿床，主要矿物为黄铜矿、黄铁矿、辉钼矿、枯榴子石	1971年4月	原矿粗碎后经洗矿，矿泥单独浮选，砂矿经70%~80%-200目浮选，目前只得铜精矿	因改建浮选机，Mo、S 未回收	0.92	25.8	87.2
6	新冶	湖北	600	矽卡岩型硫铜矿床，主要矿物为黄铜矿、黄铁矿、白钨矿	1957年10月	原矿采用阶段磨矿混合浮选流程，最终混合精矿再磨至90%~95%-200目进行Cu、S分离	$\alpha_S = 14$ $\beta_S = 39 \sim 40$ $\varepsilon_S = 80 \sim 85$	0.61	21.1	91.1
7	铜官山	安徽	5000	矽卡岩型铜矿床，主要矿物为黄铜矿、黄铁矿、磁黄铁矿、磁铁矿	1952年恢复生产 1954年扩建至3600t/d 1966年扩建5000t/d	原矿经洗矿，泥矿单独浮选，只回收铜，砂矿优先选铜，其尾矿选黄铁矿后，磁选黄铁矿后，经脱铜后再为产品	$\alpha_{Fe} = 30 \sim 33$ $\alpha_S = 6 \sim 6.5$	0.56	15.9	85.4
8	凤凰山	安徽	3000	矽卡岩型铜铁矿床，主要矿物为黄铜矿、黄铁矿、磁铁矿	1966年基建 1971年1月投产	部分优先浮选铜，混合Cu-S混选，混精然后再磨分离，混选尾矿，磁选得铁精矿	$\alpha_S = 3.0$ $\beta_{Fe} = 61$	1.27	20.7	92.9

续表

序号	厂名	地理位置	设计规模 t/d	矿床类型及矿石组成	投产日期	选矿工艺	综合回收	选矿指标 Cu, %		
								原矿品位	精矿品位	回收率
9	铜山	安徽	3000	矽卡岩型矿床另有含铜黄铁矿石	1960年	原矿经洗矿、矿砂分选、砂矿选优先选铜，尾矿选黄铁矿和磁铁矿	α_S=8%~9% α_{Fe}=30% β_{Fe}=61%	0.93	14.2	85.6
10	狮子山	安徽	1970年扩建至2000	矽卡岩型铜矿床	1966年7月1日	一段粗磨矿、快速浮选，前1~2槽直接得合格精矿	α_S=2.0%±	0.89	26.2	95.2
11	金口岭	安徽	1000	矽卡岩型铜金矿床	1971年7月	一段磨至70%-200目，用黄药浮选铜和金得Cu-Au精矿	α_{Au}=2g/t α_{Ag}=13g/t	1.04	25.6	96.4
12	胡家峪	山西	3000	细脉浸染型似层状高中温热液型铜矿床，主要矿物为黄铜矿、镜铁矿、黄铁矿、辉铜矿	1960年 1970年建选钴车间并投产	原矿磨至65%-200目，优先选铜，尾矿选钴黄铁矿	α_{Co}=0.1 β_{Co}=0.3	0.81	24.9	96.8
13	篦子沟	山西	3200		1965年	优先选铜，尾矿选硫	α_{Co}=0.1	0.94	22.1	95.6
14	铜矿峪	山西	10000	斑岩型铜矿床，主要矿物为黄铜矿	1975年	目前只选铜	α_{Mo}=0.005	0.51	24.2	81.6

续表

序号	厂名	地理位置	设计规模 t/d	矿床类型及矿石组成	投产日期	选矿工艺	综合回收	选矿指标 Cu,%		
								原矿品位	精矿品位	回收率
15	石菉	广东	2000	矽卡岩型铜矿床，主要矿物为氧化铜矿石、褐铁矿、孔雀石、磁铁矿	1970年10月	原矿破碎后，一段离析-浮选工艺，离析在3.6×50m的回转窑内加煤3.5%～4.0%，食盐1.8%～2.0%进行		2.79	26.75	74.5
16	红透山	辽宁	1800	中温热液脉状含铜黄铁矿床，主要矿物为黄铁矿、闪锌矿、黄铜矿、白铁矿	1958年建设 1959年3月投产	矿石磨至65%-200目，用铜硫部分混合浮选混精进行铜硫分离，混合浮选尾再选锌硫后分离	$\alpha_{Zn}=1.3\%$ $\beta_{Zn}=47$ $\alpha_S=13.0\%$ $\beta_S=40$	1.34	20.5	93.2
17	易门木奔	云南	5800	接触变质泥质白云岩含铜型，主要矿物为孔雀石、黄铜矿、斑铜矿	1960	阶段磨选流程一段磨至50%-200目，二段磨至90%-200目，硫化浮选氧化铜矿石		0.90	29.0	91.4
18	易门狮子山	云南	1800	同上，铜氧化率高于木奔		一段磨矿，采用硫化浮选氧化铜矿石		0.73	25.2	84.0
19	东川因民	云南	3600	沉积变质的层状铜矿床，含斑铜矿、黄铜矿、孔雀石为主，铜氧化率为30%～40%	1959	阶段磨矿。选流程为一段磨矿。集中浮选最终粒度为90%-200目		0.64	24.5	86.5

续表

序号	厂名	地理位置	设计规模 t/d	矿床类型及矿石组成	投产日期	选矿工艺	综合回收	选矿指标 Cu,%		
								原矿品位	精矿品位	回收率
20	烂泥坪	云南	1500	沉积变质层状铜矿床	1960年5月	采用阶段磨选流程，第一段磨至60%～200目然后加硫化钠、黄药浮选尾矿再磨至90%～200目，送浮选		0.90	14.2	80.1
21	落雪	云南	6500	白云岩似层状矿床、分氧化、硫化、混合三带，铜氧化率35%～40%	1969年4月	阶段磨选，用硫化钠、黄药浮选氧化铜矿石，第一段磨至50%～55%～200目，二段磨至85%～200目		0.82	25.2	83.3
22	汤丹	云南	1700	白云岩似层状铜矿床、孔雀石，硅孔雀石铜氧化率75%以上	1977.11	采用阶段磨选流程以硫化一浮选选别氧化铜矿石		0.63	15.9	73.4
23	大姚	云南	4500	层状矿床氧化上部氧下硫	硫化矿1979年投产			1.18	27.3	84.1
24	牟定(1982年)指标	云南	1500	层状矿床上部氧化矿下部硫化矿	1971	采用阶段磨选流程最终磨至80%-0.074mm		1.05	28.6	91.1

续表

美国

序号	厂名	地理位置	规模 t/d	矿床类型及矿石组成	投产日期	选矿工艺	综合回收	选矿指标, %						资料来源
								原矿品位		精矿品位		回收率		
								Cu	Mo	Cu	Mo	Cu	Mo	
25	肯耐科特铜公司所属三厂邦纳维尔 (Bonneville) 马格纳 (Magna) 阿瑟 (Arthur)		总能力 108500 54000 54000	属于斑岩铜矿床。主要为斑铜矿、黄铜矿、辉铜矿等。铜蓝、辉铜矿等矿物浸染在花岗岩和沉积岩中		该厂仅有破碎厂，采用三段开路，然后进行棒磨、球磨，磨成闭路，矿产品送马格纳和阿瑟选厂浮选，马格纳与阿瑟流程相同		0.69	0.03	30.0	MoS_2 90.0	90.0	56.0	Fuerstenau. M. C "Flot-ation" Vol 2.
26	西雅里塔 (Sierrita)		90000	属斑岩铜矿二长石英岩和石英闪长岩是主要岩石。主要铜矿物是黄铜矿、辉钼矿、黄铁矿	1970 年	破碎采用常规三段破碎流程，粗钼混选，粗精矿再磨再选，然后铜钼分选	回收钼	0.32	0.03	25	50	90	74~78	"The Mining Magazine" March1971. Vol. 124 No. 3

续表

序号	厂名	地理位置	规模 t/d	矿床类型及矿石组成	投产日期	选矿工艺	综合回收	原矿品位 Cu	原矿品位 Mo	精矿品位 Cu	精矿品位 Mo	回收率 Cu	回收率 Mo	资料来源
27	圣曼纽尔 (San Manuel)	亚利桑那州桑曼纽尔	65000	石英岩-二长岩及二长斑岩中散布的铜矿物。主要有黄铜矿、斑铜矿、铜蓝、辉铜矿、黄铁矿等		磨矿作业用棒磨、球磨二段作业，粗精矿再磨再选，铜钼混选后分离	回收钼	0.69	0.015	30.0	MoS₂ 90.0	92.0	70.0	"The Mining Magazine"March1971. Vol.124 No.3 第25号
28	皮马 (Pima)	亚利桑那州土桑	54000	属干斑岩铜矿。角页岩中有辉铜矿、自然铜、硅孔雀石和赤铜矿。黄铜矿在长石石砂岩的斑岩矿化区	1957年	破碎采用三段一闭路。铜钼混合粗选选丢尾，粗精矿再磨再精选三次精选	回收钼	0.56	0.017	27.30	42.16	84.44	62.9 (作业)	"The Mining Magazine"March1971. Vol.124 No.3 第25号
29	莫伦西 (Morenci)		60000	属干砂卡岩铜矿床		铜钼混合浮选、中矿再磨再选、铜精矿分选得铜精矿和钼精矿	回收钼	0.83	0.015	22.0	MoS₂ 89.0	75	62.75 (作业)	
30	比尤特 (Butte)	蒙塔那州	42000	属斑岩铜矿。铜矿物主要赋存在石英二长岩的铜脉中。主要有黄铜矿、辉铜矿、砷黝铜矿、铜蓝等	1864年	二段破碎加自磨的碎磨流程。浮选分为泥、砂两个系统，砂系统用粗选，泥系统用脱出沉淀浮选		0.76		26.0		85.0		

选矿指标,%

续表

序号	厂名	地理位置	规模 t/d	矿床类型及矿石组成	投产日期	选矿工艺	综合回收	原矿品位 Cu	原矿品位 Mo	精矿品位 Cu	精矿品位 Mo	回收率 Cu	回收率 Mo	资料来源
								选矿指标,%						
31	蒂龙 (Tyrone)	新墨西哥州	48000	斑岩铜矿床。矿产于一长岩体中。主要有辉铜矿、孔雀石、土黑铜矿、蓝铜矿、黄铁矿等	1921年	碎矿采用三段一闭路。浮选采用粗选、再磨精选、扫选的工艺		0.89	0.013	22.0		78.0		Fuerstenau. M. C "Flotation" Vol. 2
32	威德 (Weed)	蒙塔那州比尤特	51000	矿石中有部分酸性难选硬矿石，及一部分含黄铁矿、泥酸性矿等		泥砂分别浮选，矿泥含铜可溶性铜用 H_2S 沉淀后浮选		0.5 ~ 0.7		25 ~ 30		80.0		Fuerstenau. M. C "Flotation" Vol. 2
33	双峰 (Twin Buttes)	亚利桑那州土桑	46000（氧化矿为10000t）	斑岩铜矿床，以黄铜矿为主，其次黄铁矿。围岩是灰岩变质的矽卡岩及石英二长岩等	1964年	硫化矿采用砂泥分部浮选，氧化矿部分再磨再选，矿泥采取浸出一萃取一电积法回收	回收钼	0.6	0.03	29	0.15	76	36	
34	平托谷 (Pinto Valley)	亚利桑那州迈阿密	40000	斑岩铜矿，主要辉钼矿，脉石主要由石英二长斑岩、花岗斑岩	1974	碎矿采用三段一闭路。粗选后粗精矿再磨再选，铜钼精选，铜钼分离	回收钼	0.4		28	MoS_2 85			1.《Min, Mag》1975.133.№5 2.《国外金属选矿》1977.№10.

续表

序号	厂名	地理位置	规模 t/d	矿床类型及矿石组成	投产日期	选矿工艺	综合回收	原矿品位 Cu	原矿品位 Mo	精矿品位 Cu	精矿品位 Mo	回收率 Cu	回收率 Mo	资料来源
								选矿指标,%						
35	巴格达 (Bagdad)	亚利桑那州凤凰城	6000	斑岩铜矿床。主要为黄铜矿，有部分氧化矿	1977年	硫化矿采用单独浮选，氧化矿浸出、沉淀、浮选	回收钼	0.49	0.025	28.0	MoS₂ 90	82.0	55	
36	萨加顿 (Sacaton)	亚利桑那州凤凰城	9000	硫化矿和氧化矿各占一半，主要为辉铜矿、蓝铜矿、孔雀石、硅孔雀石	1974年	三段破碎—闭路流程。再磨浮选与氧化矿浮选流程相似								《Skillings. Min. Rev》1973. 62No. 8
37	卡尔福克 (Carr Fork)	犹他州盐湖城	10000	主要为黄铜矿，围岩为沉积灰岩		二段碎矿加棒后磨—球磨粗选再磨再选得最终铜精矿		0.87		24.6		93.3		《Min. cang. J》1979. No. 12.
38	纳西米恩托 (Nacimi-ento)	新墨西哥格巴	4000	砂岩型铜矿床。有孔雀石蓝铜矿、辉铜矿、自然铜、赤铜矿、铜钒矿等。少量可溶铜	1970年	硫化矿与氧化矿分别处理，氧化矿采用IPC法		0.6 ~ 0.9		24 ~ 35		78.0		《World Min》Vol. 25. No. 8. 1972.
39	银铃 (Silver Bell)	亚利桑那州土桑	13000	斑岩铜矿床。以辉钼矿为主，与石英脉共生		铜钼混选，粗精矿再磨再选，铜钼混精铜钼分选		0.7	0.01	30	0.17	84	30	《Min. Eng》1964. Vol. 16No 7

MoS_2

续表

加拿大

序号	厂名	地理位置	规模 t/d	矿床类型及矿石组成	投产日期	选矿工艺	综合回收	原矿品位	精矿品位	回收率	资料来源
								选矿指标，Cu%			
40	白马矿 (Whitehorse)	尤克，白马南部 9.6km	2449.4	磁铁矿-蛇纹岩、滑石-绿泥石-矽卡岩，斑铜矿，少量辉铜矿，铜蓝	1967年	一段棒磨，粗选；一段矿泥砂尾别分级，砂中矿再磨，精经砂两段精选得最终精矿	金（在铜精矿中）银	1.71	39.95	89.65	加拿大选矿实践 "Milling Practice in Canada"
41	格兰都克 (Granduc)	不列颠哥伦比亚省斯脱瓦30英里	7500	含铁硅酸盐，石英，黄铜矿、磁黄铁矿、磁铁矿	1948年	一段棒磨，粗选；一段再磨，两次精磨	少量 金、银	1.1~1.4	28.5	95	
42	格兰尼斯尔 (Gran-isle)	不列颠哥伦比亚省普林斯乔治西175英里	14000	成矿作用与云母-长石英有联系的岩脉状矿体。斑铜矿、少量金、银	1966年	一段磨，粗扫选；一段再磨，粗精矿经两次精选得精矿		0.46	31.2	88.6	
43	犹他	不列颠哥伦比亚省温哥华岛北端	38000	矿体为高度裂隙主要的细粒安山岩，含斑铜矿及微量辉钼矿、斑铜矿	1971年10月	一段球磨，一段半自磨，粗精矿再磨，铜精矿两次搬洗得铜精矿；磨浓缩进行铜选得钼精矿	钼	0.48 (0.017 Mo)	23	84	
44	吉不罗陀	不列颠哥伦比亚省威廉湖北38英里	40000	矿体为石英闪长岩，主要矿石矿物是黄铁矿、黄铜矿，辉钼矿比例较高	1964年	一段棒磨，扫选；一段再磨，粗精矿再精选过、粗精矿、一段球磨、扫尾再磨三次精选，干燥		0.44	26.3	83	

续表

序号	厂名	地理位置	规模 t/d	矿床类型及矿石组成	投产日期	选矿工艺	综合回收	选矿指标，Cu%			资料来源
								原矿品位	精矿品位	回收率	
45	劳纳克斯	不列颠哥伦比亚省坎姆隆南50英里	48000	均匀块状构造的斑岩浸染矿矿床。主要矿物为斑铜矿、黄铁矿、辉钼矿	1972.10	一段半自磨二段球磨，铜钼粗扫选，铜钼分离	钼	0.427 (0.017Mo)	34 (53.6Mo)	87~90 (70.75Mo)	
46	贝莱汉	不列颠哥伦比亚省高原河谷	18000		1962	一段棒磨，两段磨，粗选，尾矿泥砂分选，精矿再磨后精选					
47	锡米尔卡米 (Simik-ameen)	不列颠哥伦比亚省普林斯顿南10英里	22000	不连续的裂隙充填矿床，主要为黄铜矿、黄铁矿	1972.3	一段粗碎，二段球磨，粗选，第二段扫选、精选，粗精矿再磨，两段精选	金、银		28 (0.36oz/T Au) (1.44oz/T Ag)		
48	克雷格蒙特	不列颠哥伦比亚省墨尔雷特	5300	石英、赤铁矿，磁铁矿集合体中的粗粒黄铜矿，含有少量磁铁矿	1967选矿厂，磁选厂1969	一段棒磨，一次粗选，球磨，精选，粗选尾矿磁选得磁铁矿精矿	磁铁矿	1.4	28.93	99.56	
49	布兰达 (Brenda)	不列颠哥伦比亚省皮克兰	30000	石英闪长岩体，成矿物是黄铜矿、辉钼矿，少量黄铁矿，偶有磁铁矿	1967	一段棒磨，混合精选后进行铜钼分离	钼	1.11	25.84	92.07	
50	凤凰	不列颠哥伦比亚省格兰兹福克斯西18英里	2900	主要为黄铜矿细粒浸染于脉石中，偶尔也与黄铁矿构成复合体，有磁铁矿磁铁矿	1959	一段球磨，粗选，一扫选，精矿丢尾矿，精矿再磨球磨选得最终铜矿	金、银	0.51	27.49	87.4	

续表

序号	厂名	地理位置	规模 t/d	矿床类型及矿石组成	投产日期	选矿工艺	综合回收	原矿品位	精矿品位	回收率 Cu%	资料来源
51	奥波米斯卡（Opemiska）	魁北克省包契姆地区		21%硫化矿占2%，30%铜黄铜矿是浸染在石英中，含少量金、银		两段球磨，粗选、扫选尾矿再磨，再磨精矿选后得精矿，选后得精矿经二段精选	金、银	2.02	24.1	95.9	
52	塔贝尔	魁北克省包契姆地区塔贝尔	3750	硫化矿物为磁铁矿、黄铁矿、黄铜矿、方铅矿、少量闪锌矿、少量辉钼矿、银	1955	球磨，粗选一段粗选及扫选，后丢尾，扫选精矿经三段精选	金、银	1.11	25.84	92.07	
53	派梯	魁北克省包契姆湖边契姆卡姆镇东500英里	2800~3000	主要含铜矿物是黄铜矿，伴生少量孔雀石，赤铜矿斑铜矿和自然铜		球磨，粗选，扫选后丢尾，扫选精矿两次再磨，两段精选得精矿	金、银	1.7	25.0	95.8 (80.0%Au)(77%Ag)	
54	梅德兰	魁北克省斯特斯蒙德里波东南25英里的盖斯皮	2500	矿体为花岗岩的变质岩体岩化物中主要为黄铜矿和斑铜矿	1969.6	球磨，第一段磨矿、第二段磨矿、第三段磨矿，粗选尾再扫选，扫选精矿人第三段磨矿与再选精矿，精矿合并为精矿	金、银	1.03	32	92~93	
55	盖斯波	魁北克省多尔伐尔	33750		1955	1号选厂一段棒磨球磨粗扫尾混精选浓缩分离2号精选厂氧化矿水冶	钼	1.2 (0.04Mo) 0.45 (0.02Mo)	23.5 (53Mo) 23.5 (53Mo)	97.5 85.0	

续表

序号	厂名	地理位置	规模 t/d	矿床类型及矿石组成	投产日期	选矿工艺	综合回收	选矿指标, Cu%			资料来源
								原矿品位	精矿品位	回收率	
56	阿夫顿	不列颠哥伦比亚省	7000			一段半自磨,一段球磨,在磨矿回路中用重选回收自然铜。浮选:一段粗扫选,三段精选					Canadan M. J. Vol. 10 1979. March p. 38
57	哈门特	不列颠哥伦比亚省哈兰兹河谷	22675	主要矿物为黄铜矿,斑铜矿及辉铜矿	1980年成	磨矿采用自磨,球磨和破碎机组合的ABC流程和一段球磨,扫精再磨,精矿,两次精选后浓密,铜钼分离,钼中矿再磨,钼精矿水冶	钼	0.27 (0.029 Mo)	31.5 (55Mo)	90.40 (78Mo)	CIM Bulletin Vol. 74 1981. March p. 200~207
58	雪湖	孟尼托波省北部雪湖地区	3800		1977	一段棒磨,一段球磨,粗扫选丢尾,粗精矿扫选二次得精矿、尾矿与扫精再磨后精选得精矿					
59	拜尔	魁北克省普林斯顿乔治西北约170英里的贝里宾湖东岸	13000	铜矿物主要是斑铜矿和黄铜矿	1972	一段棒磨,一段球磨,粗选,扫选,精矿再磨,三次精选得最终精矿	金	0.45 (0.01 oz金)	26 (0.33 oz金)		加拿大选矿实践

续表

智利

序号	厂名	位置	规模 t/d	矿床类型及矿石组成	投产日期	选矿工艺	综合回收	选矿指标,%			资料来源
								原矿	精矿	回收率	
60	丘基卡马塔选厂 (Chuquicamata)	在智利北部安托法加斯塔省克拉马城的丘基卡马塔镇	设计: 7万t/d; 扩建一方案: 9.6万t/d; 扩建二方案: 13~16万t/d; 产铜精矿及精铜50万t/a (电解铜40万t/a)	共有三个矿床组成，除丘基塔矿外，还有丘基南矿和丘基北矿，南矿全为氧化矿，北矿为一独立的斑岩铜矿床。上部为淋滤及氧化矿带，主要矿物为辉铜矿、铜蓝。目前矿石中主要有辉铜矿和黄铁矿，其次是黄铜矿、斑铜矿、黄铁矿。将来黄铜矿、黄铁矿增加，辉铜矿减少	1952年	单一浮选流程	综合回收，钼，钼: 原矿 0.05% 精矿 53% 回收率65% 含铜低于 0.25% ~55%	Cu: 2.1 尾矿含铜 0.2%铜 精矿含砷 0.8%	Cu 40~42	全铜 90% 硫化铜 92%	Engineering and Mining Journal 1978. 179 No8, 63~64 1979, 180 No11, 68~74 冶金部赴智利秘鲁斑岩铜矿考察报告 1980年
61	特尼恩特选厂 (Teniente)	位于智利中部安第斯山脉奥伊金斯省，西距兰姆卡瓜城67公里 北离智利首都圣地亚哥约100公里	塞维尔老厂 3100 t/d。科伦新厂 26000t/d	随着两种岩体的侵入，安山岩、石英闪长岩侵入，黑云母化及石英绢云母化蚀变，发生了强烈的蚀变和矿化，形成了巨大的铜矿床。矿石中主要有用矿物有辉铜矿、黄铜矿、斑铜矿、黄铁矿等	1905年 投产 为采选冶联合企业	单一浮选流程	综合回收，钼: 原矿 0.023% 精矿 55.15% 回收率59% 尾矿 0.08% 钼精矿中含铜 0.46%	Cu: 1.56	粗精 26.82 最终铜精矿 39.86 尾矿含铜 0.276 铜精矿中含铜 0.05	全铜 84 硫化铜 90	Engineering and Mining Journal 1978.1979 冶金部赴智利秘鲁斑岩铜矿考察报告 1980年

续表

序号	厂名	位置	规模 t/d	矿床类型及矿石组成	投产日期	选矿工艺	综合回收	选矿指标,% 原矿	精矿	回收率	资料来源
62	萨尔瓦多选厂 (Salvador)	位于智利北部阿陶马省摩尔雷德印第安山,西南离波勒列罗冶炼厂25公里,西距太平洋港口实那拉尔约100公里,南到哥地亚约800公里	2.4万	属斑岩铜矿,矿石有两种类型,即次生硫化矿和原生硫化矿,前者为辉铜矿,后者为黄铜矿,并伴生辉钼矿和黄铁矿	1959年	铜钼混选选钼时通蒸气	综合回收钼:原矿品位0.025%精矿56%回收率70%	全铜1.12 氧化铜0.16	43 尾矿含铜0.17%	85	Engineering and Mining Journal 1979.180 №11.86~98 冶金部也智利秘鲁考察报告1980年
63	普达尔选厂 (Pudahuel)	位于圣地亚哥城西30公里	2500t/d 阴极铜纯度99.36% 16500t/a	矿体上部为氧化矿,主要为细粒孔雀石,深部为硫化矿,主要有辉铜矿和斑铜矿、铜蓝,少量黄铁矿和黄铜矿,矿物结构既硬坚又致密	1979年开始剥离	酸浸一萃取工艺		Cu:2.14	99.36	氧化铜90~95 硫化铜40~60	有色矿山81.2
64	蒂斯普塔达铜钼选厂	位于圣地亚哥东北60公里	4800t/d 扩建到8000t/d		1979年7月21日扩建部分1986年	单一浮选流程	·	Cu:1.2~1.3	28~30	82	Engineering and Mining Journal 1979.180 №11.102~104

续表

序号	厂名	位置	规模 t/d	矿床类型 及矿石组成	投产 日期	选矿 工艺	综合回收	选矿指标, % 原矿	选矿指标, % 精矿	回收率	资料来源
65	安地那铜钼选厂 (Andina)	位于安第斯山脉, 在圣地亚哥东北约 50 公里	640t 混合精矿/d 钼为 500t/a	主要矿物有黄铜矿与黄铁矿, 散布在斑岩结构中, 脉石矿物英石、电气石等	1970 年	浮选	综合回收钼, 钼精矿, 含铜 54%, 含铜 1.2%, 钼化浸出厂 57%, 精矿 含铜 0.12%		30		
66	里奥·布朗科地下铜选厂 (Rio Branco)	位于安第斯山脉, 在圣地亚哥东北约 50 公里	350 万 t/a	主要硫化矿物有黄铜矿、二次富集带区有斑铜矿和辉铜矿	1970 年	单一浮选		1.56	30	91.8	《Min. Mag.》 1972 126—No5 333～339
秘鲁											
67	塞罗维德铜选厂 (Cerro verde)	位于秘鲁南部阿基帕市 24 公里	20000t/d	矿体上部是氧化矿, 主要矿物有孔雀石, 赤铜矿; 氧化矿下部是次富集带有斑铜矿, 辉铜矿; 下部原生带, 主要矿物为黄铜矿, 有少量辉钼矿	1977 年 11 月	采用堆浸萃取, 电积工艺流程		Cu: 1%Cu: 平均 0.67 Mo: 0.03%			冶金部赴智利秘鲁铜矿斑岩考察报告 1980 年

续表

序号	厂名	位置	规模 t/d	矿床类型及矿石组成	投产日期	选矿工艺	综合回收	选矿指标,%			资料来源
								原矿	精矿	回收率	
68	夸霍内选厂	位于秘鲁南部莫克瓜区奥古斯丁省安第斯山脉的伊洛港西距90公里，东南离矿托克帕拉矿区25公里	45000~50000	矿体类型属斑岩铜矿，矿体上部20~30米为氧化带，主要金属矿化带为硅孔雀石，黑铜矿和孔雀石，下面为铜矿物为辉铜矿，主要为次生富集带，少量黄铜矿，蓝铜矿，下部为原生带主要金属矿物有黄铜矿，黄铁矿	1976年11月25日	单一浮选流程		Cu: 1.40 Mo: 0.032	38.37	83.54~90.03	Engineering and Mining Journal1979 冶金部赴智利秘鲁铜矿考察报告1980年
69	陶基帕拉选厂 Toque-pala	位于秘鲁南部达克帕省，东南距达克那市90公里，离西部伊洛港85公里	45000	含矿岩体有英安斑岩，主要为英安斑岩，成矿特点比较简单，矿体品位分布均匀，矿物有铜硫化物，上部为淋滤带及氧化带，中部次生富集带，深部为原生带，主要为黄铜矿，黄铁矿，辉铜矿等	1959年	单一浮选工艺	综合回收钼原矿品位Mo: 0.015%，钼精矿52.80%，回收率66.0%，钼精矿中的铜1.3%，铜精矿中的钼0.102%	Cu: 1.0	26.0	85.0~90.0	冶金部赴智利秘鲁铜矿考察报告
70	库琼选厂 (Cuojo-ne)	位于安第斯山脉，在利马东南550英里	45000	矿床属典型的斑岩铜矿，矿石储量估计为4684亿吨硫化矿，另有2.24万吨氧化矿		单一浮选工艺		Cu: 1.0 Mo: 0.03 氧化铜1.29			Mining Magazien 1976. Vol. 135. №1 p. 110~143

续表

其他国家

序号	厂名	位置	规模 t/d	矿床类型及矿石组成	投产日期	选矿工艺	综合回收	选矿指标,% 原矿	精矿	回收率	资料来源
71	墨西哥科纳尼区亚铜选厂 (Cananea)	位于科亚山区,内距美国南部边界64公里,在索诺拉省首府埃莫西罗东北方298公里	7000	矿床属斑岩铜矿,主要金属矿物有辉铜矿、黄铜矿、黄铁矿	1979年6月	单一浮选工艺破碎为三段一闭路,棒磨—中矿再磨,二球磨	综合回收钼	Cu 0.80 Mo 0.005	Cu 27.00 铜精矿中含Mo为0.138	Cu 75.00	《World Min.》,1978September 64~70 有色矿山 1980. No247
72	巴西卡拉依巴铜选厂 (Caraiba)	位于巴依亚州的卡拉依巴地区	40000t/a 铜精矿	矿带延伸约100公里,其中以富集带为基础的矿体接近太古花岗岩,主要矿物以铜的硫化物为主,还有少量贵金属	1979年5月	单一浮选工艺三段破碎棒磨—球磨		1.4~1.5	34.1	90.0	Mining Magazine 1976. 134 No6. 52~7535

澳大利亚

序号	厂名	位置	规模 t/d	矿床类型及矿石组成	投产日期	选矿工艺	综合回收	选矿指标,% 原矿	精矿	回收率	资料来源
73	芒特艾萨选厂 Mount Isa	选厂位于澳大利亚昆士兰州汤斯维尔西部600英里	一号选厂600 二号选厂1500 四号选厂17800	矿石由地层状白云石利具有许多层状火山页岩组成,黄铜矿、黄铜矿定在含较高的碳酸盐—二氧化硅体系中析出。铜矿物为黄铜矿、辉铜矿、赤铜矿、孔雀石和自然铜等。其他金属矿物为黄铁矿、磁黄铁矿	一号选厂1953年 二号选厂1963年 四号选厂1973年	硫化矿厂处理—单—浮选流程,原矿为采三号厂用三段磨矿,二号选厂处理混合铜矿,原矿含氧化铜20%,先选氧化矿四号选厂采用棒磨和球磨,粗精矿再选		一号选厂 Cu: 3.1 二号选厂3.5 四号选厂3	一号选厂25 硫化铜精矿28~30 氧化铜精50 四号选厂25	一号选厂96 三号选厂四号选厂96	《国外金属矿选》1966. No1《Aust Min.》1973. 65. No2 《矿冶译文》1974. No10

续表

序号	厂名	位置	规模 t/d	矿床类型及矿石组成	投产日期	选矿工艺	综合回收	选矿指标,% 原矿	精矿	回收率	资料来源
74	伍德朗选厂	矿山位于澳大利亚新南威尔士和塔培拉之间	铜矿石 1000 混合矿石 2000	矿体赋存于中期至晚期志留纪酸性火山岩中,主要矿物为黄铜矿、方铅矿和黄铁矿。矿石分两种类型:一种为铜矿石;另一种为铜铅锌混合矿石	1968	铜矿石:原矿采用两段磨矿,磨矿细度 80%－74 微米。单一回收铜。混合矿石:采用全优先浮选流程	银	铜矿石:Cu:0.86 Pb:0.32 Zn:1.0 Ag:19 克/吨 混合矿石:Cu:1.34 Pb:5.76 Zn:13.41 Ag:112 克/吨	铜矿石:Cu:23.5 Pb:4.5 Zn:5.4 Ag:116 克/吨 混合矿石:铜精矿:Cu:18.70 Pb:10.91 Zn:7.74 Ag:407 克/吨 铅精矿:Cu:3.75 Pb:30.03 Zn:12.03 Ag:397 克/吨 锌精矿:Cu:0.64 Pb:3.56 Zn:50.01 Ag:127 克/吨	铜矿石:Cu:66.7 混合矿石:铜精矿:Cu:40.20 Pb:5.40 Zn:1.70 Ag:30.5 铝精矿:Cu:10.40 Pb:56.6 Zn:9.7 Ag:38.4 锌精矿:Cu:8.9 Pb:11.4 Zn:69.0 Ag:21.10	《Min. Mag.》1979.141.No1 《E/MJ》1980.No2 《Aust. Min.》1981.No5

续表

序号	厂名	位置	规模 t/d	矿床类型及矿石组成	投产日期	选矿工艺	综合回收	选矿指标, % 原矿	精矿	回收率	资料来源
75	摩根山选厂 (Mount Morgan)	矿山位于澳大利亚昆士兰州,在罗克汉普顿西南40公里	一号选厂 2750 二号选厂 1250	矿体为不规则石英、黄铁矿、矿体中铜、金、银呈不规则分布		一号选厂采用砂分选流程。二号选厂采用泥、砂混选流程	黄铁矿石英	一号选厂 Cu:0.74 Au: 1.89g/t 二号选厂 Cu:0.77 Au: 1.96g/t	一号选厂 Cu:19 Au: 32.5g/t 二号选厂 Cu:12.6 Au: 22.6g/t	一号选厂 Cu:90.9 Au:60.5 二号选厂 Cu:90.8 Au:64.1	《国外金属矿选》 1977. No3
76	牧曼图选厂		硫化矿 2400 氧化矿 500	有用矿物以黄铜矿为主,其他为磁黄铁矿、磁铁矿。矿体上部有部分氧化铜(孔雀石),脉石矿物为石榴石	硫化矿 1971 氧化矿 1975	硫化矿采用一选铜流程。氧化矿采用硫化钠法浮选					《国外金属矿选》 1974. No10 ～ 11 《矿冶译文》 1974. No2 《矿冶译文》 1976. No6
77	阿鲍德选厂		2000	选厂处理两种矿石:一种是硫化矿,主要有用矿物为辉铜矿、斑铜矿、黄铜矿、蓝辉铜矿;另一种是氧化矿,石墨含量高,含碳6%,主要铜矿物为孔雀石和蓝铜矿,其次为辉铜矿和铜蓝和蓝辉铜矿	1970	氧化矿浮选采用一段磨矿浮选流程,原矿磨至6%...硫化矿采用泥、砂分选流程。硫化矿浮选用二段磨矿流程,原矿粗选尾矿、中矿再磨再浮选		Cu:2.5	硫化矿 Cu:30 氧化矿 Cu:23	Cu: 83～85 Cu: 75～80	《国外金属矿选》 1974. No10 1977. No4 《矿冶译文》 1974. No10 1977. No5

续表

序号	厂名	地理位置	规模 t/d	矿床类型及矿石组成	投产日期	选矿工艺	综合回收	选矿指标,% 原矿	精矿	回收率	资料来源
78	科巴选厂（Cobar）	矿山位于澳大利亚新南威尔士	1000	矿体长1500英尺，宽600英尺由若干小矿体——B矿体，铜锌矿体和Tinto矿下部是块状黄铁矿，其他由块状黄铁矿、闪锌矿、方铅矿与黄铜矿组成。C矿体与B矿体相同，矿脉部分西部的方铅矿和黄铁矿组成，由黄铜矿和黄铁矿脉482英尺以下的西部矿体主要是富铜矿体	1965	采用自磨浮选流程			Cu:24		《Aust. Min.》1966. Vol.58, No5 1973. 65. No12 《Min. Mag》1972. 126. No2
79	卡迪纳选厂（Kadina）	选厂位于阿德莱德北部约100英里	300	从矿山旧尾矿中回收铜	1969	单一浮选		0.6	20～25		《Aust. Min.》1971. 63. No12
80	布干维尔选厂	矿山位于所罗门群岛北部的布干维尔岛上，在太平洋西南，赤道以南6度，在该岛西南侧山脉太古那古的黑区	10000	属斑岩铜矿类型。铜矿物主要为黄铜矿，其次为斑铜矿、孔雀石、赤铜矿和辉铜矿，金、银赋存于黄铜矿中，游离金银少见黄石矿物主要为石英和黑云母	1972	原矿粗磨50%-0.074毫米，粗矿再选，再精矿再磨细度85%-0.043毫米	金、银	Cu:0.512 Mo:0.012 S:1 Au:0.591g/t Ag:1.551g/t	Cu:28.7 Au:29.16g/t Ag:73.54g/t	Cu:86.07 Au:75.67 Ag:72.82	《有色矿山》1976.No3 《国外金属矿选矿》1977. No1 《矿冶译文》1979. No2 《World Min》1972. 25. No10 Inst. Min. Met. Trans/sectionc 1981.90.3期 89～95

续表

苏联

序号	厂名	地理位置	规模 t/d	矿床类型及矿石组成	投产日期	选矿工艺	综合回收	选矿指标,% 原矿	精矿	回收率	资料来源
81	卡范选矿厂（Кафан）	阿尔明尼亚		硫化矿和氧化矿；主要金属矿物：斑铜矿、辉铜矿、黄铁矿	1968	直接浮选	硫		18~20	87~92	《国外金属矿选》1975. №11~12
82	巴什基尔选矿厂			铜-锌-黄铁矿矿石 主要金属矿物：黄铜矿、铜蓝、闪锌矿、黄铁矿			硫		15.8	80.9~82	《国外金属矿选》1975. №11~12
83	巴尔哈什选矿厂（Балхаш）	哈萨克	34020	斑岩铜矿 主要金属矿物：黄铜矿、辉铜矿、孔雀石、闪锌矿	铜选厂1938 钼选厂1941	混合粗精矿再磨	钼、硫	铜0.527 钼0.01	17~18 51~52	88~90 90~94	《Цвер. Мет.》1978. №8
84	阿尔马雷克选矿厂（Алмалык）	乌兹别克	45360	斑岩铜矿 黄铜矿、辉铜矿、黄铁矿、赤铜矿、孔雀石、硅孔雀石、高岭土	1961	铜钼分离通蒸汽加温浮选	钼、硫	铜0.70 钼0.01	17~18	74	《国外金属矿选》1975. №11~12
85	哲兹卡兹干二号选矿厂（Джезказган）	哈萨克		含铜砂岩 黄铁矿、黄铜矿、斑铜矿、方铅矿、闪锌矿、辉铜矿	1964	对氧化矿部分采用泥砂分选，矿泥用L-P-F法	铅、硫		铜30~40 铅48~50	75~93 65~70	《国外金属矿选》1975. №11~12
86	哲兹卡兹干一号选矿厂（Джезказган）	哈萨克		含铜砂岩 辉铜矿、斑铜矿、铜蓝、方铅矿、黄铁矿	1954	泥砂分选	铅		38	92	《国外金属矿选》1975. №11~12

序号	厂名	地理位置	规模 t/d	矿床类型及矿石组成	投产日期	选矿工艺	综合回收	选矿指标,% 原矿	选矿指标,% 精矿	选矿指标,% 回收率	资料来源
87	乌哈林斯克选矿厂（Учалинск）	巴什基里亚		含铜黄铁矿、黄铜矿、铜蓝、斑铜矿、黄铁矿、闪锌矿	1968	铜锌矿混合粗精矿再磨后优先选铜	锌、硫	铜1.05、锌3.60、硫41.8	16~18、48~49	78~82、67~70	《国外金属选矿》1975. №11~12
88	盖依斯克选矿厂（Гайск）	巴什基里亚		含铜黄铁矿、黄铜矿、铜蓝、辉铜矿、闪锌矿	1966		锌、硫	铜2.36、锌1.61、硫14.87	铜16~18、锌42~45	87~89、45~54	《Min. Mag.》1981. №1
89	索尔斯克选矿厂（Сорск）	哈卡斯自治州		角砾岩和脉状浸染两种、黄铜矿、辉铜矿、黄铁矿、辉钼矿、铁闪华	1952	铜钼混合浮选然后分离	钼		铜15.8、钼48	88.7、42	《国外金属选矿》1975. №11~12
90	卡德扎兰克选矿厂（Каджаран）	亚美尼亚加盟共和国		黄铜矿、辉钼矿、黄铁矿、孔雀石、方铅石、磁铁矿、黄铜蓝、闪锌矿	1952	铜钼混合浮选后用硫化钠进行铜钼硫分离	钼		铜15.8、钼48.6	81、74.6	《国外金属选矿》1975. №11~12
91	西巴耶夫选矿厂	巴什基里亚		铜锌矿、斑铜矿、黄铜矿、铜蓝、黄铁矿、辉铜矿、闪锌矿	1959	优先流程,依次选铜、锌尾矿即硫精矿	锌、硫	铜1.22、锌2.27、硫39.2	19~20、51~52、45~46	83~84、71~74、74~75	《Min. Mag.》1981. №1
92	贝辰加一号选矿厂（Печенга-никель）	穆尔曼斯克州		硫化矿、黄铜矿、铜蓝、黄铁矿、镍黄铁矿、磁铁矿	1965	混合浮选流程	镍		铜2~3、镍5~6	73~75、73~76	《Min. Mag.》1981. №1
93	诺里尔斯克1号选矿厂（Норильск）	克拉斯诺亚尔斯克选矿厂		致密状和浸染状黄铜矿、方黄铜矿、斑铜矿、辉铜矿、镍黄铁矿、磁黄铁矿	1948	浸染状用混合浮选,对富硫化矿石用优先混合工艺流程	镍		铜24.91~28.17、镍4.88~5.57	74.5~76.8、80.5~81.8	《国外金属选矿》1975. №11~12

续表

序号	厂名	地理位置	规模 t/d	矿床类型及矿石组成	投产日期	选矿工艺	综合回收	选矿指标,%			资料来源
								原矿	精矿	回收率	
94	玛伊牧斯克选矿厂			含铜黄铁矿矿床。多金属矿，主要黄铁矿矿物：方铅矿、闪锌矿、铜蓝、重晶石	1962	混合-优先浮选流程	铅、锌、硫	铜:1.43 锌:1.86 铅:0.21 硫:31.4 BaSO$_4$: 21.94	14.16 45.18 44.37 51.96 93.42	80.2 71.84 17.40 90.47 83.68	《国外金属选矿》1975. № 11～12
95	列宁诺戈尔斯克二号选矿厂 (Ленино-горск)	东哈萨克		硫化矿〔致密铜锌矿矿床；主要金属矿物：黄铜矿、锌矿、辉铜矿、斑铜矿〕闪锌矿、方铅矿、铜蓝、	1965	优先-混合浮选流程	铅、锌		铜 27～28 铅 60～61 锌 55～56	69～70 71～80 88～92	《国外金属选矿》1975. № 11～12
96	列宁诺戈尔斯克三号选矿厂 (Ленино-горск)	东哈萨克		硫化矿〔致密含铜黄铁矿；主要金属矿物：黄铜矿、锌矿、辉铜矿、斑铜矿〕闪锌矿、方铅矿、铜蓝、	1940	混合浮选选流程硫化钠脱药后分离	铅、锌		铜 26～28 铅 46～47 锌 55～56	63～64 77～78 76～81	《国外金属选矿》1975. № 11～12
97	基洛夫格勒选矿厂 (Кировград)			块状含铜黄铁矿和浸染状主要金属矿物：黄铁矿、铜蓝、闪锌矿	1931	直接浮选	硫	0.82～1.07	15～15.9	87.4～88.3	《Min. Mag.》1981. No1.
98	中乌拉尔选矿厂 (Среднеура-льск)	乌拉尔		块状主要金属矿物：黄铜矿、铜蓝、黄铁矿、闪锌矿	1937	投产初期用优先流程，后改为混合流程	硫		9～13	77～80	《Min. Mag.》1981. № 1

续表

序号	厂名	地理位置	规模 t/d	矿床类型及矿石组成	投产日期	选矿工艺	综合回收	选矿指标，% 原矿	精矿	回收率	资料来源
99	培什马选矿厂（Пышмин）	中乌拉尔斯维尔德洛夫斯克		主要金属矿物：黄铜矿、磁黄铁矿、辉铜矿、铜蓝	1931	混合金属浮选铜钴矿石采用粗精矿再磨流程	硫、钴		26	90	《Min. Mag.》1981. No1
100	卡拉巴什选矿厂（Карабаш）			块状和浸染状。主要金属矿物：黄铜矿、闪锌矿、铜蓝、斑铜矿、方铅矿	1933	单一铜矿石直接浮选，铜锌矿石采用混合浮选	锌、硫		17.9~18.4	89	《Min. Mag.》1981. No1
101	比什玛选矿厂	古比雪夫		铜矿石和铜钴矿石。主要金属矿物：黄铜矿、磁黄铁矿、辉铜矿、铜蓝	1931	对铜矿石用浮选，铜钴矿石采用粗精矿再磨	硫、钴		26	90	《国外金属选矿》1975. No11~12
102	卡杰朗选矿厂			混合铜矿石和铜钴矿物：辉铜矿、黄铜矿、孔雀石、黄铁矿	1952	对铜钴矿石用硫化浮选，铜钴矿用粗精矿再磨流程	硫		15.8	74.6	《国外金属选矿》1975. No11~12
103	布里巴耶夫斯克选矿厂（Бурибасвск）	玛卡斯克		硫化矿主要金属矿物：辉铜矿、铜、斑铜矿、黄铁矿	1952	直接浮选	硫		15.2~15.6	94.4~94.7	《Min. Mag.》1981. No1
104	乌鲁普斯克选矿厂（Урупск）			硫化铜矿和铜锌矿石。主要金属矿物：斑铜矿、黄铁矿、铜	1968	直接浮选	硫		15.8	80.9~82	《Min. Mag.》1981. No1
105	尼古拉耶夫选矿厂（Нико-лаев）			铜锌矿石主要金属矿物：黄铜矿、闪锌矿、斑铜矿、黄铁矿		优先浮选	锌	铜：2.5~3.4 锌：3.2~4.9	17~22 44~47	76~82 44~57	《国外矿产的综合利用》1981. No2

续表

序号	厂名	地理位置	规模 t/d	矿床类型及矿石组成	投产日期	选矿工艺	综合回收	选矿指标, % 原矿	精矿	回收率	资料来源
106	苏哈兹克选矿厂			硫化矿 主要金属矿物: 黄铜矿、铜蓝、辉铜矿、黄铁矿、辉钼矿			钼、硫		12~13	* 47	《国外金属选矿》1975. № 11~12
107	克拉斯诺乌拉尔斯克选矿厂			混合矿 主要金属矿物: 黄铜矿、斑铜矿、孔雀石、辉铜矿	1926		硫	0.82~1.07	15~16	87.4~88.3	《国外金属选矿》1975. № 11~12
108	基洛夫哈德选矿厂			主要金属矿物: 黄铁矿、黄铜矿、铜矿、闪锌矿	1931		硫	0.82~1.07	15~16	87.4~88.3	《国外金属选矿》1975. № 11~12
109	帕舍卡尔一号选矿厂			主要金属矿物: 黄铁矿、磁黄铁矿、镍黄铁矿、黄铜矿	1965		镍		铜: 2.8~3.3 镍: 4.3~5.0	86~87 74.4~78.6	《国外金属选矿》1975. №11~12
110	帕舍卡尔二号选矿厂			主要金属矿物: 黄铁矿、磁黄铁矿、镍黄铁矿、黄铜矿	1939		镍		铜: 2.8~3.3 镍: 4.3~5.0	86~87 74.4~78.6	《国外金属选矿》1975. № 11~12
111	博兹查库东选矿厂		13610	主要金属矿物: 黄铜矿、辉钼矿、黄铁矿			钼	铜 0.60 钼 0.02	17	75	《金属矿山》1978. № 4
112	卡兹选矿厂 (Kaa)		18144	主要金属矿物: 辉铜矿、黄铜矿、辉钼矿、黄铁矿			钼、硫	铜 1.20 钼 0.05	16 0.20	70 47	《金属矿山》1978. № 4

续表

序号	厂名	地理位置	规模 t/d	矿床类型及矿石组成	投产日期	选矿工艺	综合回收	选矿指标,% 原矿	精矿	回收率	资料来源
113	红乌拉尔选矿厂(Красно-Уральск)			主要金属矿物:黄铜矿、斑铜矿:钼铜、黄铁矿			钼		铜15.6~17.6 钼48~48.5	74.5~75.5 58.3~59.3	《Min. Mag.》1981. № 1
114	卡尔巴什选矿厂			主要金属矿物:黄铜矿、闪锌矿、黄铁矿			硫、锌		铜17.9~18.4 锌51.9~55.4	89 63.1~64.1	《Цвe. Мeт.》1976. № 10
115	兹良诺夫斯克选矿厂(Зыряновск)	哈萨克		主要金属矿物中:硫化矿:方铅矿、闪锌矿、黄铜矿、黄铁矿 混合矿中:方铅矿、黄铁矿、黄铜矿、闪锌矿、辉铜矿和铜蓝	1953	重选-浮选联合流程	铅、锌	铜1.09 锌4.39	硫化矿 { 铜25.5~27 铅7.22~75.4 锌55~57 } 混合矿 { 铜24.9~26 铅70.3~72 锌55~53 }	硫化矿 { 76~77.8 85~87 87~89 } 混合矿 { 64.5~68 77~79 67~75 }	《国外金属矿选矿》1975. № 11~12

续表

罗马尼亚

序号	厂名	地理位置	规模 t/d	矿床类型及矿石组成	投产日期	选矿工艺	综合回收	原矿品位	精矿品位	回收率	资料来源
116	莫尔多瓦 (Moldova)	位于罗马尼亚西南边界东经21°40′北纬44°40′	1~8系统 4000, 9系统1500	热液接触矿 代含铜铜黄铁矿		铜-硫混合浮选后铜、硫分离	黄铁矿	铜 硫 铁	16 46 52	85 82 60	《罗马尼亚金属矿山的采矿与选矿》
117	巴兰 (Bălan)	位于罗马尼亚中部偏东北东经26°北纬约46°30′	老厂2700, 新厂2000, 扩建四系统2700	热液接触矿代含铜黄铁矿矿床主要金属矿物为黄铁矿、黄铜矿、斑铜矿		铜-硫混合浮选后铜硫分离		铜 0.7 硫 4	20 36	90 60	《罗马尼亚金属矿山的采矿与选矿》

南斯拉夫

序号	厂名	地理位置	规模 t/d	矿床类型及矿石组成	投产日期	选矿工艺	综合回收	原矿品位	精矿品位	回收率	资料来源
118	博尔 (Bor)	位于博尔镇东部与冶炼厂相邻	14000	含铜黄铁矿矿床主要金属矿物为铜蓝、硫砷铜矿、铜蓝和辉铜矿、少量黄铜矿、斑铜矿和黝铜矿	1969~1973	泥砂分选。矿泥和矿砂均用优先选铜后选黄铁矿的流程，泥浮选尾矿用 L-P-F 法处理	黄铁矿	铜 1.2 硫 1.7	18~20 48~50	85~87 45	《南斯拉夫工业》
119	马依日佩克 (Majdanpek)	距首都贝尔格莱德东南186公里	42000	斑岩铜矿床	1~4系列1961年 5~11系列1967~1977年	采用粗磨矿、粗选矿、粗精矿再磨精选流程	铁 $\beta_{Fe}=62\%$	铜 0.55	26~28	86.0	《南斯拉夫工业》

续表

序号	厂名	位置	规模 t/d	矿床类型及矿石组成	投产日期	选矿工艺	综合回收	选矿指标,% 原矿	精矿	回收率	资料来源
瑞典											
120	艾蒂克 (Aitik)	位于北极圈以北48公里的Lapland地区,诺尔兰边缘带内13000 耶里瓦斯东南15公里	一期10000 二期13000	浸染状细脉和网状裂隙两种矿床,金属矿物为黄铜矿、磁黄铁矿、少量斑铜矿、辉铜矿		采用铜硫混合浮选混精经精选再磨后分离		铜0.4 硫1~2	28~29 50~51	90~92 90	《国外矿石自磨技术》
121	斯蒂肯约克 (Stekenjokk)	位于北极圈以南Klimpfjall村附近,西距诺斯边境6.5公里		浸染状含铜黄铁矿物矿床,主要金属矿物为黄铁矿、黄铜矿、闪锌矿	1976	采用铜-锌优先浮选流程					
芬兰											
122	克列蒂 (Keretti)	位于赫尔辛基东北约400公里沃诺斯矿西南6公里	每年43万t	主要矿物为黄铜矿、黄铁矿、磁黄铁矿和石英等	1913	采用铜、锌、钴优先浮选流程,用石灰、氰化钠抑制黄铁矿和锌矿物,以戊黄药为捕收剂,锌精矿加温后脱铜、硫	金、银	铜3.02 锌0.51 钴0.29	21.35 48.35 0.69	96.7 43.5 78.0	《Mining Magazine》Vol.139 No6 1978
123	符诺斯 (Vuonos)	位于克列蒂矿区东北6公里	50万t/a	主要矿物有磁黄铁矿、黄铜矿、闪锌矿和钴镍黄铁矿	1972	采用铜、钴、锌优先浮选流程。钴粗精矿经再磨后精选		铜2.1 钴0.13 锌1.5	22.0 1.5 45.0	94.0 25.0 40.0	《赴芬兰参加金川工程选矿试验后考查总结报告》

续表

序号	厂名	位置	规模 t/d	矿床类型及矿石组成	投产日期	选矿工艺	综合回收	选矿指标,% 原矿品位	精矿品位	回收率	资料来源
124	皮赫扎米	位于芬兰的地理中心	96.6万t/a	角砾岩型。主要矿物有黄铁矿、闪锌矿和黄铜矿	1962	采用铜、锌、黄铁矿优先浮选流程		铜0.73 锌3.57 硫35.68	22.28 53.76 50.63	93.4 92.0 85.8	World Mining Vol. 31. No1 1978 《有色金属》No 5 1979
挪威											
125	苏利特杰尔马 (Sulitjelma)	位于北极圈以北约70公里，距博多市80余公里，靠挪威边界	65万t/a (1978年)	主要金属矿物有黄铁矿、磁黄铁矿、黄铜矿、闪锌矿	1886	采用铜-锌-硫优先浮选流程		铜1.12 锌0.39 硫14.1	28.71 41.08 50.9	98.3 51.6 73.5	
126	莱帕弯 (Repparfjord)	位于挪威北部，在北极圈内，是世界上最北方金属矿山之一	2040t/d	主要金属矿物为斑铜矿、辉铜矿、黄铜矿等	1972	采用单一的浮选流程		铜0.7	37	42	《国外金属矿选矿》1975. No 5~6
西班牙											
127	塞罗科洛拉多 (Cerro Colorado)	位于塞维利亚西北部约69公里，韦尔瓦北59公里处	10000	含铜黄铁矿类型	1970	采用铜硫混合浮选，粗精矿再磨后，优先选铜	金、银	铜0.84	16~21		《Min. Mag》1971 Vol.125 No 6

续表

日本

序号	厂名	位置	规模 t/月	矿床类型及矿石组成	投产日期	选矿工艺	综合回收	原矿品位	精矿产品品位	回收率	资料来源
									选矿指标,%		
128	日立 (Hitachi)	茨城县日立市宫田町。属日本矿业公司	12055	属层状含铜黄铁矿床。主要金属矿物有黄铜矿、磁黄铁矿以及闪锌矿。脉石矿物以石英、方解石为主	1950年重介质浮选厂投产	经中碎的矿石水洗后用重介质选矿去除脉石，然后经磨矿优先选铜，铜硫混选再分离铜、锌和黄铁矿得矿精矿	锌黄铁矿	铜1.35 锌0.65 硫17.2	铜26.65 锌50.0 硫46.0	铜92.0 锌65.6 硫82.8	《浮选》1977.№62
129	下川 (Shimokawa)	北海道上川郡下川町。属三菱金属矿业公司	5500（每周生产2天）	为层状含铜黄铁矿矿石，分为致密矿石和脉状矿石。主要金属矿物有黄铜矿、磁黄铁矿和铁闪锌矿。脉石矿物有石英、绿泥石和方解石	1945年	矿石经两段闭路破碎至-25毫米，采用阶段磨浮流程。矿石先磨至72%-200目进行一次铜浮选，尾矿再磨至82%-200目进行二次铜浮选	综合回收干1981年6月停产	铜1.85 硫11.72	20.39	92.7	《浮选》1982 №29
130	河山	山口县玖珂郡美川町	24000	热液交代矿床。主要金属矿物为磁黄铁矿、黄铜矿、铁闪锌矿以及黄铁矿。脉石为绿帘石、方解石和矽卡岩为主	1954年铜浮选和黄铁矿重选厂投产	矿石经五段破碎至-12毫米。磨至50%-200目进行铜粗选，尾矿再磨至63%-200目，进行一次铜磁选。其精矿经磁选收锌，选尾矿再行一次铜磁选，其精矿再磁选尾矿与扫选泡沫为黄铁矿	锌和磁黄铁矿	铜0.50 锌0.86 硫16.87	24.31 含锌4.04 45.88 35.11	86.70 71.0 89.6	《日本矿业会志》1970 86. № 991
131	八茎 (Yaguki)	福岛县岩木市四仓町	①日处理铜铁矿石1500t ②日处理白锌矿120t	矽卡岩型矿床。主要金属矿物黄铜矿、磁黄铁矿、黄铁矿和磁铁矿。脉石	1958年10月	矿石经三段破碎后磨至-110微米进行铜浮选，中矿再磨再选后，得第二个铜精矿	铁和白钨	铜0.7 铁4.56（磁性铁）	23.24 63.85（含铜0.06%）	91.0 88.0	《浮选》1976.№58

续表

序号	厂名	位置	规模 t/月	矿床类型及矿石组成	投产日期	选矿工艺	综合回收	原矿品位	精矿品位	回收率	资料来源
				矿物以石灰岩、钙铁榴石、钙铁石为主		铜浮选尾矿经磁选系统后送白铁回收系统。磁选粗精矿经精选，脱铜后获得低品位铜铁精矿					
132	足尾	枥木县上都贺郡足尾町古河矿业公司	①日处理铜矿石1000t ②日处理堆积矿150t ③日处理转炉渣160t	不规则块状河鹿矿床。金属矿物以黄铜矿为主。另有斑铜矿、辉铜矿、磁黄铁矿、铁闪锌矿和锡石。脉石矿物以石英、方解石为主	1935年	处理铜矿石时，原矿经破碎，+80mm经分级破碎后产出矿石，-80mm经二段闭路破碎后用棒磨与球磨两段磨矿，进行铜粗选、精选得铜精矿	综合回收锡	铜矿石含铜1.03 堆积矿含铜1.12	20.45 16.94	95.79 56.41	
133	釜石 (Kamaishi)	岩手县釜石市甲子町	铁矿石日产4200t 铜矿石日产1300t 铜铁矿石日产1500t	矽卡岩型矿床。金属矿物为磁铁矿、黄铜矿、黄铁矿。脉石为石榴石、绿帘石等	1954年	铜矿石采用三段一闭路破碎至-20mm，铜铁矿石同样破碎至-20mm。原则流程是先用磁选法回收铁后再浮选铜		铜矿石 铜2.53 铁14.20 铜铁矿含铜0.477 铁24.77	19.43 33.06	91.11	《浮选》1973. №50
134	神子畑		27000	浸成高温多金属矿床。黄铜矿、闪锌矿、黄铁矿、方铅矿、锡石。脉石矿物以石英萤石、绿泥石为主		粗碎在明延选厂进行，各作业在本厂进行，采用棒磨球磨流程，将矿石磨至80%-155μm，送铜、锌浮选优先浮选流程，铜浮选用AP-208作捕收剂，硫代锡酸钠抑制铜锌，选铅尾矿经分级成为砂矿泥	用摇床回收锡石	铜1.20 锌2.00 锡0.21	27.97(含锌8.02) 53.0(含铜2.61) 59.0 25.0	93.0 75.0 50.2 9.6	《日本矿业会志》№1046 《浮选》1977.№24

续表

序号	厂名	位置	规模 t/d	矿床类型及矿石组成	投产日期	选矿工艺	综合回收	原矿品位	精矿品位	回收率	资料来源
								选矿指标，%			
135	上北	青森县上北郡天间林村大字天间馆	800	黑矿石、闪锌矿、黄铜矿、黄铁矿		选矿工艺采用铜、锌硫混合浮选，混合中铜、锌精矿与黄铁矿分离，铜、锌精矿再行分离，分别得出铜精矿和锌精矿		铜0.43 锌1.15 硫18.53	14.84 54.45 粗粒45.46 细粒45	66.0 74.7 21.1 57.5	《日本矿业会志》1980 No 1106
136	土畑	岩手县和贺郡汤田町	550	脉状矿床（有部分砂矿石）。黄铜矿、辉铜矿、斑铜矿、黄铁矿		分为矿泥和矿砂两个系统，其中矿泥采用铜-硫混合浮选，混合精再分离回收铜，矿泥只采矿		铜0.79 硫4.2	铜20.35 硫46.61	铜87.79 硫48.92	
137	松峰	秋田县大馆市花冈町	1680	复杂多金属矿床，主要矿物为辉铜矿、方铅矿、闪锌矿、黄铁矿、铜蓝矿、脉石矿物有石英、绢云母等	1961	矿石经破碎至-100毫米洗矿后分出矿砂和矿泥。铜铅混选，混合精再磨优先选铜，铜锌分选后分别回收黄铁矿、重晶石	重晶石、金、银	铜2.3 铅1.10 锌3.60	23.8（含锌3.3%）55.0 Au3.6 55.0	86.09 53.06 6.96 86.2	
138 明延 (AKenobe)		兵库县朝来郡朝来町佐囊1842（三菱金属矿业公司）	1300	裂隙充填矿床。黄铜矿、闪锌矿、锡石		采用铜、锌混合浮选，混合铜精矿再选成铜和锌精矿，尾用摇床回收锡石	锡石	银1.5g/t 铜2.07 锌2.07 锡0.26	26.95 含Ag245g/t 53.65 44.16	92.63 76.12 73.81 59.31	
139	赤金	岩手县釜石市甲子町字口沢53	840	接触交代矿床。黄铜矿、磁铁矿、磁黄铁矿		采用浮选-磁选选矿过程	金、银 Au0.9 Ag9.0 g/t	铜0.62 铁20.43 硫2.94	18.57（含金13.7）	92.56（54.79）29.08（对全铁）	

续表

序号	厂名	位置	规模 t/d	矿床类型及矿石组成	投产日期	选矿工艺	综合回收	选矿指标,%			资料来源
								原矿品位	精矿品位	回收率	
140	尾小屋	石川县小松市五国寺町大谷1	360	裂隙充填矿床。黄铜矿、黄铁矿、闪锌矿		采用优先选铜，然后铜和黄铁矿分选，其混精再分离，分别得锌精矿和黄铁矿精矿		铜1.68 锌0.62 硫6.76	铜24.42 锌46.49 硫49.02	铜93.4 锌43.4 硫47.8	《有色金属》(山)1980.No1 《World Min.》1979. Vol.32, No10 《World-Min.》1975.No10 《国外冶金动态》1976.No2
141	吉野 (属日本矿业公司)	山形县南阳市获2535	520	黄铜矿、黄铁矿、闪锌矿、重晶石		优先选铜，锌、黄铁矿混选，混精再分离成锌精矿和黄铁矿精矿	重晶石、石膏、黄铁矿	铜0.6 锌1.6 硫10.69	铜20.51 锌48.24 硫47.71 BaSO$_4$ 92.39	铜79.2 锌71.6 硫70.8	

菲律宾

序号	厂名	位置	规模 t/d	矿床类型及矿石组成	投产日期	选矿工艺	综合回收	原矿品位	精矿品位	回收率	资料来源
142	卡门选厂(Carmen)	矿山位于菲律宾宿务岛	35000	斑岩铜矿，围岩是中等颗粒的黑云母石英长岩，铜矿物主要为黄铜矿和少量斑铜矿。其他有用矿物有自然铜及少量辉钼矿	1977	原矿粗磨，粗精矿再磨再选流程		0.41	32.5	81.7	

续表

序号	厂名	位置	规模 t/d	矿床类型及矿石组成	投产日期	选矿工艺	综合回收	选矿指标,% 原矿	精矿	回收率	资料来源
143	比加选厂 (Biga)	矿山位于菲律宾宿务岛托莱来多城	28000	斑岩铜矿。有用矿物为黄铜矿、辉铜矿等,磁铁矿、黄铁矿等,金、银赋存于铜精矿中	1971	原矿粗磨,粗精矿再磨再选流程	金、银	0.38	Cu:27~29盎司/吨 Au:0.2盎司/吨 Ag:1.2盎司/吨	Cu:78.6	《World Min.》1973.26.No8
144	迪宗铜金选厂 (Dizon)	矿山位于吕宋岛西南,在三描礼士省桑巴利斯诺附近,西北距马尼拉约180公里	19000~22000	斑岩铜矿。有用矿物主要为黄铜矿、斑铜矿、黄铁矿、自然金和少量黝铜矿、辉铜矿、偶见方铅矿和闪锌矿	1980	磨矿采用半自磨、磨矿,矿泥、砂分选流程		Cu:0.57 Au:1.05克/吨 Ag:2.5克/吨	Cu:20~25 Au:26克/吨 Ag:60克/吨		《World Min.》1981.34.No2 《Min Mag.》1982.No4 《国外金属选矿》1981.No11 《选矿动态》1982.No8
145	马利伯选厂 (Marcopper)	矿山位于马尼拉南边大约110英里的马林杜克岛	21000 浸出厂14	斑岩铜矿。硫化矿物:黄铜矿、辉铜矿、黄铁矿等,氧化铜矿物:孔雀石、蓝铜矿、硅孔雀石,自然铜、赤铜矿和胆矾	1969	硫化矿原矿采用粗磨,粗精矿再磨再选流程,氧化矿采用堆浸		硫化矿:Cu:0.4 氧化矿:Cu:0.2	Cu:25	硫化铜回收率88.5~87.7 氧化铜回收率34.2~38.3	《World Min.》Vol.124 No6 《Min.Mag.》1971.Vol.124 No6

马来西亚

序号	厂名	位置	规模 t/d	矿床类型及矿石组成	投产日期	选矿工艺	综合回收	选矿指标,% 原矿	精矿	回收率	资料来源
146	马穆特选厂 (Mamut)	矿山位于马来西亚北加里曼丹沙巴地区的沙巴,距沙巴首府亚庇123公里	19000	斑岩黄铜矿。主要矿物有黄铁矿及少量的辉铜矿、斑铜矿、方铅矿和闪锌矿	1975	原矿粗磨,粗精矿再磨再选流程	金、银	Cu:0.48 Au:0.65克/吨 Ag:4克/吨	Cu:26.4 Au:21.3克/吨 Ag:119克/吨	Cu:90 Au:79 Ag:70	《World Min.》1975.Vol.28 No11 《国外金属选矿》1976.No8~9 《国外冶金动态》1976.No4

续表

伊朗

序号	厂名	位置	规模 t/d	矿床类型及矿石组成	投产日期	选矿工艺	综合回收	选矿指标,% 原矿	选矿指标,% 精矿	回收率	资料来源
147	萨尔切什迈选厂 (Sar Cheshmeh)	矿山位于扎格罗斯山区中心附近	40000	斑岩铜矿。铜矿物主要为黄铜矿，其次是辉铜矿、蓝铜矿，钼矿物为辉钼矿	1979	铜、钼混合精矿再磨后进行铜、钼分离	钼	Cu: 34 Mo: 0.03	Cu: 34 Mo: 54		《E/MJ》1978. No2 《国外金属矿选矿》1978. No7 《选矿动态》1980. No7

印度尼西亚

序号	厂名	位置	规模	矿床类型及矿石组成	投产日期	选矿工艺	综合回收	原矿	精矿	回收率	资料来源
148	俄尔茨堡选厂 (Ertsberg)	矿山位于印尼伊里安岛	227 万 t/a	接触变质矿床。含铜矿物为黄铜矿、斑铜矿、铜蓝、辉铜矿及其他有用矿物和微量的黄铁矿、含金银矿物及金脉石矿物有石榴石、透辉石、绿泥石以及绿帘石等	1972	原矿、粗磨，粗精矿再磨再选流程		2.5~3.5	26		《国外金属矿选矿》1974. No7~8 1976. No7 《Min. Mag.》1973. Vol. 129. No4

朝鲜

序号	厂名	位置	规模	矿床类型及矿石组成	投产日期	选矿工艺	综合回收	原矿	精矿	回收率	资料来源
149	咸兴金铜选厂 (Sunghung)			热液充填矿床。主要矿物有黄铜矿、黄铁矿、金、银，脉石矿物有石英、云母、方解石	1913	重—浮联合流程	硫	Au:3~15g/t Ag:20~40g/t Cu:0.1~0.5 S:1~15	重选: Au:100~150g/t 浮选: Au: 40~50g/t	Au: 93~94 Ag:90 Cu:90	《北朝鲜民主主义人民共和国金属矿山考察报告》1965

续表

序号	厂名	位置	规模 t/d	矿床类型及矿石组成	投产日期	选矿工艺	综合回收	选矿指标,% 原矿	精矿	回收率	资料来源
150	笏洞选厂			高中温热液变质含金硫化岩接触交代铜灰岩及铜钼矿床 矿石分二类：一类为金铜矿石，有用矿物为黄铜矿、金银，脉石为石榴子石和方解石 另一类为用矿，钼矿物为黄铜矿、辉钼矿，脉石为石榴子石和方解石		金、铜矿石采用重-浮联合流程，铜钼矿石采用铜钼混合浮选，混合精矿进行铜-钼分离浮选流程		金、铜矿: Au:2~5g/t Ag:3~7g/t Cu:0.2~0.5 铜、钼矿: Cu:0.1~0.5 Mo:0.05~0.1	金、铜矿: 重选: Au:700~1500g/t Ag:700~1500g/t 浮选: Au:60~80g/t Cu:60~80g/t ~150g/t 铜精矿: Cu:7~11 钼精矿: Mo:39~48	金、铜矿: Au:80~90 Ag:80 Cu:85~90 铜、钼矿: Cu:80~85 Mo:50~65	《赴朝鲜民主主义人民共和国金属矿山考察报告》1965

土耳其

序号	厂名	位置	规模 t/d	矿床类型及矿石组成	投产日期	选矿工艺	综合回收	选矿指标,% 原矿	精矿	回收率	资料来源
151	埃尔加尼选厂(Ergani)	矿山位于迪亚巴克尔附近	2000~3000	矿体分两部: 上部为块状，含铜大于10%；下部矿体为浸染状含铜黄铁矿，含铜品位2%左右，其次有有蓝铜矿和孔雀石，铜品位0.12%~0.26%，在某些矿带，钴含量可达0.52%		铜、硫混合粗浮选，混合粗精矿再磨后进行铜、硫分离	硫	Cu: 1.2~1.4	铜精矿: Cu: 17~19 硫精矿: S:44~45	75	《World Min.》1972. 25. No3 《国外金属矿选矿》1973. No10
152	查克马克亚选厂	矿山位于黑海海岸	9300		1973	磨矿采用自磨				铜精矿: Cu:91.22 ~92.70	《有色矿山》1977. No5

续表

赞比亚铜选厂

序号	厂名	位置	规模 t/d	矿床类型及矿石组成	投产日期	选矿工艺	综合回收	选矿指标,% 原矿品位	精矿品位	回收率	资料来源
153	谦比西 (Chambishi)	距基特韦西北约50公里	6000	斑铜矿、黄铜矿、石英、方解石、长石、云母、黑云母	1965	三段碎矿，粒度-12mm。一段磨矿，水力旋流器分级细度90%-200目。浮选流程		1.8			《Min. Mag.》Vol. 144 No4 1981.
154	奇布卢马 (Chibuluma)	距基特韦约20公里	2000	黄铜矿、斑铜矿、辉铜矿、铜蓝、自然铜、硫钴矿		三段碎矿，旋流器分级45%~50%-200目。浮选	钴	Cu 4.48~5.06 Co 0.14~0.17	Cu 33.84 Co 3.57	Cu 93.3 Co 79.79	E/MJ. 1979. Vol. 180. No. 11
155	卡伦瓜 (Kalengwa)	距基特韦西约402公里	600	孔雀石、蓝铜矿、辉铜矿、硅孔雀石	1969	高品位铜矿石经破碎洗矿，粒度51~4.76mm，直接送冶炼厂，中、低品位矿石，采用浮选流程		9.3	30~35	80~85	《World Min.》1972. Vol. 25. No4.
156	巴卢巴 (Baluba)	距基特韦东南60公里	5500 (1985年11000)	浸染状硫化矿、硫钴矿	1973	三段碎矿，粒度-10mm，一段磨矿，旋流器分级65%-200目，浮选铜、钴	钴	Cu 2.39 Co 0.16		Cu50 Co5 Cu45 Co70	E/MJ. 1979. Vol. 180. No11
157	卢安夏 (Luanshya)	距基特韦东南约74公里	13250	黄铜矿、斑铜矿、辉铜矿、铜蓝、黄铁矿	1931	三段碎矿，粒度-10mm，一段磨矿，旋流器分级细度60%-200目，浮选		2.48	27.0	92	E/MJ. 1979. Vol. 180. No11
158	穆富利腊 (Mufulira)	距基特韦北约60公里	22000	黄铜矿、斑铜矿、辉铜矿	1931	三段碎矿，粒度9.5mm，一段磨矿，细度55%-200目，粗精矿再磨浮选，-200目扫选流程		2.15~3.13	47.12	91.68	E/MJ. 1979. Vol. 180. No. 11

续表

序号	厂名	位置	规模 t/d	矿床类型及矿石组成	投产日期	选矿工艺	综合回收	原矿品位	精矿品位	回收率	资料来源
159	钦戈拉 (Chingala)	距基特韦西北100公里	28000 (建有尾矿厂,产出25000)	辉铜矿、斑铜矿、黄铜矿、孔雀石	1920年末投产,1931年停产,1937年恢复生产	三段碎矿,粒度-15mm,棒磨-球磨,旋流器分级,常规浮选流程		3.3~4.0			E/MJ. 1979. Vol. 180. No. 1
160	罗卡纳 (Rokana)		12500 2000	黄铜矿、辉铜矿、斑铜矿、孔雀石、含铜锰土、硅孔雀石、云母	硫化矿选厂1931年,氧化矿选厂1974年	硫化矿选厂:二段碎矿,棒磨-球磨,分级细度60%-200目。氧化矿选厂:三段开路碎矿,棒磨-球磨,旋流器分级细度60%-200目浮选流程	钴	2.36	Cu 28~30 Co3.5 ~4.0 (Cu5 ~7)	Cu 88~90 Co 34~38 (Cu3)	E/MJ. 1979. Vol. 180. No. 11
161	孔科拉 (Konkola)		5700	辉铜矿、斑铜矿、黄铜矿、孔雀石、赤铜矿、蓝铜矿、假孔雀石、硅孔雀石、钴矿	50年代末	三段碎矿-8mm,旋流器磨矿分级细度80%-200目,一段球磨,精尾再磨浮选流程	钴	3.5	氧化矿 16~20		E/MJ. 1979. Vol. 180. No. 11
162	班克罗夫特 (Bancroft)	位于铜带的西北端	7000	辉铜矿、黄铜矿、斑铜矿、自然铜、孔雀石、蓝铜矿、赤铜矿、假孔雀石、硅孔雀石、石英、硅酸盐矿物、碳酸盐矿物、绢云母	1957	洗矿-三段破碎,筛孔尺寸19×8mm。一段磨矿与旋流器成闭路,磨细度82%-200目。扫选与精尾合并再磨,先选硫化矿后选氧化矿,异丙基黄药,硫氢化钠		3.59	29.56	84.28	《Min. Engng》1963. Vol. 15 No 9

续表

扎伊尔铜选厂

序号	厂名	位置	规模 t/d	矿床类型及矿石组成	投产日期	选矿工艺	综合回收	选矿指标,% 原矿品位	精矿品位	回收率	资料来源
163	基普希 (Kipushi)	距卢本巴希西南约27公里	4500	Cu-Zn 硫化矿、Zn硫化矿	1935	三段碎矿，耙式分级机，磨细度78%~80%-200目，铜中矿再磨浮选流程		Cu7 Zn10 Cu1.0 Zn40	Cu30 Zn3, Zn57 Cu1.0		E/MJ. 1979. Vol. 180. No. 11
164	坎博韦 (Kambove)	距利卡西西北约25公里	4500	Cu-Co 氧化—硫化混合矿	1963	三段碎矿，球磨，旋流器分级，浮选流程	钴	3.0	43.0	80~90	E/MJ. 1979. Vol. 180. No. 11
165	卡坎达 (Kakanda)	距卢本巴希约175公里	2100	Cu-Co 氧化矿		三寸碎矿，球磨，旋流器分级，浮选流程	钴	5~6			《Min. Mag》1970. Vol.123 No.4. E/MJ.1979 Vol.180, No.11
166	穆托希洗矿厂 (Mutoshi)	距科尔韦济约4公里	7500	铜氧化矿		破碎—洗矿—筛分，跳汰和重介质分选		4.3	25~27		E/MJ. 1979. Vol. 180. No. 11
167	科卢韦济 (Kolwezi)	位于科卢韦济城附近	20000	Cu-Co 混合矿、Cu-Co 氧化矿	1941	三段碎矿，棒磨、分级机、浮选流程，乙黄药，起泡剂，硫氢化钠	钴	4.0~4.3 Cu6.0 Co0.5	Cu43 Co2.89 Cu3	82.3 85.0 Co55	E/MJ.《Min. Engng》1962. Vol.14 No.2.
168	卡莫托 (Kamoto)	距科尔韦济西南约20公里	15000	Cu-Co 氧化矿、硫化混合矿、硫化矿	1968	三段破碎，棒磨、旋流器分级，粗精矿再磨浮选流程。精矿管道输送	钴	4.2	硫化矿40.0 氧化矿18.0		E/MJ.《Min. Mag》196. Vol. 121. No. 1

续表

序号	厂名	位置	规模 t/d	矿床类型及矿石组成	投产日期	选矿工艺	综合回收	选矿指标,% 原矿品位	选矿指标,% 精矿品位	选矿指标,% 回收率	资料来源
169	迪玛 (Dima)	距科尔韦济西南约10公里		Cu-Co混合矿 Cu-Co氧化矿	1980	三段破碎自磨磨矿旋流器分级、浮选	钴	4.3	Cu63 Co2 Cu25		E/MJ. 1979. Vol. 180. No. 11 《国外金属矿选矿》1979. No. 7
170	木索希 (Musoshi)	距卢本巴希东南约70公里	5000	斑铜矿、黄铜矿、辉铜矿、石英、石英、黑云母、长石、白云母、孔	1969	19mm, 旋流器分级, 细度80%~200目, 扫选精矿和精尾再磨浮选, 流程石灰500g/t, 异丙基黄药100g/t, 起泡剂30g/t		2.11 ~3.6	36	87	《World. Min.》1972. Vol. 25 №12

南非铜选厂

序号	厂名	位置	规模 t/d	矿床类型及矿石组成	投产日期	选矿工艺	综合回收	选矿指标,% 原矿品位	选矿指标,% 精矿品位	选矿指标,% 回收率	资料来源
171	帕拉巴拉 (Palabala)	法利包瓦镇	74000	黄铜矿、斑铜矿、辉铜矿、方黄铜矿、孔雀石、赤铜矿、蓝铜矿、磁铁矿、碳酸盐脉石	1967	三段碎矿、磨矿、棒磨、球磨、细度、旋流器分级3英寸～200目浮选53%铜、磁选选铁、磁选铜尾矿重选回收铀基钴。乙黄药、黄药、六聚偏磷酸钠、起泡剂	铁、铀、钴	0.71~ 0.54	30~33	81.9～84.39	Mines. J. 1967. vol. 9. No. 8 《Min. Mag》1967. Vol. 116. No. 1. E/MJ 1967. Vol. 168. No. 11 《国外金属矿选矿》1973 No. 12.
172	普里斯卡 (Prieska)	距普里斯卡城64公里	7000	黄铁矿、黄铜矿、闪锌矿	1972	三段碎矿、磨矿、棒磨、球磨、产品进浓密机、优先浮选流程、先选铜后选锌和黄铁矿	硫	Cu 1.73 Zn 3.87	Cu20 Zn50		SAfr. Min. Eng. J. 1972. Vol. 84 No. 11

续表

津巴布韦铜选厂

序号	厂名	位置	规模 t/d	矿床类型及矿石组成	投产日期	选矿工艺	综合回收	选矿指标,% 原矿品位	精矿品位	回收率	资料来源
173	曼古拉 (Mangula)		3000 2000	斑铜矿、黄铜矿、硅孔雀石、假孔雀石、蓝铜矿、赤铜矿、磁铁矿、辉铜矿、石英云母、绿泥石	1957 1965 (堆浸厂)	碎矿、气落式磨矿机,球磨。粗选细度65% -200目,精矿再磨细度53% -325目。及基黄药-起泡剂。石灰。氧化矿采用堆浸		1.13 (氧化矿)	48~50		Chamb. Mines. J. 1976. Vol. 9. No. 3.
174	姆西纳 (Mssina)	河南6英里	3000	黄铜矿、斑铜矿、辉铜矿、石英、绢云母、绿帘石、绿泥石		三段碎矿,粒度 $\frac{1}{4}$ 英寸。磨矿与旋流器成闭路。单一浮选流程。及基黄药,异丙基黄药,石灰,pH值=10,起泡剂			35~38	92.0	Chamb. Mines. J. 1968. Vol. 10. No. 9.

乌干达铜选厂

序号	厂名	位置	规模 t/d	矿床类型及矿石组成	投产日期	选矿工艺	综合回收	选矿指标,% 原矿品位	精矿品位	回收率	资料来源
175	基伦贝 (Kilembe)	距卡塞塞城8英里	3000	砂卡岩型矿床,黄铁矿、黄铜矿、磁黄铁矿、闪锌矿钴	1956	三段碎矿,棒磨、球磨旋流器分级,选细度45% -200目。粗精矿和扫选矿分别再磨,粗精矿再磨细度,90% -200目	钴硫	1.95~2.16		78.2 (选冶综合)	Can. Min. Met. Bull. 1968. Vol. 61. №677

续表

纳米比亚铜铅选厂

序号	厂名	位置	规模 t/d	矿床类型及矿石组成	投产日期	选矿工艺	综合回收	选矿指标，%			资料来源
								原矿品位	精矿品位	回收率	
176	坎巴特 (Kambat)	南纬 19°43′东经 17°41′	1400	斑铜矿、黄铜矿、方铅矿、闪锌矿、黄铁矿、辉铜矿、蓝铜矿、斑铜矿、孔雀石、赤铜矿、硅孔雀石、自然铜	1962	三段碎矿。球磨与耙式分级机成闭路。混合粗选尾矿再磨，铜—铅分离流程。异丙基黄药苏打打程，硫化钠、活性炭、氧化锌、硫化铵		Cu 1.9～2.05 Pb 2.09～2.5	Cu 27.25 Pb 57.58	Cu 83.94 Pb 76.72	《Min. Engng》1973. Vol.25. No.4

博茨瓦纳铜镍选厂

| 177 | 塞莱比皮奎 (Selebi-Pikwe) | 国家东部 | 6000 | 磁黄铁矿、黄铜矿、镍黄铁矿 | 1973 | 三段碎矿，粒度 $\frac{1}{2}$ 英寸。球磨与旋流器成闭路 54%−200 目。精尾和扫选精矿合并再磨，细度 100%−200 目。戊基黄药，石灰加到球磨机中 | 镍 | Cu 1.12～1.23 Ni 1.18～1.36 | | | 《World Min.》1977Vol.30 No.12 E/MJ.1980 Vol.181. No.2 |

毛里塔尼亚铜离析浮选厂

| 178 | 阿克朱季特 | 首都北 | 4000 | 磁铁矿、赤铁矿、黄铜矿、碳酸盐脉石 | 1970 | 气落式磨矿机干磨。先用磁选选磁铁矿，离析一浮选铜。加煤和食盐 | 金 | 2.5 | 60 以上 | 89～92 | S. Afr. Min. Eng. J. 1966. Vol.77 No.3953. |

摩洛哥铜选厂

| 179 | 克拉克 (Klakk) | 距布艾法 28 公里 | 40 | 斑铜矿、辉铜矿、孔雀石、氧化铁矿、方铅矿、闪锌矿 | 1962 | 破碎粒度 8mm，磨矿与分级机成闭路。浮选流程。乙黄药、戊黄药 | | 2.65～3.00 | 32.31 | 70.39 | |

参 考 文 献

［1］钱鑫，张文彬等著，铜的选矿，冶金工业出版社，1982，3.

［2］中南矿冶学院，有色金属冶金学，冶金工业出版社，1959.

［3］E/MJ，(1984)，184，№3，52.

［4］E/MJ，(1983)，184，№3，52.

［5］金属市场观察，1983，3，5月号.

［6］有色矿山，1983，№2.

［7］有色矿山，1985，№9.

［8］Цветные Металлы，1982，№8.

［9］World Min. ，1982.

［10］The Min. Mag. ，1982. №4.

［11］国外金属矿选矿，1974，№3.

［12］国外金属矿选矿，1981，№11.

［13］有色金属，1984，特辑，p. 127.

［14］有色金属，1984，特辑，p. 134.

［15］冶金部情报标准研究所，国外金属矿山，冶金工业出版社，1973，p.6～11，386～391.

［16］The Min. Mag. ，March，(1971)，124，№3.

［17］Skilling Min. Rev. (1973) 62，№37.

［18］Skilling Min. Rev. (1974) 63，№19.

［19］E/MJ，1978，vol，179，№6.

［20］有色矿山，1976，№3.

［21］Chamb. Mines. J. 1967，Vol. 9，№3.

［22］E/MJ，1979，180，№11.

［23］Safr. Min. Eng. J. (1966)，77，№3953.

［24］Min Eng. 1979，№12.

［25］有色矿山，1981，№2.

32.2 铅锌多金属矿选矿

32.2.1 绪论

随着科学的进步和工业生产的发展，世界各国对铅锌的需求量每年虽有起伏，但总的趋势是不断增加，因而促进了铅锌矿冶工业的发展。

1984年27个国家的铅锌矿产品（精矿）金属含量，金属产量，精炼的金属消耗量列于表32.2.1。

目前世界上有50多个国家开采和选别铅锌矿石，有30多个国家从事铅锌熔炼和精炼。从世界铅、锌资源状况和铅、锌需求量的增长速度来看，至少在进入下世纪的时候，对于任何合理的需求量都是足够的，铅、锌生产不会出现短缺。

加拿大、澳大利亚、秘鲁三国的铅锌资源比较丰富，其铅、锌精矿产量分别占世界铅、锌精矿总产量的24.52%和33.34%，特别是加拿大锌精矿产量占世界首位。这三个国家是铅、锌矿石和精矿的主要出口国，其出口量均占世界总量的45%左右。

铅、锌两种金属，由于它们的地球化学性质和成矿的地质条件相同或相似，在矿床中常共生在一起；此外，还常伴生有其他金属，如银、铜、金、砷、铋、钼、锑、硒、镉、铟、镓、锗和碲等。故铅锌矿床往往又称为多金属矿床。铅、锌矿床在我国分布相当广泛，储量也居于世界前列。

32.2.1.1 铅、锌的性质和用途

A 铅的性质和用途

铅是蓝灰色的金属，新的断口具有灿烂的金属光泽。固态密度为11.35克/厘米^3，熔点为327.4℃，沸点为1525℃，纯铅在

金属中是最柔软的，莫氏硬度为 1.5。铅具有很好的展性，但其延性甚小，不耐拉力。铅的导热度很低，相当于银的 7.5%，导电度也很差，仅及银的 7.77%。

表 32.2.1　世界各国铅锌产量与消耗量，kt

国　别	矿产品（精矿）金属含量		金属产量		精炼的金属消耗量	
	Pb	Zn	Pb	Zn	Pb	Zn
奥地利	4	21	18	24	62	31
比利时	—	—	120	271	72	170
丹　麦	18	67	10	—	12	10
芬　兰	—	60	—	159	—	24
法　国	2	36	206	258	210	288
联邦德国	28	113	357	356	344	427
希　腊	22	23	15	—	24	12
爱尔兰	37	206	10	—	10	2
意大利	23	42	132	154	241	230
荷　兰	—	—	34	210	44	58
西班牙	97	228	150	208	105	108
瑞　典	80	206	74	—	28	36
英　国	4	7	337	85	295	183
南斯拉夫	98	65	89	79	112	96
摩洛哥	98	—	43		6	
南　非	139	136	52	90	33	90
巴　西	18	72	61	106	63	109
加拿大	310	1211	250	683	119	141
墨西哥	204	300	172	183	95	101
秘　鲁	193	567	73	151	17	31
美　国	335	270	919	313	1.114	960
日　本	48	252	362	756	388	771
澳大利亚	400	597	216	304	54	74
挪　威		28	94			20
葡萄牙				6		10
扎伊尔		81	65			
赞比亚		33	29			0

　　铅具有高度的化学稳定性，常温时在干燥空气中不起化学变化。铅易溶于稀硝酸，室温下铅不溶于硫酸和盐酸。常温时盐酸和硫酸的作用仅及铅的表面，因为生成的 $PbCl_2$ 及 $PbSO_4$ 几乎是不溶解的，附着在铅的表面上，使内部的金属不受腐蚀。铅与含碱、氨、氯的溶液和有机酸、酯均不起反应。

　　由于铅具有抗酸、碱腐蚀的性质，因此用途较广，如可以利用它来制造化工设备的各种构件，冶金工厂的电解槽，通讯电缆铠装材料，以及做蓄电池等；还可做成巴比特合金—铅基合金轴承；由于铅能吸收放射性射线，故用于 X-光工业及原子能工业；铅的化合物用在颜料、陶瓷、玻璃、橡胶、石油精炼等工业部门；还可用于焊料、印刷合金等。

　　B　锌的性质和用途

　　锌是一种白色而略带蓝灰色的金属，具有金属光泽。锌是一种比较软的金属，仅比铅与锡硬。其展性比铅小较铁大，延性较铜小较锡大。细粒结晶的锌较粗粒结晶的锌容易辊轧及抽丝。铸锌的密度为 6.9 ~ 7.2 克/厘米^3。锌的熔点为 419.5℃，沸点为 906℃。锌的莫氏硬度为 2.5。

　　锌在常温下不被干燥空气、不含二氧化碳的空气或干燥的氧所氧化。但与湿空气接触时，其表面逐渐被氧化，生成一层灰白色致密的碱性碳酸锌［$ZnCO_3 \cdot 3Zn(OH)_2$］，包覆其表面，保护内部的锌不再被侵蚀。

　　纯锌不溶于纯硫酸或盐酸中，但锌中若有少量杂质存在，则被稀酸或浓酸溶解。因此一般的商品锌极易为硫酸或盐酸所溶解，同时放出氢气；商品锌亦可溶于碱中，唯溶解速度不及在酸中快。

　　锌的用途很广，主要消耗在镀锌方面，作为覆盖物以保护钢材或钢铁制品，镀锌占世界锌总消耗量的 45%。由于锌的抗腐性好，锌制成的锌板用于屋顶盖、空调管道、排气管、热循环系统、电线、电话线的缆沟等。

　　锌易于和许多有色金属形成合金，其中主要是铜锌合金—黄铜；铜、锡、锌形成青铜；铜、锌、铅、锡形成抗磨合金。这些合金广泛应用于运输工业、机械制造工业及电气工业。在许多工业发达国家中，建筑和运输工业消耗的锌超过锌产品的 60%。

　　因为锌的熔点低，熔体的流动性好，使其能用以铸造并完全地充满模型所有细小弯曲部分，汽车工业与航空工业的各种细小零件，对于这种铸件甚为需要。

　　锌在化学工业中可供制造颜料；氧化锌主要用于橡胶轮胎生

表 32.2.2　中国铅锌矿床的成

矿床类型			矿床主要地				
大类	类型	建造	含矿岩石	岩浆岩	矿石成分		矿石结构
					金属矿物	非金属矿物	
岩浆热液铅锌矿床	矽卡岩型铅锌矿床	Pb-Zn-W-Sn 建造 Pb-Zn-Cu-Fe 建造	灰岩、白云岩钙质页岩与中酸性岩浆岩接触交代形成的矽卡岩	中深成—浅成酸性—中性岩浆岩基、岩株、岩墙、岩床等	闪锌矿、方铅矿、黄铁矿、黄铜矿、磁铁矿、辉钼矿、白钨矿、锡石等	石榴石、透辉石—钙铁辉石、绿帘石、阳起石、萤石、绿泥石、方解石等	半自形-他形粒状、交代残余、骸晶等
	热液交代型铅锌矿床	Pb-Zn-Cu-S 建造	不纯灰岩、生物碎屑灰岩、白云质灰岩	浅成—超浅成中酸性—酸性岩浆岩、呈岩株岩脉岩墙状、呈蘑菇状起伏侵入	方铅矿、闪锌矿、黄铁矿、黄铜矿	石英、方解石、萤石、石榴石、透辉石等	自形-他形粒状、交代残余状、溶蚀等
	热液脉型铅锌矿床	Pb-Zn-W-Se 建造 Pb-Zn-(Cu-F(萤石))建造 Pb-Zn-Au-Ag 建造	岩浆岩、变质岩、砂、页岩、灰岩	中酸性—酸性岩体、岩脉	方铅矿、闪锌矿、黄铁矿、脆硫锑铅矿、锡石、黑钨矿、锰菱铁矿、辉银矿	石英、萤石、方解石、重晶石等	半自形-他形粒状、交代、溶蚀结核、压碎、柔皱
火山热液—火山沉积铅锌矿床	陆相火山热液脉型铅锌矿床	Pb-Zn-Ag-(Cu) 建造	中性、酸性火山岩、火山碎屑岩、熔凝灰岩及附近变质岩等	中酸性、酸性超浅成岩脉、岩墙	方铅矿、闪锌矿、黄铁矿、硫盐矿物	石英、绿泥石、绢云母、绿泥石、钠长石、方解石	他形晶粒状、交代残余
	陆相火山热液交代铅锌矿床	Pb-Zn-(Ag-Au) 建造	酸性火山岩类流纹岩、流纹质凝灰岩、凝灰角砾岩集块岩、细晶岩等	酸性岩脉	方铅矿、闪锌矿	石英、长石、绿泥石、叶蜡石、绢云母	粒状、交代乳浊状
	斑岩型铅锌矿床	Pb-Zn-(Ag-Mo) 建造 Pb-Ag 稀土建造	花岗斑岩、流纹斑岩、正长斑岩及接触带附近围岩	酸性、碱性火山岩有关的浅成—超浅成岩株、岩筒火山颈	方铅矿、闪锌矿、辉银矿、辉钼矿、黄铁矿、磁铁矿等	石英、钾长石、绿泥石、绢云母等	半自形、他形粒状、交代残余斑状

因类型和地质特征简表

质 特 征		矿床工业意义				矿床实例
矿石构造	围岩性变	有用元素		矿石质量	矿床规模	
		主元素	伴生元素			
浸染状、细脉状、条带状	矽卡岩化、绿帘石化等、分带明显	Pb、Zn（Cu、W、Sn）	Fe、Ag、Sb、Cd、Se、Te、In等	贫-中矿	中小型为主	连南、一六、桓仁、夏山、花牛山等
致密块状、条带状、浸染状、角砾状	绿泥石化、绢云母化、硅化、矽卡岩化不发育	Pb、Zn（S、Cu）	W、Sn、Mo、Bi、Cd、Ga、In、Ag、Au	富-中矿	大型、中型	黄沙坪、水口山、金船塘等
角砾状、浸染状、条带状、网脉状、块状、胶状	绿泥石化、绢云母化、硅化、碳酸盐化、黄铁矿化（电气石化）	Pb、Zn（W、Sn、Ag、Au）	S、Ag、Sb、Sn、As、Cu、Ga、Ce、In	中-贫矿	中小型个别大型	锯板坑、红旗岭、桃林、清水塘、文峪等
块状、条带状、细脉状	硅化、绿泥石化绢云母化、碳酸盐化、明矾石化、高岭土化	Pb＞Zn	Cu、Ag、S、Mo、In、Ga	中-贫矿	中小型	德兴五部、三河、安下、永嘉等
细脉状、浸染状、团块状	黄铁矿化、绿泥石化、叶蜡石化等	Pb＞Zn（Ag-Au）	Cu、S、Cd、In、Ag	贫矿	小型（中型）	银坑麻邳呷村
浸染状、网脉状、角砾状	硅化、绢云母化、黄铁矿化、绿泥石化呈面形分布	Pb-Zn（Ag）	Ag、Ga、Cu、Mo、稀土、U、Th	贫矿	大中型	望宝山、冷水坑、姚安等

矿床类型			矿床主要地				
					矿石成分		
大类	类型	建造	含矿岩石	岩浆岩	金属矿物	非金属矿物	矿石结构
火山沉积热液—火山	海相火山沉积—热液铅锌矿	Cu-Pb-Zn-S建造	流纹质英安岩、石英角斑岩、石英角斑凝灰岩、细碧岩千枚岩、大理岩绢云母、石英岩	海底火山岩外有中基性中性、酸性岩脉、岩株岩墙岩床	黄铁矿、黄铜矿、闪锌矿、方铅矿	石英、钠长石、绿泥石等	自形—他形粒状熔蚀残余斑状压碎
沉积—改造铅锌矿床	沉积—改造砂岩型铅锌矿床		石英砂岩、含砾砂岩灰岩、白云岩角砾岩	矿区及外围无岩浆岩	方铅矿、闪锌矿、黄铁矿	重晶石、石膏、石英、方解石、沥青	结晶粒状、金状、交代鲕属矿物胶结砂状结构
	沉积—改造白云岩型铅锌矿床		白云岩、条带状白云岩含燧石白云岩、夹板岩、页岩	无岩浆岩、偶见后期岩脉岩墙	闪锌矿、黄铁矿、方铅矿	白云石、方解石	半自形粒状鲕状、胶状、结核状
	沉积建造生物灰岩型铅锌矿床		厚层状灰岩、泥灰岩及砂页岩互层含生物化石丰富	无岩浆岩矿区有时见后期岩脉岩墙	方铅矿、闪锌矿、黄铁矿	方解石、白云石	半自形粒状胶状溶蚀残余压碎柔皱
变质铅锌矿床	变质型铅锌矿床		角闪斜长岩与变质伟晶花岗岩、矽卡岩中、石英云母片岩、千枚岩夹硅质灰岩	变质伟晶花岗岩、花岗岩	方铅矿、闪锌矿、磁黄铁矿、黄铜矿、黄铁矿	透辉石、石榴石、石英、角闪石、电气石	粗粒变晶、斑状变晶、破碎蠕虫状
风化铅锌矿床	砂铅矿床		第四系残积、坡积冲积物		白铅矿、铝矾、菱锌矿、水锌矿等		

质　特　征		矿床工业意义				矿床实例
矿石构造	围岩性变	有用元素		矿石质量	矿床规模	
		主元素	伴生元素			
浸染状、网脉状、皱纹状、块状	硅化、重晶石化次为绢云母化绿泥石化、青盘岩化、高岭土化	S、Cu、Pb、Zn	Fe、Au、Ag、In、Cd、Ti	中-富矿	中-大型（巨型）	小铁山、石青硐、锡铁山、红透山等
条带状、浸染状脉状、胶状、同心环带	弱硅化、白云石化、重晶石化、黄铁矿化	Pb、Zn	Ag、S、Sr、Cd、Ti	中-富矿	中-大型巨型	金顶、乌拉根
浸染状、细脉状、层纹状、条带状	弱碳酸盐化重晶石化、硅化	Pb、Zn、S	Cd、Ge	贫矿	中型	董家河、高板河、铁岭茂祖、团宝山、金沙厂等
条带、浸染状、细脉状、块状、角砾状	弱黄铁矿化、白云石化、退色化、硅化	Pb、Zn、S	Ag、Ti、Cu、Fe、Mn	中（富）矿	大-中型巨型	禾青、凡口、泗顶、大西沟、观音山、矿山厂等
块状、条带状	矽卡岩化电气石化绢云母岩	Pb、Zu	Cu	中（贫）矿	小型	西榆皮、沱沟、荒山沟等
		Pb、Zn	W、Sn	中-富矿	中型	建水普雄、赫章等

产。在冶金工业中锌用来从氰化溶液中置换金。

32.2.1.2 铅、锌的主要矿床和矿石类型

铅、锌矿石是从五种主要工业类型的铅、锌矿床中开采出来的。第一种是矽卡岩型铅、锌矿床，为铅锌矿床重要类型之一。它具有矽卡岩型矿床共性。矿石中铅锌品位高，并伴生有可供综合利用的金属，如铜、银、铁、稀有和稀散金属（锗、铟、镉）。此类矿床分布广泛，但规模及产状变化大。第二种是热液脉状铅、锌矿床，产于各种岩石的构造裂隙中，成矿以充填作用为主，矿体呈脉状，矿石品位较高，分布也广泛，但矿床规模变化较大。如湖南桃林，辽宁青城子等地铅、锌矿床。我国铅矿产量的一半以上，是由这种类型矿床提供的。第三种是黄铁矿型铅、锌矿床，这种矿床与含铜黄铁矿型矿床的特征相同，只是矿石中含铅、锌多些。我国西北地区就有这种类型的铅、锌矿床，如小铁山铅锌多金属矿。第四种是碳酸盐岩层中热液交代铅、锌矿床，它产于厚层碳酸盐岩层发育区。产在石灰岩和白云岩中。矿体沿碳酸盐岩石中裂隙充填交代形成，以交代作用为主。矿石矿物组成以方铅矿、闪锌矿为主，并有石英、方解石、萤石和重晶石等。矿石以致密块状构造为主，铅、锌含量较富。矿石中含有的伴生元素，如银、稀散元素（镉、锗、铟）可供综合利用。此类矿床规模变化大。湖南黄沙坪铅锌矿床就属于此类型矿床。第五种是碳酸盐岩层中层状铅、锌矿床，产于石灰岩和白云岩层中。矿体多为层状，矿化现象一般都是浸染状。矿石矿物组成主要有方铅矿、闪锌矿，有时有黄铜矿；脉石矿物主要为方解石。矿石中铅、锌含量不高，但矿床规模往往较大。此类矿床在贵州、湖南等地都有发现。以成因类型划分的中国铅锌矿床的地质特征，归纳于表32.2.2。

32.2.1.3 铅、锌主要矿物

铅、锌矿石分为硫化矿及氧化矿两大类。全世界所产的铅和锌金属绝大部分是从硫化矿中冶炼出来的，很少一部分是从氧化矿中提取的。因为硫化铅、锌矿的储量和分布的广度远远大于氧

化铅、锌矿。

硫化铅矿的主要组成矿物为方铅矿，属原生矿，分布最广。全部是铅矿物的单金属矿在自然界很少遇到，铅矿物多与其他金属矿物共生组成多金属矿石。硫化铅矿中通常共生的有辉银矿及闪锌矿，其含银率高者称银铅矿，含锌率高者名为铅锌矿。此外，还常伴有黄铁矿、黄铜矿、硫砷铁矿和其他硫化物。

氧化铅矿的主要组成矿物是白铅矿及铅矾，均属次生矿物，是原生矿受风化作用及含有碳酸盐的地下水的作用而逐渐变成的。由于成因不同，氧化铅矿常产于铅矿体的上层，硫化铅矿则产于下层。

锌矿石按其所含锌矿物不同亦分为硫化矿与氧化矿两种。在硫化矿中锌呈闪锌矿或铁闪锌矿状态存在，最多的还是闪锌矿。在氧化矿中锌多呈菱锌矿与硅锌矿状态存在。氧化矿是硫化矿经长期风化转变形成的。同铅矿物一样，单一的锌矿床发现的很少，一般多与其他金属硫化矿共生，最常见的有铅锌矿、铜锌矿、铜铅锌矿等，还常与黄铁矿伴生。

主要铅、锌矿物列于表 32.2.3 和表 32.2.4。

表 32.2.3　主要铅矿物

矿物名称		化 学 式	铅含量 %	硬度	密度 g/cm³
中 文	英 文				
方铅矿	Galena	PbS	86.6	2.5	7.4~7.6
硫锑铅矿	Boulangerite	$3PbS \cdot Sb_2S_3$	58.8	2.5~3	7.2~7.3
车轮矿	Bournonite	$2PbS \cdot Cu_2S \cdot Sb_2S_3$	42.4	2~3	5.7~5.9
脆硫锑铅矿	Jamesonite	$2PbS, Sb_2S_3$	50.65	2~3	5.5~6.0
白铅矿	Cerussite	$PbCO_3$	77.55	3~3.5	4.66~6.57
铅　矾	Anglesite	$PbSO_4$	68.30	3.0	6.2~6.35
角铅矿	Phosgenite	$PbCl_2 \cdot PbCO_3$	76.0	2.75~3	6~6.2
磷酸氯铅矿	Pyromorphite	$3Pb_3(PO_4)_2 \cdot PbCl_2$	76.37	3.5~4.0	6.9~7.0
砷酸铅矿	Mimetite	$3Pb_3(AsO_4)_2 \cdot PbCl_2$	69.61	3.5~4.0	7.2
铬酸铅矿	Crocoite	$PbCrO_4$	64.10	2.5~3.0	5.9~6.1
彩钼铅矿	Wulfenite	$PbMoO_4$	58.38	3.0	6.7~7.0
褐铅矿	Vanadinite	$3Pb_3(VO_4)_3 \cdot PbCl_2$	73.15	2.8~3	6.7~7.2
钨酸铅矿	Stolzite	$PbWO_4$	45.50	2.7~3	7.87~8.13

表 32.2.4　主要锌矿物

矿物名称		化 学 式	锌含量 %	硬度	密度 g/cm³
中　文	英　文				
闪锌矿	Sphalerite	ZnS	67.1	3.5 ~ 4	3.9 ~ 4.1
铁闪锌矿	Marmatite	$nZnS$-$mFeS$	<60.0	4.0	4.2
菱锌矿	Smithsonite	$ZnCO_3$	ZnO = 64.8	5.0	4.3 ~ 4.45
硅锌矿	Willemite	Zn_2SiO_4	ZnO = 73.0	5.5	3.9 ~ 4.2
异极矿	Hemimorphite	$H_2Zn_2SiO_5$ 或 $Zn_2SiO_4 \cdot H_2O$	ZnO = 67.5	4.5 ~ 5.0	3.4 ~ 3.5
红锌矿	Zincite	ZnO	80.3	4 ~ 4.5	5.4 ~ 5.7
锌尖晶石	Gahnite	$ZnO \cdot Al_2O_3$	44.3	5	4.1 ~ 4.6
锌铁尖晶石	Franklinite	$(Fe、Zn、Mn)O(FeMn)_2O_3$	不定	6	5 ~ 5.2
水锌矿	Hydrozincite	$3Zn(OH)_2 \cdot 2ZnCO_3$	不定	2 ~ 2.5	3.6 ~ 3.8
绿铜锌矿	Aurichalcite	$2(Zn、Cu)CO_3 \cdot 3(Zn、Cu)(OH)_2$		1	3.3 ~ 3.6
硫酸锌矿	Zinkosite	$ZnSO_4$	很少见		
锆矾	Whitevitriol	$ZnSO_4 \cdot 7H_2O$	28.2	2 ~ 2.5	2.0
纤维锌矿	Wurtzite	ZnS	67.1	3.5 ~ 4	3.98

32.2.1.4　铅、锌多金属矿选矿的现状及进展

为了经济合理地冶炼铅、锌矿，在冶炼前绝大部分的铅、锌矿石都需进行选矿富集，特别是硫化矿基本上都要经选矿过程处理，因此铅、锌矿的选矿技术取得了不断的进步，有了长足的发展。

加强原矿管理、注意矿石的混配。当选矿厂处理性质复杂、种类不一、品位相差较大的矿石时，若不加配矿混匀，随采随送到选矿厂处理，这样入选的矿石性质波动变化大，结果势必给制定合理的选矿工艺制度造成困难，影响选矿过程的稳定，从而会降低选矿指标。因此多年来国内外选矿厂都注意了加强原矿管理，合理匀配矿石的工作。我国水口山铅锌矿选矿厂对外购矿石分类堆放，分别进行选矿试验，然后按质（可选性等级），按量合理配矿入选，这样就保证了原矿性质的相对稳定，从而有利于选矿指标的提高。八家子铅锌矿选矿厂的外购矿石是产自东北各

地，矿石性质各异，也采取类似于水口山铅锌选矿厂的匀配给矿，对各地矿石分别进行选矿试验后，确定各地矿石的合理配比，每天都按配比要求的量严格混匀入选，促进了生产过程的稳定。

苏联卡拉盖林斯克（Карагайлинск）采选联合企业选矿厂处理含重晶石的铅锌硫化矿石，由于露天采矿由一台电铲供矿，因而矿石质量波动较大。根据对 522 个班生产报表的分析，原矿性质的波动对生产指标及药剂的消耗影响极大。统计数据表明：稳定给矿的时间越长，越能充分发挥选矿厂现有控制系统的效能，越能获得较好的工艺指标。因而在采矿场建立能供选矿厂 3～4 天处理量的贮矿场进行配矿，使铅、锌的品位波动不超过 ±0.4%，重晶石品位的波动不超过 ±8%，取得了明显的选别效果：铅的回收率提高 2.5%～3.0%，锌提高 4%～5%，重晶石提高%；铅精矿中铅品位提高 1.5%～2.0%，锌精矿中锌品位提高 1%；药剂消耗降低 10%～15%。建立配矿设施的投资半年内即可回收。

澳大利亚伍德隆（Woodlawn）矿山选前把矿石分成 6 种类型并分别堆放。各种矿石在破碎前匀配，一次匀配供选矿厂生产 2～3 个星期之用。1981 年 6 月开始匀混全部复杂矿石，为此精心设计了大矿堆，其量为 8～10 万吨，足够 6～8 个星期稳定均一的给矿，这样就为以后最佳化处理早期验明矿石特性。

从国内外某些矿山的选矿生产实践看，加强原矿管理，匀配入选矿石，对其选矿的技术经济效果改善是明显的。

磨矿前尽量抛弃废石，经济上十分合理。国外有不少选矿厂，只要矿石性质合适，都尽可能地采取"预选抛废"的措施，设有预选抛废的工序。虽然用拣选机预选抛废的研究工作取得了一定的进展，但到目前为止，主要还是应用重介质法进行"预选抛废"。重介质选别铅锌矿的抛废率一般为原矿量的 30%～40%，美国杨（Young）选矿厂的抛废率高达 60%。虽然联邦德国的梅根铅锌选矿厂的抛废率只达 22.8%，据称经济上也是合算的。国内铅锌选矿厂也有重介质预选抛废的实践经验，如柴河铅锌选矿厂就曾采用过重介质预选抛废，只是国内这方面的经验不多，没有得到比较广泛的应用。

"多碎少磨"有助于节能和提高磨矿机生产能力，因此国内外都在研究降低碎矿的最终产品粒度，如调整各段破碎比，充分挖掘粗、中碎的潜力，缩小细碎排矿口；有条件地将现有开路细碎改为闭路细碎；发展了超细碎机等等。降低磨矿本身的能耗和钢耗也是近年来人们十分关注的问题，如研究、推广应用了磨矿机的角螺旋衬板，研究了磨矿介质的各种材质，几何形状等都取得了很大的进展，对提高磨矿效率，降低能耗和钢耗发挥了重要作用。

铅锌和铜铅锌多金属矿的分选，目前仍以浮选法为主，因此浮选法不论在工艺流程上还是在分选技术上都有了很大的发展。浮选的工艺流程概括起来有直接优先浮选流程，部分混合浮选流程，全混合浮选流程以及根据矿物的可浮性差异，按其自然可浮性的顺序浮出而制定的等可浮流程。铜、铅、锌、黄铁矿的浮选次序，除了常规的次序外，为取得最佳的分离效果，发展了因矿制宜，灵活变化的浮选先后次序及反、正浮选。针对矿石中各种矿物嵌布粒度的不均一性，发展了阶段磨矿、阶段选别的工艺流程。为使已单体解离的细粒方铅矿及时分出减少过磨，在磨矿分级回路中加入选别作业以提高选别指标。

在分离技术上，"抑锌浮铜铅"除了以氰化物为主的分离方法外，考虑保护环境的要求，根据矿石性质不同还发展了非氰法"抑锌浮铜铅"的分离技术，如硫酸锌加亚硫酸或亚硫酸盐法；在日本、加拿大、瑞典和联邦德国都发展了 SO_2 法；苏联还发展了高锰酸钾法等等。铜铅分离时，"抑铅浮铜"传统的重铬酸盐法仍在使用，但是由于重铬酸盐毒性比较大，故非重铬酸盐法研究发展的很快，如加温法、古尔胶—糊精混合物加 SO_2 法，硫代硫酸钠加硫酸铁法，淀粉加 SO_2 法以及水玻璃法等。

浮选药剂的研究方面，正确的选择与使用捕收剂是强化铅锌多金属硫化矿分离的重要措施，国外除了常用的黑药、黄药类捕收剂以及 Z-200 以外，还开发应用了过黄原酸，Z-十二烷基硫代乙二醇等有效捕收剂。我国用于铅锌矿浮选的捕收剂从黄药和黑药开始一直发展到丁基铵黑药，乙硫氮，苯胺黑药等新的捕收剂，取得越来越好的分选效果。比较突出的发展是不同品种的同性药剂的混合应用，不论在捕收剂还是在起泡剂和调整剂方面都是如此。分段、分批"饥饿加药"法仍是提高铅锌多金属矿分选选择性的有效办法。

氧化铅矿用硫化—黄药浮选，氧化锌用硫化—胺浮选还是常见的，对于难选的氧化矿也有经过重介质法选别抛出大部分废石后直接进入冶炼过程的。氧化矿的选矿技术和硫化矿一样也在不断的改进，如用蒸汽加温硫化—硫酸铜活化—黄药捕收氧化锌矿，氧化铅矿的硫化—黄药浮选法中加变压器油作为辅助捕收剂以强化捕收，硫化钠与混合胺的盐酸溶液预先混合形成乳剂再与六偏磷酸钠、水玻璃配合使用不脱泥选氧化锌矿等。

近年来选矿厂自动化发展非常迅速，已经从生产过程的稳定化控制开始向最佳化控制生产方面发展。各种检测仪表几经更新换代，在精确度和灵敏度方面均达到了一个新水平，电子计算机在选矿厂自动化过程中应用的越来越多，重要的生产环节设有工业电视监视在现代化的选矿厂中也是常见的。选矿厂的自动化通常均产生了良好的技术经济效果。

国内外各铅锌选矿厂都十分注意综合利用，特别重视银的回收。国外有的选矿厂把银的回收程度，同铅、锌一样作为正式选矿指标计算；有的选矿厂综合利用达到几乎无尾矿的程度，如美国的杨选矿厂，入选矿石的 90% 都被回收作为有用的可销售的产品。还有些选矿厂分别综合回收了锡石、萤石和重晶石等。

保护环境是当代的重要课题，选矿厂在这方面也在不断采取措施解决这个问题。矿石破碎、运输和筛分过程的除尘，不论新、老选矿厂早已普遍装有排风除尘系统。选矿厂排出的污水经过处理后达到排放标准再排放并在生产过程中尽可能地利用回水已为许多先进的选矿厂所考虑和实施。为了消除噪音的危害，国外有的选矿厂把破碎作业装在隔音棚内；有的选矿厂把棒磨机排矿端包围封闭起来，还有各种衬板采用橡胶材料以减少噪音。总之都在力争解决好保护环境的问题。

32. 2. 1. 5　铅、锌精矿的质量标准

铅精矿按铅的品位及杂质含量情况分为七个等级。铅精矿中金、银、铋为有价元素，应报出分析数据。MgO、Al_2O_3 两项杂质作参考指标暂不作交货的依据。铅精矿质量标准分级见表32. 2. 5。锌精矿质量标准分九个等级，列于表32. 2. 6。

表 32.2.5　铅精矿质量标准（YB 113—82）

品　级	铅,% 不小于	杂质,% 不大于				
		Cu	Zn	As	MgO	Al_2O_3
一级品	70	1.5	5	0.3	2	4
二级品	65	1.5	5	0.35	2	4
三级品	60	1.5	5	0.4	2	4
四级品	55	2.0	6	0.5	2	4
五级品	50	2.0	7	协议	2	4
六级品	45	2.5	8	协议	2	4
七级品	40	3.0	9	协议	2	4

注：1. 铅精矿中金、银、铋为有价元素，应报出分析数据；
　　2. 精矿中 MgO、Al_2O_3 两项杂质作参考指标，暂不作交货依据。

表 32.2.6　锌精矿质量标准（YB 114—82）

品　级	锌,% 不小于	杂质,% 不大于				
		Cu	Pb	Fe	As	SiO_2	F
一级品	59	0.8	1.0	6	0.2	3.0	0.2
二级品	57	0.8	1.0	6	0.2	3.5	0.2
三级品	55	0.8	1.0	6	0.3	4.0	0.2

品　　级	锌，% 不小于	杂质，% 不大于					
		Cu	Pb	Fe	As	SiO$_2$	F
四级品	53	0.8	1.0	7	0.3	4.5	0.2
五级品	50	1.0	1.5	8	0.4	5.0	0.2
六级品	48	1.0	1.5	13	0.5	5.5	0.2
七级品	45	1.5	2.0	14	协议	6.0	0.2
八级品	43	1.5	2.5	15	协议	6.5	0.2
九级品	40	2.0	3.0	16	协议	7.0	0.2

注：1. 锌精矿中银、镉、硫为有价元素，应报出分析数据；

　　2. 精矿中 SiO$_2$、F、Sn、Sb 四项杂质作参考指标，暂不作交货依据。

32.2.2　铅、锌多金属矿选矿实例

32.2.2.1　硫化铅锌矿选矿厂

A　凡口铅锌矿选矿厂

a　概况

凡口铅锌矿选矿厂位于广东省内。

凡口铅锌矿于 1968 年建成一个系统并正式投产。于 1984 年完成第二期建设工程。

b　矿床与矿石

该矿床为"沉积—改造型"层控矿床，矿化富集于中上泥盆系的碳酸盐台地相中，矿体形态十分复杂，在空间上呈"瓜藤状"，时大时小，时断时续，分枝复合，形成长为近 1800 米，宽 200~300 米，纵深近 800 米的矿化带。

矿石类型简单，绝大部分为致密块状原生硫化矿石。矿物组分分布比较均匀，垂直分带规律是上部铅锌较富，向下含硫增高并出现单一黄铁矿。主要有价矿物为方铅矿、闪锌矿和黄铁矿，主要脉石矿物为石英、方解石、白云石、绢云母和绿泥石。原矿中含铅为 5.00%，锌为 10.35%，硫为 24.93%，铁为 19.35%，

银为 110 克/吨。

银主要赋存于方铅矿中，其次是在闪锌矿中。主要含银矿物为银黝铜矿、深红银矿。

c　破碎、磨矿和浮选

破碎流程为三段一闭路。粗碎设在坑内，用两台 600×900 毫米颚式破碎机将采出的 −500 毫米矿石破碎至 −180 毫米，再提升至地面，由架空索道运至选矿厂破碎车间。中碎用 φ1650 毫米标准型圆锥破碎机，细碎用 φ2200 毫米短头型圆锥破碎机与筛分机组成闭路破碎，破碎的最终产品粒度为 −15 毫米，送往粉矿仓贮存。

磨矿与浮选有三个系统，每个系统的处理能力为 1000 吨/日。第一次磨矿分为两段，第一段是格子型球磨机与螺旋分级机组成闭路磨矿，分级机溢流浓度为 38%，细度为 67.8% −0.074毫米。该分级机溢流泵到水力旋流器中进行第二段分级，该水力旋流器与溢流型球磨机组成第二段磨矿回路。水力旋流器溢流浓度为 44% 左右，粒度为 82% −0.074 毫米。该溢流经搅拌槽调浆后进入铅粗选。

铅粗选后得出的铅粗精矿进入以水力旋流器与溢流型球磨机组成闭路的再磨矿回路进行再磨，旋流器溢流细度为 90% −0.043毫米，该溢流进入铅精选作业，经四次精选后得最终铅精矿；铅粗选尾矿经一次扫选，扫选尾矿选锌。选锌是两次粗选，三次精选得最终锌精矿，三次扫选得选锌尾矿送去选硫，选硫经一次粗选，一次精选得最终硫精矿，一次扫选得最终尾矿。磨矿、浮选工艺流程见图 32.2.1。

铅、锌、黄铁矿的捕收剂均为丁基黄药，起泡剂均为 2 号油；硫酸锌、石灰为闪锌矿和黄铁矿的抑制剂；硫酸铜为闪锌矿的活化剂，黄铁矿用硫酸活化。除铅第三、四次精选采用 5A 型浮选机外，其余各浮选作业均为 6A 型浮选机。1985 年 1~10 月的选矿生产指标见表 32.2.7，1984 年材料消耗列于表 32.2.8，设备明细表列于表 32.2.9。

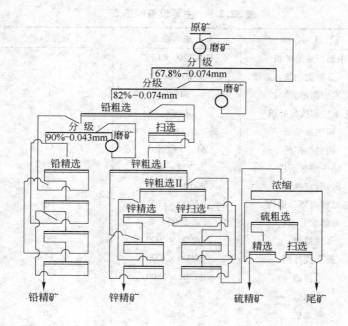

图 32.2.1 凡口选矿厂磨矿、浮选工艺流程

表 32.2.7 选矿生产指标

项 目	品位,%			回收率,%		
	Pb	Zn	S	Pb	Zn	S
原 矿	5.12	11.89	28.25	100.00	100.00	100.00
铅精矿	50.20	4.58		78.83		
锌精矿	1.79	51.36			91.38	
硫精矿	1.16	0.75	46.62			46.85

表 32.2.8 材料、水、电消耗

名 称	硫 酸	硫酸铜	硫酸锌	丁基黄药	2 号油
耗量,kg/t	12.932	0.844	2.447	0.966	0.111

名 称	石 灰	钢 球	水,m³/t	电,kW·h/t
耗量,kg/t	11.123	3.332	10.15	58.94

表 32.2.9 主要设备明细表

设 备 名 称	规 格	数量, 台
中型板式给矿机	HBG1200×1800	2
重型振动筛	1750×3500	1
标准型圆锥破碎机	φ1650	1
短头型圆锥破碎机	φ2200	1
惯性振动筛	2S-2 型 1500×3000	5
圆盘给矿机	φ1500 敞开式	14
格子型球磨机	φ2700×3600	3
溢流型球磨机	φ2100×3000	3
溢流型再磨球磨机	φ1200×1200	1
双螺旋分级机	φ2000	3
搅拌槽	φ2000×2000	20
提升搅拌槽	φ2000×2000	14
搅拌槽	φ1500×1500	3
浮选机	6A	280
浮选机	5A	16
浓缩机	φ30m 周边传动	3
浓缩机	φ24m 周边传动	1
浓缩机	φ18m 周边传动	2
圆盘过滤机	PZG68	12
水环式真空泵	S6-32，SZ-4	16

d 技术沿革

1974～1975 年将铅锌混合浮选后再分离的工艺流程改为优先浮选，铅精矿再磨的无氰浮选工艺流程。与原工艺流程相比，铅精矿品位提高 3.09%，铅精矿中含锌降低 1.86%，铅回收率提高 2.34%；锌精矿品位提高 4.84%，锌精矿中含铅降低 0.17%，锌回收率提高 2.88%。

1976～1978 年改用三段磨矿，铅锌优先浮选，中矿铅锌混合浮选产出部分铅锌混合精矿的选别工艺流程，铅、锌选别的总指标又有所提高。

1980～1985 年改进为高碱度，丁基黄药优先浮选流程，选别指标达到了表 32.2.7 所列的水平。

1985 年该厂引进了库里厄-30 型 X 射线分析仪，可以随时测定铅、锌精矿中主金属含量及杂质含量，提高了浮选操作水平，改善了浮选指标。

B　桃林铅锌矿选厂

a　概况

桃林铅锌矿选矿厂位于湖南省临湘县。该厂 1959 年 12 月第一系统投产，1960 年第二系统投产，1965 年第三系统投产。日处理 4500 吨矿石。1978 年建成铜铅分离系统，开始回收铅精矿中的铜。

b　矿床与矿石

该矿属于中温热液充填矿床，有用矿物富集于蚀变的角砾状石英岩中。矿石类型为硫化矿。

矿石中主要金属矿物为方铅矿、闪锌矿和少量的黄铜矿、黄铁矿；非金属矿物有萤石、绢云母、高岭石、石英、重晶石等。地表部分矿石中有少量氧化铅和次生硫化铜矿物。

矿石的平均地质品位为：铅 1.06%，锌 1.97%，铜 0.09%，萤石（CaF_2）15.77%。

c　破碎、磨矿与浮选

碎矿为三段开路破碎流程，每段破碎前都设有预先筛分。原矿粒度为 -500 毫米，给入棒条筛，+180 毫米的筛上产品进入 15 番型（日本产）旋回破碎机破碎，该粗碎产品与 -180 毫米筛下产品合并给入筛孔为 70 毫米的 1800×3600 毫米惯性振动筛。振动筛筛上 +70 毫米产品给入 φ2100 毫米标准型圆锥破碎机中碎，中碎机的排矿与 -70 毫米的筛下产品合并给入筛孔为 20 毫米的 1800×3600 毫米惯性振动筛筛分，+20 毫米的筛上产品给入 φ2100 短头型圆锥破碎机细碎，其破碎产品与 -20 毫米的筛下产品合并送往粉矿仓储存。三段碎矿的总破碎比为 25。

磨矿、浮选工艺流程比较简单（图 32.2.2）。磨矿采用一段磨矿流程，-20 毫米的原矿从粉矿仓由 600×600 毫米摆式给矿机给入与 φ2400×9065 双螺旋分级机组成闭路的 φ3200×3100 格子型球磨机，分级机溢流浓度为 40%～45%，粒度为 50% - 0.074 毫米。

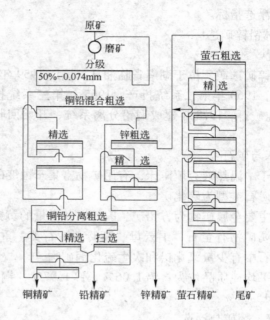

图 32.2.2   桃林选矿厂磨矿、浮选工艺流程图

浮选采用铜铅混合浮选，然后依次选锌选萤石的部分混合优先浮选流程，所得铜铅混合精矿再进行铜铅分离。浮选前在球磨机中加入碳酸钠、硫酸锌、硫代硫酸钠及氰化钠等；在搅拌槽中加入丁基铵黑药，乙硫氮调浆后给入铜铅混合浮选。铜铅混合浮选粗精矿添加硫化钠及丁基黄药、乙基黄药后进行两次精选，所得铜铅混合精矿进入搅拌槽经活性炭脱药，并加入重铬酸钠抑铅浮铜，铜浮选的泡沫经两次精选得铜精矿。铜浮选尾矿经过一次扫选后的尾矿即为铅精矿。

铜铅混合粗选尾矿不经扫选即进入锌浮选前的搅拌槽，在搅拌槽中加碳酸钠、硫酸铜、丁基黄药、乙基黄药调浆后进入锌粗选。锌粗选精矿经两次精选后得锌精矿，锌粗选尾矿不经扫选即自流入搅拌槽。在搅拌槽中加入水玻璃及油酸调浆后进入萤石粗选，其粗精矿经七次精选得萤石精矿，萤石粗选尾矿即为最终尾矿。

铜、铅、锌精矿均采用周边传动式浓缩机浓缩和圆盘真空过滤机过滤的两段脱水流程。萤石精矿除了经上述相同的两段脱水外，再经 $\phi1500 \times 12000$ 毫米圆筒干燥机干燥，包装外运。

选矿生产指标列于表 32.2.10，药剂、材料消耗列于表 32.2.11，主要设备列于表 32.2.12。

表 32.2.10　1984 年选矿生产指标

名　　称	Cu	Pb	Zn	CaF$_2$
原矿品位,%	0.081	0.73	1.6	13.80
各精矿主要成分品位,%	26.27	71.87	53.52	97.81
各精矿主要成分回收率,%	66.71	86.72	89.80	59.69
尾矿品位,%	0.015	0.036	0.18	8.2

表 32.2.11　1984 年药剂、材料消耗

名　　称	钢　球	乙基黄药	丁基黄药	2 号油	硫酸锌
耗量, kg/t	1.89	0.022	0.023	0.061	0.803

名　　称	硫酸铜	氰化钠	硫化钠	油　酸	水玻璃
耗量, kg/t	0.071	0.008	0.019	0.152	0.076

名　　称	碳酸钠	重铬酸钠	硫代硫酸钠	活性炭	丁基铵黑药
耗量, kg/t	1.728	0.028	0.086	0.032	0.033

表 32.2.12　主要设备明细表

设 备 名 称	规格及型号	数量, 台
重型板式给矿机	$B \times L = 1200 \times 8000$	1
旋回破碎机	15 番（日本产）	1
圆锥破碎机	$\phi2100$ 标准型	1
槽式给矿机	750×500	2

设 备 名 称	规格及型号	数量, 台
惯性振动筛	1800×3600	2
圆锥破碎机	$\phi 2100$ 短头型	2
卸矿小车	$B = 1000$	1
摆式给矿机	600×600	13
球磨机	$\phi 3200 \times 3100$ 格子型	3
双螺旋分级机	$\phi 2400 \times 9065$	3
浮选机	6A 型	224
浮选机	3A 型	12
浓缩机	周边传动 BGN-15, BGN-18	4
砂 泵	4SP, 5SP	8
真空过滤机	1/34-2.5/4 圆盘式	7
圆筒干燥机	$\phi 1500 \times 1200$	3
卸包行车	$B = 650$, $L = 13$	1
抓斗式吊车	5 吨	1

d 技术沿革

该厂原设计, 铅、锌均为一次粗选, 两次精选的流程。建矿初期是以露天采矿为主, 矿石氧化率高, 并夹带大量原生矿泥, 矿石可浮性差, 采用原设计流程, 铅、锌精矿质量达不到合格产品标准, 铅、锌回收率在 65% ~ 85% 之间。为提高铅、锌精矿质量和回收率, 于 1960 ~ 1962 年逐步将铅浮选流程改为一次粗选, 两次扫选和三次精选流程; 将锌浮选流程改为一次粗选, 一次扫选和两次精选的流程。改进后的流程, 铅、锌的实际回收率分别由 1960 年的 66. 67%、66. 92% 提高到 1963 年的 82. 71%、86. 26%。

1965 年初, 采矿由露天转为坑内, 矿石的氧化率变低, 选矿指标有所改善, 但仍不够理想, 根据铅浮选流程查定结果确定将铅浮选流程改为一次粗选、一次扫选、两次精选、延长粗选时间; 将锌浮选增加一次精选, 即一粗一扫三次精选流程。进行这些改进后, 铅锌的回收率由 1964 年的 81. 50%、88. 80% 上升到

1965 年的 91.77%、91.95%。药剂耗量比改进前降低了 30%。

70 年代以后，原矿品位逐年下降，为适应原矿性质的变化，将铅、锌浮选的扫选作业全部取消，加强铅、锌的粗选作业，每个系统减少 6A 型浮选机 12 台。萤石浮选由一次粗选、一次扫选、六次精选和二次精选作业尾矿再扫选的流程改为一次粗选、六次精选流程，这样每个系列减少 6A 浮选机 20 台，搅拌槽 2 台，砂泵一台。1970 年改革后与 1964 年比较，铅回收率由 91.13% 提高到 93.52%；锌回收率由 90.37% 提高到 92.44%。

为了回收铜，将用氰化物抑制闪锌矿的铅锌优先浮选流程改为铜铅部分混合浮选流程，增加铜铅分离的一次粗选，一次扫选和两次精选，并于 1978 年 11 月投产。至此该厂除生产铅、锌和萤石精矿外又增加了铜精矿。

选矿厂的自动化水平也不断地提高。球磨机实现了恒定给矿，偏差不大于 0.4 吨/时。该厂研制了一套自动补加钢球的装置。该装置是用皮带秤加装光电转换器，用输出矿量信号控制两个钢球仓的执行机构，按球磨机给矿量成一定比例自动均匀地补加大、中号钢球，从而提高了磨矿效率，稳定了磨矿粒度。1972 年研制成功往复式定时自动取样机，同时配以自制的筛分机，使采取的样品具有较好的代表性。

在新药剂的采用方面，1960 年以前，萤石浮选使用淀粉作脉石抑制剂，1960 年以后，以水玻璃代替淀粉作抑制剂获得成功。1971 年又以丁基铵黑药取代了 25 号黑药，选矿效果良好并降低了选矿药剂成本。在铜铅混合浮选作业用硫代硫酸钠取代了部分氰化物；在锌浮选作业用甘苄油代替 2 号油作起泡剂，降低了药剂用量，均取得了比较好的选矿效果。

C　黄沙坪铅锌矿选矿厂

a　概况

黄沙坪铅锌矿选矿厂位于湖南省内。选矿厂距出矿坑口 2.6 公里。选矿厂于 1967 年投产，生产铅、锌、硫三种精矿产品。1983 年扩建的选矿厂，1984 年上半年建成投产。

b　矿床与矿石

黄沙坪铅锌矿属于中深条件下的高温到中温热液矿床。矿床工业类型属碳酸盐岩石中的裂隙充填和交代矿床。矿体多产于火成岩和石灰岩接触带附近或破碎带中，在火成岩、灰岩和页岩中均有存在，但主要富集于灰岩中。

矿石构造以致密块状为主，其次为浸染状，角砾状，细脉状和条带状等。全矿区构造裂隙发育，主矿体一般为大断层所控制，围岩蚀变现象繁多，其中与选矿关系最大的是高岭石化和碳酸盐化两种。由于酸性水的作用，促进围岩泥化，因此在矿区的裂隙发育地区，形成一部分对浮选不利的原生矿泥。其次，在破碎的角砾岩地带，炭质富集较为严重，且这些地带是主要矿体的富集地区，在矿体的开采过程中难免将炭质岩石混入矿石中。

矿石中主要金属矿物有方铅矿、铁闪锌矿、纤维锌矿、黄铁矿、黄铜矿等；主要脉石矿物有石英、方解石、萤石、绢云母和绿泥石等。该矿石属于中、细粒不均匀嵌布，硫化矿物之间共生密切。

矿石中主要有价元素含量：铅 3.6%，锌 6.6%，铜 0.21%，硫 17.29%，铁 16.46%。原矿石密度 3.45 克/厘米^3，硬度 $f=4 \sim 6$。

c　破碎、磨矿和浮选

破碎流程为三段一闭路流程。选矿厂扩建后，破碎能力已从原设计的 1000 吨/日提高到 2000 吨/日。粗碎用一台 600×900 毫米的颚式破碎机，破碎后的产品给到筛孔为 15 毫米的 1250×2500 毫米双层振动筛，筛下产品送粉矿仓，筛上产品给入 ϕ1750 毫米圆锥破碎机进行中碎。中碎产品给到 1500×3000 毫米单层振动筛进行筛分，筛孔为 15 毫米，筛上产品给入 ϕ1200 毫米圆锥破碎机进行细碎，筛下产品运入粉矿仓。

磨矿与浮选共有新、老两个系统，其流程结构相近。老系统的破碎磨矿、浮选工艺流程如图 32.2.3 所示。

原矿自粉矿仓由 600×600 毫米摆式给矿机给入 ϕ2700×3600 毫米格子型球磨机，球磨机与螺旋分级机组成闭路磨矿。在球磨机中添加 25 号黑药。磨矿粒度为 65% -0.074 毫米。

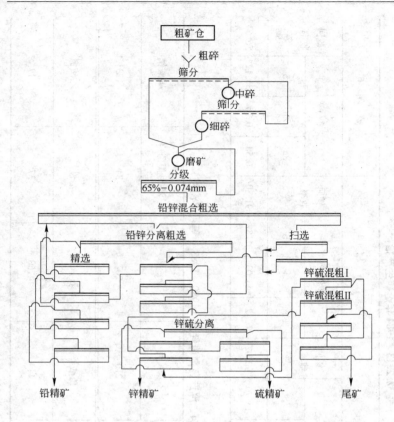

图 32.2.3 黄沙坪选矿厂破碎、磨矿、浮选工艺流程图

浮选采用等可浮流程。原矿浆不加任何抑制剂和调整剂，只加捕收剂和起泡剂就进行以铅为主的混合浮选，其泡沫产品添加石灰、硫酸锌抑制闪锌矿和黄铁矿、浮选方铅矿。铅浮选得出的粗精矿经四次精选后得含铅 70% 以上的铅精矿。铅、锌混合粗选后经两次扫选的尾矿进行锌硫混合浮选；锌硫分离经一次粗选，两次精选，两次扫选得锌精矿和硫化铁精矿。锌、硫经两次混合粗选和两次混合扫选后得最终尾矿。

选矿生产指标见表 32.2.13，浮选药剂消耗量列于表 32.2.14，选矿厂主要设备列于表 32.2.15。

表 32.2.13　1984 年选矿生产指标

原　矿			铅　精　矿				锌　精　矿				硫　精　矿			
品位,%			品位,%			铅回收率,%	品位,%			锌回收率,%	品位,%			硫回收率,%
Pb	Zn	S	Pb	Zn	S		Pb	Zn	S		Pb	Zn	S	
3.21	5.48	15.39	72.67	2.56	15.70	90.02	0.82	44.03	31.82	91.80	0.50	0.76	36.12	56.64

表 32.2.14　浮选药剂消耗量（1980～1983 年等可浮流程）

名　称	乙基黄药	丁基黄药	2 号油	25 号黑药	碳酸钠
耗量, g/t	183	210	207	34	1231

名　称	硫酸铜	硫酸锌	石　灰	活性炭	乙硫氮
耗量, g/t	468	449	14760	37	17

表 32.2.15 主要设备明细表

设 备 名 称	型 号	规 格	数量, 台
双斗式翻车机	轨距 600mm	$1.2m^3$	1
中型板式给矿机	HBG	1000×3000	1
颚式破碎机	复摆式	600×900	1
电动单梁吊车		$Q = 10t$	
圆锥破碎机	标准型及短头型	$\phi 1200$	各 1
中型圆锥破碎机	中 型	$\phi 1750$	1
双层振动筛	2ZS-1 型	1250×2500	1
单层惯性振动筛	2S-2	1500×3000	1
摆式给矿机		600×600	6
球磨机	格子型	$\phi 2700 \times 3600$	2
球磨机	格子型	$\phi 2100 \times 2200$	1
双螺旋分级机	高堰式	$\phi 2000 \times 8400$	2
单螺旋分级机	高堰式	$\phi 2000 \times 8400$	1
桥式起重机	桥 式	15t/3t $H = 12$ $L = 13.5$	1
球磨机		$\phi 900 \times 1500$	1
浮选机	XJK-2.8		106
浮选机	XJK-1.1		13
浓缩机	中心传动式	$\phi 12000$	1
浓缩机	周边传动式	$\phi 18000$	
圆盘过滤机	圆盘式	PZG27-1.8/6	1
圆盘过滤机	圆盘式	PZG34-2.5/4	1
圆盘过滤机	圆盘式	PZG58-2.7/6	1
圆筒折带式过滤机	圆筒折带式	$20m^2$	3
浓缩机	周边传动式	$\phi 24000$	1

　　铅精矿脱水用一台 $\phi 18000$ 毫米周边传动式浓缩机和 58 米^2 圆盘过滤机；锌精矿脱水用 $\phi 18000$ 毫米周边传动式浓缩机和 $\phi 12000$ 毫米中心传动式浓缩机各一台，27 米^2 和 34 米^2 圆盘过

滤机各一台。硫精矿脱水采用 φ24000 毫米周边传动式浓缩机和 20 米² 折带式过滤机各一台。

d 技术沿革

该厂自 1967 年正式投产以来，对选矿工艺流程进行了四次重大改革。1966 年试用过两段磨矿、铅锌硫全浮选流程；1967 ~ 1968 年改用铅锌部分混合浮选、尾矿选硫、铅锌混合精矿再分离的流程；1969 ~ 1971 年采用了一段磨矿、铅锌硫全浮选流程；1971 年改进为等可浮流程，沿用至今。多年来生产实践表明，等可浮选矿工艺流程适合黄沙坪矿的矿石性质。

1977 年在等可浮流程的基础上实现了无氰浮选。经过八年生产实践表明，去除氰化物后，仅增加少量硫酸锌，就可使各项生产指标均达到较好的水平。铅精矿含铅由 62.54% 提高到 63.25%，含锌由 4.61% 下降到 3.76%，铅回收率提高 2.18%；锌精矿含锌由 43.96% 上升至 44.46%，锌回收率提高 1.37%；浮选药剂成本从 3.67 元/吨降至 3.40 元/吨。

增加铅精选次数对提高铅精矿质量产生了明显的效果。将三次铅精选改为四次铅精选后，铅精矿品位由 63.42% 提高到 67.69%，铅精矿含锌也减少 0.71%，相应地提高锌回收率 0.89%。

在铅锌分离回路中用乙硫氮代替黄药，可在高碱度下进行铅锌分离，这样有利于操作稳定，使铅精矿品位由 68.57% 提高到 70.87%。

D 佛子冲铅锌矿河三选矿厂

a 概况

佛子冲铅锌矿河三选矿厂位于广西壮族自治区内。该厂于 1968 年 3 月建成投产。原设计为日处理原矿石 200 吨。

b 矿床与矿石

河三铅锌矿床，属矽卡岩型高、中温热液交代多金属硫化矿床。矿石构造以致密块状、浸染状为主，条带状次之。

主要金属矿物有方铅矿、铁闪锌矿、闪锌矿、磁黄铁矿，还有少量的黄铁矿、黄铜矿。矿石中赋存有金、银和镉等。脉石矿物以透辉石为主，其次为方解石、石英。原矿品位：铅3.12%，锌3.12%，铜0.234%，硫5.62%，银52克/吨，金0.10克/吨。

    c 破碎、磨矿和浮选

    矿石破碎采用三段一闭路破碎流程（图32.2.4）。该流程中设有洗矿和手选废石。破碎后的最终产品粒度为 –20 毫米。

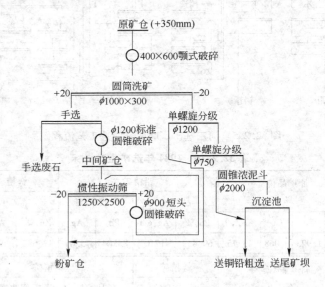

图 32.2.4 河三选矿厂破碎工艺流程图

    ϕ1500×3000 毫米格子型球磨机与 ϕ1200 毫米螺旋分级机组成一段闭路磨矿。分级机溢流粒度为 70% –0.074 毫米。浮选流程为铜铅混合浮选，然后选锌的部分混合浮选流程。铜铅与锌分离是用硫酸锌和氰化钠抑锌浮铜铅，铜与铅分离采用水玻璃抑铅浮铜。捕收剂全部为丁基铵黑药。

    磨矿、浮选工艺流程见图32.2.5，选矿生产指标见表32.2.16。钢球消耗 0.999 千克/吨，电耗 35.77 千瓦·时/吨，水耗 3.5 米³/吨。主要设备列于表32.2.17。

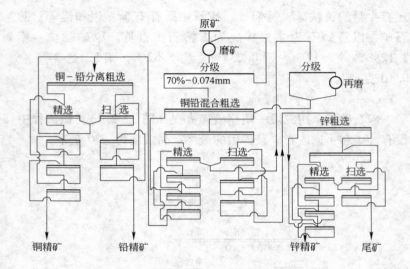

图 32.2.5   河三选矿厂磨矿、浮选工艺流程图

表 32.2.16   1984 年选矿生产指标

原矿品位 %				铅精矿				锌精矿	
				品　位		回收率,%		品　位	
Pb	Zn	Cu	Ag,g/t	Pb,%	Ag,g/t	Pb	Ag	Zn,%	Ag,g/t
1.625	1.923	0.068	43.75	69.459	1710	85.04	75.04	47.695	91.25

原矿品位 %				锌精矿		铜精矿			
				回收率,%		品　位		回收率,%	
Pb	Zn	Cu	Ag,g/t	Zn	Ag	Cu,%	Ag,g/t	Cu	Ag
1.625	1.932	0.068	43.75	87.50	7.18	20.692	1970	24.76	2.13

表 32.2.17   主要设备明细表

设 备 名 称	规　格	数量,台
颚式破碎机	400×600	2
圆筒洗矿机	φ1000×3000	1
单螺旋分级机	φ1200	1
单螺旋分级机	φ750	1
圆锥型浓泥斗	φ2000	1

设 备 名 称	规 格	数量, 台
惯性振动筛	1250×2500	1
标准型圆锥破碎机	$\phi 1200$	1
短头型圆锥破碎机	$\phi 900$	1
格子型球磨机	$\phi 1500 \times 3000$	4
溢流型球磨机	$\phi 900 \times 2700$	1
单螺旋分级机	$\phi 1200$	4
水力旋流器	$\phi 125$	2
搅拌槽	$\phi 2000$	2
搅拌槽	$\phi 1500$	2
搅拌槽	$\phi 1000$	1
浮选机	6A	22
浮选机	5A	11
浮选机	3A	14
浓缩机	$\phi 3600$	1
浓缩机	$\phi 8000$	2
外滤式真空过滤机	$5 m^2$	3

d　技术沿革

该厂原设计为铜铅锌硫全浮选,混合精矿再分离的选别流程。该流程药剂消耗高,在铜与锌分离时还用大量氰化钠(多于 500 克/吨),分离效果不好。除了铅精矿质量较高外,其余指标很不理想,如铜精矿品位只有 6%,其中含铅高达 15%,锌精矿中含铅高达 4% ~ 5%,铅、锌回收率分别为 76.12%、65.52%。为此进行一系列的改进。

第一次流程变革(1969 年 10 月至 1970 年 9 月)

根据各矿物之间自然可浮性差异,将全浮选流程改为铅、铜、锌直接优先浮选流程。改革后,选矿技术指标明显提高,铅、锌回收率分别提高 9.78% 和 8.59%;浮选药剂成本由原来的 8.96 元/吨降至 2.89 元/吨,并回收了铜。但是优先浮铅时,添加了氰化钠、漂白粉,使铜矿受到强烈的抑制,给铜锌分离带来困难。

第二次流程改革(1970 年至 1971 年 5 月)

1970 年将直接优先浮选流程改为铜铅混合浮选,铜铅混合精矿再分离，混合浮选尾矿选锌的部分混合浮选流程。该流程提高了铜的回收率（由24.76%上升至49.15%）。铜、铅、锌精矿质量亦有所提高，药剂消耗降低，氰化钠用量由65克/吨降至5～10克/吨。

流程结构的改进

铜铅混合粗选Ⅰ的第一、二槽泡沫产品含铅大于60%，含锌5%左右，为此将这部分产品由原来进入铜铅精选Ⅰ改为给入铜铅精选Ⅲ。

锌粗选第一槽泡沫含锌48.59%，含铅小于2%，将其由原来给入锌精选Ⅰ改为给锌精选Ⅳ。

为了确保铜铅精选Ⅰ的精矿质量，将铜铅混合精选Ⅰ尾矿由原来返回铜铅混合粗选Ⅰ的第一槽改为返至铜铅混合粗选Ⅱ的第一槽。

1984年1月增加了中矿再磨。当原矿磨矿粒度为70% −0.074毫米时，铜铅混合浮选扫选泡沫及铜铅混合精选Ⅰ的尾矿合并后的产率为40.49%，其粒度为65.5% +0.056毫米，大部分呈连生体状态，其中含铅9.6%，锌26.4%，这是难于分选的中矿，影响选别指标的提高，该中矿经再磨后，使铅、锌、银的回收率比再磨前分别提高了1.74%、2.26%、2.89%，原因是 +0.056毫米粒级含量下降到27.5%，减少了连生体数量所致。

1971年6月开始用丁基铵黑药取代了黄药选铜、铅、锌矿物。生产实践表明，丁基铵黑药不但能选择地捕收铜、铅、银，而且具有起泡性能，药耗少，降低了药剂成本，提高了选别指标。1977年10月开始以柴油代替丁基铵黑药选锌，用4～8克/吨氰化钠取代石灰抑制黄铁矿，效果良好。1970年改为铜铅部分混合浮选流程后，铜铅混合精矿分离是采用重铬酸盐法抑铅浮铜，从1971年开始先后改用水玻璃以及水玻璃与羧甲基纤维素抑铅浮铜进行铜铅分离，获得较好的效果。由于氰化物减少，银的回收率也得到提高。

浮选工艺流程演变前后的选别指标比较列入表32.2.18。

表 32.2.18　浮选工艺流程演变前后的选矿指标比较

流程与药剂	年份	产品名称	产率,%	品位,%			回收率,%			药剂消耗, g/t	药剂成本 元/t
				Pb	Zn	Cu	Pb	Zn	Cu		
全浮混合精矿再分离	1968.3~1969.3	原　矿		3.69	3.73					石灰 9800, 2 号油 70 水玻璃 570 氰化钠 670 黄药 420 硫酸铜 1100 硫酸锌 1920	8.96
		铅精矿		67.06			76.12				
		锌精矿			44.24			65.52			
		铜精矿				0.178					
		尾　矿									
直接优先（铅、铜、锌）	1969.10~1970.9	原　矿		2.97	2.93					黄药 85, 重铬酸钠 12, 石灰 2900, 2 号油 145, 硫酸铜 320, 碳酸钠 140, 硫酸锌 1800, 漂白粉 60, 氰化钠 65, 水玻璃 100	2.89
		铅精矿		66.64			85.90				
		锌精矿			46.90			84.17			
		铜精矿				14.85			24.76		
		尾　矿									
铜铅部分混合浮选黄药作捕收剂	1970.10~1971.5	原　矿		2.87	3.02	0.173				黄药 60 2 号油 160 硫酸锌 700 重铬酸钠 170 石灰 3850 氰化钠 10	1.91
		铅精矿		67.83			86.26				
		锌精矿			48.58			84.81			
		铜精矿				18.53			49.15		
		尾　矿									

续表 32.2.18

流程与药剂	年份	产品名称	产率，%	品位，%			回收率，%			药剂消耗，g/t	药剂成本 元/t
				Pb	Zn	Cu	Pb	Zn	Cu		
铜铅部分混合浮选 丁基铵黑药为捕收剂	1976.1~12	原　矿	100.000	2.187	2.647	0.172	100.00	100.00	100.00	丁基铵黑药 120	1.26
		铅精矿	2.714	69.92	4.01	0.525	86.77	4.11	8.28	2 号油 25	
		锌精矿	5.063	1.62	46.08	0.944	3.75	88.13	27.81	硫酸铜 135	
		铜精矿	0.420	4.58	11.59	21.15	0.88	1.84	51.64	氧化钠 10	
		尾　矿	91.803	0.205	0.171	0.023	8.60	5.92	12.27	重铬酸钠 28	
局部流程结构改进，用柴油选锌	1980.1~12	原　矿	100.000	1.819	2.359	0.111	100.00	100.00	100.00	丁基铵黑药 100	1.084
		铝精矿	2.316	68.48	3.98	0.56	87.19	3.91	11.68	2 号油 10 硫酸铜 120，黄药 2	
		锌精矿	4.468	1.34	46.80	0.74	3.29	88.64	29.79	氧化钠 5	
		铜精矿	0.238	8.75	8.22	21.36	1.14	0.83	45.80	硫酸锌 190	
		尾　矿	92.978	0.164	0.168	0.0152	8.38	6.62	12.73	水玻璃 250 柴油 46	

E　八家子铅锌矿选矿厂

a　概况

八家子铅锌选矿厂位于辽宁省内。该厂 1969 年 1 月建成投产，生产铜、铅、锌、硫四种精矿。银富集于铜、铅、锌精矿中。

入选矿石除本矿采出的矿石以外，还处理外购矿石，1983年外购矿石占年处理矿量的 12.08%。

b　矿床与矿石

该矿床属中温热液充填交代多金属矿床。矿床生成主要受构造控制，多期多段成矿，成矿条件复杂。

矿体中矿物组成复杂，种类较多。主要金属矿物有方铅矿、闪锌矿、黄铁矿及少量黄铜矿、磁黄铁矿、辉钼矿、以黑硫银锡矿为主的银矿物等。主要脉石矿物有方解石、白云石，其次有透闪石、石英、绿泥石等。

矿石结构、构造较为复杂，金属矿物之间密切共生，除黄铁矿为中粗粒嵌布外，其他金属矿物均为粗细粒不均匀嵌布，银矿物则为微细粒嵌布。金属矿物与脉石矿物之间的共生关系很密切，部分金属矿物以星点状分布在脉石中或少部分脉石呈细脉状，树枝状产出于硫化物中。

该矿石中的银，以独立矿物形式存在。其中主要的银矿物有黑硫银锡矿（占银总含量的 79.18%）、自然银（占银总含量的13.72%）、金银矿（占银总含量的 4.66%）、辉银矿（占银总含量的 2.44%）。银矿物主要分布在方铅矿和闪锌矿之间接触边缘上或其他矿物之间的接触边缘上，在方铅矿和闪锌矿之中也占有较大的比例。

原矿品位：铅 2.992%、锌 2.710%、铜 0.392%、银为151.4 克/吨。矿石密度为 2.9～3.2 克/厘米^3。

c　破碎、磨矿与浮选

碎矿用三段一闭路破碎流程。−500 毫米原矿用 1200×5600毫米板式给矿机给入 600×900 毫米颚式破碎机，破碎后的 −150

毫米矿石给入 φ1200 毫米 КСД 中型圆锥破碎机进行中碎， -50 毫米的中碎产品进入筛孔为 15 毫米的 1500×3000 毫米惯性振动筛，筛上产品进入 PYD 短头型 φ1650 毫米圆锥破碎机，细碎机排矿返回到惯性振动筛筛分， -15 毫米筛下产品送粉矿仓。

小于 15 毫米的原矿石用摆式给矿机由粉矿仓给入 φ2800×2300 毫米溢流型球磨机，球磨机与 φ1200×7000 毫米双螺旋分级机构成闭路。粒度为 65% -0.074 毫米的分级机溢流进入另一台 φ1200×7000 毫米双螺旋分级机再行分级，其返砂给入 φ2400×3000 毫米溢流型球磨机进行第二段磨矿，在该磨矿机中加入石灰、硫酸锌、丁基铵黑药、乙硫氮、硫化钠、碳酸钠。该段分级机溢流粒度为 75%~80% -0.074 毫米，溢流自流入搅拌槽，在此添加丁基铵黑药，31 号黑药，亚硫酸调浆后进入铜铅混合粗选I（6A 浮选机一台），铜铅混合粗选I之尾矿添加丁基铵黑药后再进行铜铅混合粗选II（6A 浮选机 5 台），铜铅混合粗选II精矿经 φ350 毫米水力旋流器分级，其沉砂给入 φ2400×2500 毫米溢流型球磨机再磨，再磨机排矿与水力旋流器溢流合并经四次精选（6A 浮选机 4 台，5A 浮选机 3 台），其精矿与铜铅混合粗选I的粗精矿经一次精选的精矿合并作为铜铅分离作业的给矿。

铜铅混合精矿用活性炭脱药，添加亚硫酸和少量重铬酸钠并采用蒸汽加温矿浆至 50~60℃，再加入少量"234"药剂进行铜铅分离粗选，其粗精矿与尾矿分别进行两次精选和两次扫选后，获得铜精矿和铅精矿。

铜铅混合粗选Ⅱ之尾矿添加硫酸锌与丁基铵黑药经三次扫选（6A 浮选机分别为 5、5、3 台）后，其尾矿进入搅拌槽，添加石灰、硫酸铜、碳酸钠、丁基黄药、2 号油调浆后进行锌硫混合粗选（6A 浮选机 6 台）。粗选尾矿经两次扫选（6A 浮选机 6 台），其尾矿即为最终尾矿；粗选精矿经一次精选后进入 φ350 毫米水力旋流器分级，沉砂给入 φ1500×3000 毫米球磨机再磨，再磨排矿与水力旋流器溢流合并作为锌硫分离粗选给矿。

锌硫分离粗选（6A 浮选机 4 台）前添加硫酸铜及丁基黄

药。锌硫分离粗选精矿添加适量的石灰及活性炭经过三次精选
（6A 浮选机分别为 2、1、1 台）获得锌精矿；锌硫分离粗选尾矿
添加少量硫酸铜和丁基黄药，进行两次扫选（6A 浮选机各 4
台），其尾矿为硫精矿。

各种精矿均用浓缩机和圆筒型真空过滤机脱水。过滤后铜精
矿水分为 12.5%，硫精矿水分为 14.2%，铅精矿和锌精矿水分
分别为 9.4% 和 11.7%。

磨矿、浮选工艺流程见图 32.2.6，选矿生产指标列于表
32.2.19，浮选药剂消耗列于表 32.2.20，主要设备列于表
32.2.21。球耗为 1.566 千克/吨，电耗为 55 千瓦·时/（吨·原矿），
水耗 5.3 米³/（吨·原矿）。

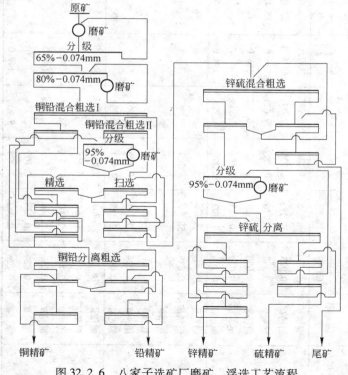

图 32.2.6 八家子选矿厂磨矿、浮选工艺流程

表 32.2.19 1982~1984 年选矿生产指标

年份	产品名称	品位					回收率①, %				
		Cu,%	Pb,%	Zn,%	S,%	Ag, g/t	Cu	Pb	Zn	S	Ag
1982	铜精矿	20.334	6.806	1.434	29.987	3891.0	38.38	0.77	0.13	0.70	4.08
	铅精矿	0.923	57.183	4.926	17.991	3538.0	22.43	83.25	5.70	5.41	47.81
	锌精矿	0.398	1.716	46.092	29.021	634.0	15.45	3.99	85.06	13.93	13.67
	硫精矿	0.050	0.519	0.583	38.381	188.0	6.19	3.81	3.42	58.31	12.87
	尾　矿	0.020	0.185	0.162	2.368	45.0	14.59	8.18	5.69	21.65	18.63
	原　矿	0.108	1.803	2.270	8.725	194.0	97.04	100.00	100.00	100.00	97.07
1983	铜精矿	16.517	9.270	4.704	35.508		46.42				
	铅精矿	0.835	58.512					83.68			
	锌精矿		1.776	45.964					82.50		
	硫精矿									47.70	
	尾　矿	0.024	0.241	0.136	2.162						
	原　矿	0.094	2.118	1.914	6.799		100.00	100.00	100.00	100.00	
1984	铜精矿	16.187	7.731	2.018	35.089	3601.0	56.91				9.12
	铅精矿	0.658	57.683	6.418	16.494	2395.0		82.10			47.16
	锌精矿	0.486	2.003	47.516	28.990	487.0			84.03		12.95
	硫精矿	0.059	0.564	0.523	36.376	145.0				58.57	11.40
	尾　矿	0.024	0.238	0.169	2.254	35.0					19.07
	原　矿	0.126	2.062	2.278	7.850	149.0	100.00	100.00	100.00	100.00	99.70

① 表列回收率为实际回收率。

表 32. 2. 20 浮选药剂消耗量

名　称	硫酸锌	硫酸铜	2 号油	丁基铵黑药	丁基黄药加乙基黄药	石　灰
耗量，g/t	863	183	22	52	90	4226

名　称	活性炭	234 药	重铬酸钠	31 号黑药	亚硫酸
耗量，g/t	153	14	2	18	55000

表 32. 2. 21 主要设备明细表

设 备 名 称	型　号	规　格	数量，台
板式给矿机	ZBG63-4	1200×5600	1
复摆颚式破碎机	CM-16A	600×900	1
惯性振动筛	SZ-4	1500×3000	2
圆锥破碎机	КСД 中型	$\phi 1200$	1
圆锥破碎机	PYD 短头型	$\phi 1650$	1
摆式给矿机			4
皮带给矿机		$B = 500$	6
球磨机	溢流型	$\phi 2800 \times 2300$	1
球磨机	溢流型	$\phi 2400 \times 3000$	1
球磨机	溢流型	$\phi 2400 \times 2500$	1
球磨机	溢流型	$\phi 1500 \times 3000$	2
双螺旋分级机	半沉没式	$\phi 1200$	3
水力旋流器		$\phi 350$	4
搅拌槽	方　型	$1.9m^3$	10
浮选机	XJK-2. 8		8
浮选机	XJK-1. 1		6
浮选机	XJK-0. 35		
浓缩机	中心传动式	$\phi 15000$	2
浓缩机	中心传动式	$\phi 12000$	1
浓缩机	中心传动式	$\phi 10000$	2
圆筒真空过滤机	外滤 $10m^2$	$\phi 2600 \times 1300$	5

d 技术沿革

该厂自投产以来，在磨矿、浮选工艺方面进行多次变革，技术上取得不断进步，从而促进了选矿生产技术经济指标不断提高。

　　原设计为一段磨矿（粒度为55%～60%－0.074毫米）等可浮工艺流程。其流程结构为，等可浮粗选精矿经浓缩脱药后分级、再磨，而后进行铜铅与锌硫分离，继而再分别进行铜-铅及锌-硫分离。该工艺流程仅在1969年1～6月份生产中使用过。

　　1969年6月将等可浮流程改为全浮选流程。该流程浮选操作不易掌握，各产品之间互含损失严重。1973年8月又将全浮选流程改为铅锌部分混合浮选流程。

　　1977年9月将部分混合浮选流程改为优先选铅，然后锌硫混合浮选流程，即在一段磨矿粒度为60%－0.074毫米的条件下选铅，铅粗精矿进入再磨，再磨粒度达95%－0.074毫米，然后进行四次精选得铅精矿；铅粗选尾矿经三次扫选后进行锌硫混选。锌硫混选粗精矿经再磨，再磨粒度为95%－0.074毫米。再磨后进行锌硫分离，获得锌精矿和硫精矿。混合粗选尾矿再经两次扫选后，即为最终尾矿。该流程的选矿生产指标为：铅精矿含铅55.48%，回收率82.51%；锌精矿含锌45.91%，回收率80.85%；硫精矿含硫40.97%，回收率59.73%。

　　上述各种工艺流程均用氰化钠，用量高达80～120克/吨，造成银回收率只有35%左右，铜不能作为合格产品回收，尾矿水含氰离子达0.2毫克/升，超过国标四倍。为此，于1979年1月在铜铅混选采用微氰工艺，并在铜铅分离作业，使用亚硫酸及蒸汽加温矿浆新工艺，其工艺流程如图32.2.7所示。该新工艺经七年多的生产实践证明，分选效果稳定，消除了氰化物对环境的污染（尾矿水含氰离子降至0.002毫克/升）。1979年1月至1980年2月的选矿生产指标：铜精矿含铜23.59%，回收率15.65%；铅精矿含铅56.55%，回收率81.69%；锌精矿含锌45.80%，回收率79.43%；硫精矿含硫38.46%，回收率61.12%；银在铜、铅精矿中的回收率达53%左右，与原工艺流程相比提高了18%，同时回收了原矿中含量仅有0.07%～0.15%的铜，使铅精矿中含金增加1克/吨左右，经济效益显著。

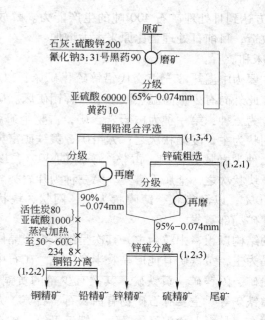

图 32.2.7　八家子选矿厂微氰选矿工艺流程

1，3，4—粗、扫、精选作业次数

（药剂用量单位：g/t）

针对入选矿石粗细不均匀嵌布，尤其是银矿物呈微细粒嵌布的特点，自 1980 年 3 月起改原矿的一段磨矿为两段连续磨矿。磨矿细度由 65% - 0.074 毫米提高到 75% ~ 80%。在浮选工艺条件不变的情况下，各项选矿技术指标均得到不同程度的提高。当原矿品位：铜 0.089%、铅 1.734%、锌 1.859%、硫 6.838% 时，铜精矿含铜 20.57%，铜回收率 35.26%；铅精矿含铅 57.49%，铅回收率 83.48%；锌精矿含锌 46.62%，锌回收率 83.90%；硫精矿含硫 37.66%，硫回收率 59.08%。

F　青城子铅锌矿选矿厂

a　概况

青城子铅锌矿选矿厂位于辽宁省内。选矿厂建于 1938 年，到 1945 年方达到日处理矿石 400 吨的生产能力。解放后几经扩建和设备改造，目前日处理量比原来大大增加。

　　b　矿床和矿石

　　该矿主要为中温热液充填交代铅锌硫化矿床，以交代为主，充填次之。此外尚有少量高温热液矽卡岩辉钼矿床。矿床从赋存条件上可分为三种：第一种为白云岩含矿，占整个矿脉的 60%，以块状、网状为主，浸染状次之；方铅矿、黄铁矿富集而闪锌矿次之。第二种为岩脉类含矿，占整个矿脉的 30%，以网状、浸染状为主，块状次之，金属不富集。第三种为片岩类含矿，占整个矿脉的 10%，以浸染状、薄膜状为主，网状、块状次之；方铅矿、闪锌矿局部富集。

　　矿石的结构以粗、中粒为主，其次呈细粒变形晶体。结晶形状以自形晶为主，黄铁矿有他形晶及半自形晶。矿石中主要金属矿物有方铅矿、闪锌矿、黄铁矿，其次有少量的黄铜矿、毒砂、辉铜矿、磁铁矿等。主要脉石矿物有白云石、石英、方解石、绢云母，其次有正长石、角闪石、辉石、锂云母等。矿石品位：铅 2.57%、锌 1.77%、金 0.5 克/吨、银 60.73 克/吨。

　　c　破碎、磨矿与浮选

　　破碎采用三段一闭路流程，总破碎比为 33。用 600 × 900 毫米颚式破碎机将 –500 毫米的原矿石粗碎到 –20 毫米，粗碎产品给入 800 × 1500 毫米、筛孔为 15 毫米的固定格条筛，筛上产品给入 ϕ1650 毫米标准型圆锥破碎机中碎，筛下产品和振动筛筛下产品一起给入粉矿仓。中碎排矿粒度为 35 毫米，中碎排矿与细碎排矿合并给到 1800 × 3600 毫米自定中心振动筛，筛孔为 15 毫米，筛上产品给入二台短头型圆锥破碎机进行细碎，细碎与振动筛构成闭路，筛下产品给入粉矿仓。

　　该厂有五台 ϕ2400 × 1800 毫米圆锥型球磨机，其中有四台与 ϕ2400 × 8000 毫米耙式分级机构成闭路，一台球磨机与 ϕ2000 毫米高堰式单螺旋分级机构成闭路。球磨机的处理量为 17.5 吨/台·时。分级机溢流浓度为 40% ~ 50%，粒度为 50% – 0.074 毫米。

浮选采用混合浮选流程。有两个系统。一号系统为一次粗选，三次扫选，两次精选，用 6A 型浮选机 21 台，处理三台球磨机的矿浆量。二号浮选系统为一次粗选，两次扫选，一次精选，用 6A 型浮选机 14 台，选别两台球磨机的矿浆量。五台球磨机全部运转时，开两个混合浮选系统，一般只开三台球磨机和一个混合浮选系统。

混合精矿经水力旋流器分级，沉砂给入 $\phi1500 \times 3000$ 毫米球磨机中再磨，粒度为 90% -0.074 毫米的溢流给入铅粗选。选铅作业为一次粗选，三次扫选，四次精选，共用 6A 型浮选机 18 台。一次精选尾矿返回再磨。

铅第三次扫选尾矿进行锌-硫分离。锌硫分离采用一次粗选，三次扫选，四次精选。用 6A 型浮选机 17 台。第四次精选精矿为锌精矿，第三次扫选尾矿为硫精矿。

混合浮选第三次扫选的尾矿为最终尾矿。

铅、锌、硫精矿泡沫分别给入 $\phi9000 \times 2400$ 毫米道尔中心传动浓缩机中脱水。铅、锌精矿经浓缩后分别给入 $\phi1800 \times 1800$ 毫米圆筒真空过滤机过滤。硫精矿进入 $\phi2400 \times 2400$ 毫米圆筒真空过滤机过滤。

磨矿、浮选工艺流程如图 32.2.8 所示，选矿生产指标列于表 32.2.22，1984 年浮选药剂消耗量列于表 32.2.23，主要设备列于表 32.2.24。球耗为 887 克/吨，钢衬板消耗为 138 克/吨，水耗为 4 米^3/吨，电耗为 37 千瓦·时/吨。

表 32.2.22 选矿生产指标（1984 年）

名称	产率,%	品 位				回收率,%			
		Pb,%	Zn,%	S,%	Ag, g/t	Pb	Zn	S	Ag
原 矿	100.00	2.252	1.279	6.137	64.84	100.00	100.00	100.00	100.00
铅精矿	3.44	67.523	1.567	16.032	1304.00	90.42	4.05	3.94	77.47
锌精矿	2.07	0.890	54.295	31.160	185.33	0.82	87.50	4.52	6.17
硫精矿	13.62	0.647	0.442	38.028	46.56	3.91	4.71	73.73	9.69
尾 矿	80.87	0.142	0.071	0.578	5.4	4.85	3.74	7.81	6.67

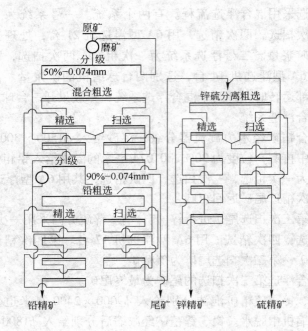

图 32.2.8   青城子选矿厂磨矿、浮选工艺流程

表 32.2.23   浮选药剂消耗量（1984 年）

名　称	硫酸锌	硫酸铜	氰化钠	浮选油	丁基黄药
耗量，g/t	105	138	29	106	77

名　称	钠黑药	活性炭	乙硫氮	石　灰
耗量，g/t	30	87	9	586

表 32.2.24   主要设备明细表

设 备 名 称	规　格	安装动力，kW/台	数量，台
颚式破碎机	600×900	80	1
锁链给矿机	3B	2.5	4
圆锥破碎机	φ1650	150 125 各 1 台 110	3

设 备 名 称	规 格	安 装 动 力，kW/台	数量，台
振动筛	S22 1800×3600	17	2
球磨机	ϕ2400×1800	200	5
球磨机	ϕ1500×3000	147（200Hp）	2
分级机	耙式 2400×8000	14	4
分级机	单螺旋 ϕ2000	20	1
浮选机	6A	13	70
搅拌槽	ϕ1500，ϕ1000	7	7
浓缩机	ϕ9000	4.5	3
圆筒过滤机	ϕ1800×1800	2.2	2
圆筒过滤机	ϕ2400×2400	7	1

d 技术沿革

自 1949 年 7 月恢复生产以来，在破碎、磨矿和浮选的流程方面都有多次的变革，分述如下：

磨矿流程

1952 年由一段磨矿改为两段磨矿流程。球磨机的处理能力由原来的 8.7 吨/（台·时）提高到 12 吨/（台·时）。采用两段磨矿流程时，第一段分级溢流要用砂泵送至第二段分级机，由于矿砂粒度粗，砂泵磨损严重，检修频繁，造成大量矿砂流失，为此，1954 年又改为一段磨矿，采取合理装球措施，使磨矿机的处理能力仍保持两段磨矿的水平。

1958 年选矿厂扩建时，用水力旋流器代替机械分级机。采用两段分级，即球磨机排矿首先经过 ϕ500×1000 毫米转筒筛，该筛安装在球磨机排矿口上，筛孔为 3 毫米，筛上产品用带式输送机返回球磨机，筛下产品进入水力旋流器进行第二段分级，旋流器沉砂返回球磨机，溢流送往浮选。经过生产实践表明，这种流程易于操作，生产过程稳定。

1959 年将 ϕ2400×900 毫米圆锥形球磨机改造为 ϕ2400×1800 毫米的圆锥形球磨机，即将原来球磨机的圆筒部分接长 900 毫米。改造后的球磨机处理能力提高 30%，动力消耗降低 14%。

浮选流程

1951 年以前锌浮选尾矿需经浓缩并添加硫酸后选硫化铁，1951 年的生产实践表明，不浓缩、不加酸浮选硫化铁也获得了较好的指标，从而简化了流程，降低了生产成本。

自 1956 年以来先后进行的改革有：1956 年对铅浮选扫选泡沫进行再磨；1957 年对铅浮选中矿脱药并对中矿进行单独处理；1959～1960 年曾进行过重介质选矿试生产半年之久，后因矿量不足而停止；1961 年 4 月将直接优先浮选流程改为混合浮选流程；1963 年 7 月至 1965 年底对混合精矿进行药剂解吸；1966 年将原来的用浓缩机解吸药剂改用活性炭脱药。混合浮选流程沿用至今。

G　西林铅锌矿选矿厂

a　概况

西林铅锌矿位于黑龙江省内。选矿厂于 1967 年 6 月建成投产。设计规模为日处理原矿量 1200 吨。

b　矿床和矿石

西林矿床属于高中温热液充填的铅锌多金属矿床。主矿体为 1 号矿体，呈透镜状。矿石工业类型有致密块状与浸染状两种，前者占 70%，后者占 15%，其矿物成分列于表 32.2.25。

表 32.2.25　矿石的矿物成分

矿物 主次	金属矿物		脉石矿物
	硫化物	氧化物	
主要的	磁黄铁矿、黄铁矿 闪锌矿—铁闪锌矿、方铅矿	磁铁矿	白云石 方解石
次要的	毒砂、辉铜矿 黄铜矿、白铁矿	菱铁矿 锰菱铁矿	绿泥石
少量的	辉铋矿、脆硫锑铜矿 砷辉银矿、车轮矿	锡石	石英

闪锌矿—铁闪锌矿是矿石中主要锌矿物，与磁黄铁矿、方铅矿、黄铜矿紧密共生。闪锌矿本身不含银，只是其中有银矿物的

细小包裹体存在。方铅矿为矿石中主要铅矿物，以他形粒状集合体分布在闪锌矿和黄铁矿的间隙中或沿闪锌矿裂隙分布或散染于脉石中，方铅矿本身不含银，但由于伴有银黝铜矿、硫锑铜银矿、深红银矿、脆银矿等银矿物的细小包裹体而含银量较高，成为本矿石中银矿物的主要载体矿物。银矿物的扫描电镜定量分析结果及银在各主要矿物中的分布分别列于表 32.2.26 及表 32.2.27。

表 32.2.26　银矿物扫描电镜定量分析结果

矿物名称	化 学 式	元素平均含量,%							合计
		Ag	Sb	S	Cu	Fe	Pb	Zn	
银黝铜矿	$(Cu,Ag)_{10}(Cu,Fe)_2Sb_4S_{13}$	30.92	28.32	21.49	14.68	4.59			100.00
硫锑铜银矿	$(Ag,Cu)_{16}Sb_2S_{11}$	73.45	8.74	10.89	2.35		3.04	1.35	100.00
深红银矿	$3Ag_2S \cdot Sb_2S_3$	59.75	23.74	16.51					100.00
脆银矿	$5Ag_2S \cdot Sb_2S_3$	66.71	19.53	13.75					100.00
锑银矿	Ag_3Sb	78.32	21.16	0.02			0.05		100.00
自然银	Ag	99.86			0.14				100.00

表 32.2.27　银在各主要矿物中的分布

矿物名称	矿物量,%	含银,g/t	银金属量,g	银分布率,%
方铅矿	3.60	1198.00	43.13	67.00
闪锌矿	7.50	78.25	5.87	9.13
磁黄铁矿	26.10	42.01	10.97	17.04
黄铁矿、黄铜矿	4.50	8.99	0.40	0.62
绿泥石	12.40	30.07	3.73	5.79
白云石	19.20	1.42	0.27	0.42
合　计	73.30		64.37	100.00

矿石品位：铅 3.80%、锌 4.37%、硫 22.29%、金 0.267克/吨、银 72.07 克/吨、铜 0.073%。原矿物相分析表明，96.09% 的铅为方铅矿中的铅，93.47% 的锌为闪锌矿中的锌。

c   破碎、洗矿、磨矿与浮选

矿石破碎采用三段一闭路破碎流程。粗碎设在坑内，粗碎机为 600×900 毫米颚式破碎机。粗碎后的 -200 毫米的矿石提升到地面。其破碎、洗矿、磨矿、浮选的工艺流程见图 32.2.9。

浮选得到的铅、锌、硫精矿分别给入 TNZ-12 中心传动式浓缩机进行浓缩。浓缩机底流给到 40 米^2 外滤式真空过滤机过滤。过滤后的铅、锌、硫精矿滤饼水分分别为 8%，11% ~ 13% 和 8%。

选矿厂 1985 年的生产指标及药剂消耗分别列于表 32.2.28 和表 32.2.29。1984 年钢球耗量 1.4 千克/吨，衬板消耗量 95.60 克/吨；选矿厂主要设备列于表 32.2.30。

表 32.2.28   选矿生产指标（1985 年）

名　称	品位，%		回收率，%	
	Pb	Zn	Pb	Zn
原矿	3.93	5.39	100.00	100.00
铅精矿	58.27	6.97	88.81	7.70
锌精矿	1.50	49.12	3.44	84.81
尾矿	0.36	0.475	7.95	7.49

表 32.2.29   浮选药剂消耗量（1985 年）

药剂名称	丁基铵黑药	丁基黄药	乙基黄药	碳酸钠	2 号油	硫酸铜	硫酸锌	氰化钠	石灰
耗量，g/t	22.0	100.0	36.0	246	38	764	778	10	8840

d   技术沿革

该矿自投产以来，为稳定生产和提高铅锌选矿指标所采取的主要措施有如下几方面：

1）增加洗矿措施。由于矿石性质属于易粉碎又易氧化胶结的矿石，加之采矿井下涌水量较大，矿石像糊状和粥状，使选矿厂的破碎和磨矿作业产生极大困难。从原矿仓直到球磨机给矿，

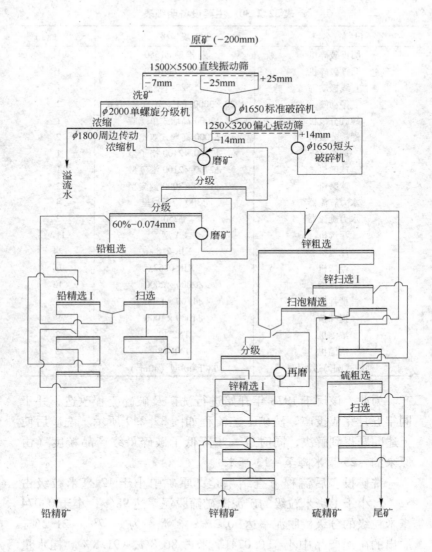

图 32.2.9 西林选矿厂破碎、磨矿、浮选工艺流程

到处冒矿、堵塞、筛孔糊死，破碎机内矿泥结饼、带式输送机上矿石倒流等等。故障时常出现，致使从碎矿到浮选均不能正常生

表 32.2.30   主要设备明细表

设 备 名 称	规 格	数量（台）
圆锥破碎机	标准型 ϕ1650	1
圆锥破碎机	短头型 ϕ1650	1
直线振动筛	SSZ2-7 型	1
振动筛	1220×3000（4′×10′）偏心式	2
螺旋分级机	ϕ2000 高堰式单螺旋	1
螺旋分级机	ϕ2000 高堰式双螺旋	2
球磨机	ϕ2700×2100 格子型	1
球磨机	ϕ2700×2100 溢流型	1
球磨机	ϕ1500×3000 溢流型	2
水力旋流器	ϕ300 铸石衬里	4
水力旋流器	ϕ250	2
浮选机	6A 型	112
浮选机	XJK-2.8	24
浮选机	XJK-0.62	16
搅拌槽	ϕ2000×2000	13
搅拌槽	ϕ1500×1500	4
搅拌槽	ϕ1000×1000	9
浓缩机	TNZ-12	2
浓缩机	TNB-18	3
外滤式圆筒过滤机	TWL-40 型（40m^2）	7

产。为此，该厂于 1978 年开始进行洗矿及破碎流程改造，并于同年五月完成投产。洗矿工艺流程如图 32.2.9 所示。洗矿后使上述问题得到解决，同时进一步降低了破碎最终产品粒度（由原来的 −25 毫米降至 −13 毫米）。

洗矿投产后流程考查结果是：原矿中小于 12 毫米粒级占 52%，小于 1 毫米粒级的矿泥洗矿筛脱泥率达 98%；小于 0.074 毫米粒级的分级机脱泥率达 90.2%；矿泥率为 17.7% ~ 21.2%。脱出的矿泥产品中小于 0.074 毫米占 86.8% ~ 91.8%。耗水量为 0.33 ~ 0.75 米^3/吨原矿。

2）1984 年 5 月光电加药机投入使用。该机加药稳定，调整方便，调整药剂添加量时不直接与药剂接触，开、停车迅速。但小剂量（如2号油）添加不准。

3）1985年7月X-射线萤光在流分析仪投入使用，保证了产品的质量和金属回收率。仅锌精矿的等级合格率就由50%提高到80%~85%。

H　梅根铅锌矿选矿厂（联邦德国）

a　概况

萨赫特莱本（Sachtleben Berabau GmbH）采矿有限公司的梅根（Meggen）铅锌矿，位于德意志联邦共和国鲁尔（Ruhr）地区南部。采矿场生产已有百年历史。这里介绍的是1963年1月投产的选矿厂。

采矿是用无轨设备分段回采，全年矿石产量87万吨，矿石贫化率20%。为降低生产成本，采用重介质预先分选出不含矿的废石，所以浮选厂处理的矿石仅为71万吨/年。

b　矿床与矿石

梅根矿床属于原始沉积岩，产生于泥盆纪年代的石灰岩、硬砂岩和页岩矿化带中。矿床平均厚度3米。

矿石由85%的硫化矿与15%的脉石组成。主要有用矿物是黄铁矿（占67%）、闪锌矿（占16%）、方铅矿（占2%），还有少量白铁矿和痕量的黄铜矿。很细的闪锌矿和方铅矿嵌布于大块的黄铁矿中。脉石主要为硅酸盐矿物。原矿品位：锌8.3%，铅1.2%，硫化铁（FeS_2）65%。

c　碎矿与重介质选矿

原矿在坑内破碎到170毫米后，用两台箕斗提升到3500吨粗矿仓。粗矿仓的排矿经湿式筛分分成 -170 +15毫米，-15 +1.5毫米和-1.5毫米三个级别，前两个级别进入重介质分选。其流程如图32.2.10所示。

重介质分选机有两种型式：一种是维达格（Wedag）型，处理170~15毫米粒级，介质密度为2.95克/厘米^3；另一种是重介质旋流器，用两台处理15~1.5毫米粒级，介质密度为2.75克/厘米^3。维达格分选机使用硅铁为介质；旋流器用硅铁

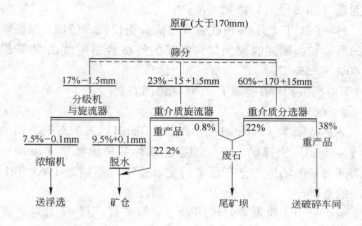

图 32.2.10   梅根选矿厂重介质分选流程图

与经过磨细的磁铁矿，以 2:1 的比例混合作为介质。按原矿计的硅铁与磁铁矿的总消耗量为 135 克/吨。通过重介质预先分选，可以丢弃占原矿量 20% ~ 22.8% 的废石，其中铅锌总含量为 0.2%，含黄铁矿 3%。重介质分选后的重产品含锌 8.87%，铅 1.25%，硫 39.09%。−1.5 毫米的物料用单螺旋分级机与水力旋流器分出 −100 微米矿泥，经浓缩后泵至浮选车间。

170 ~ 15 毫米粒级矿石用两台 4 号西蒙斯（Symons）标准型圆锥破碎机和一台 3 号西蒙斯短头型圆锥破碎机进行二段破碎，第二段与筛子组成闭路。

    d   磨矿与浮选

破碎后的矿石运到两个有效容积为 5500 吨的粉矿仓中，矿仓的料位用 8 个电力提升传动水平控制器测量，以保证矿石从 8 个溜槽中均匀地排出，避免矿石在矿仓中因坡度太陡而离析。矿石用振动给矿机从粉矿仓中排出，其量由自动秤控制。

由于梅根矿石的特点是方铅矿和闪锌矿呈很细的颗粒嵌布在黄铁矿中，因此细磨是搞好分离的前提，但磨矿细度过细则会产生较多的矿泥，给分离带来新的困难，所以采用了三段磨矿三段选别的阶段磨浮工艺流程（图32.2.11）。

第一段磨矿用一台 $\phi4.2\times3.0$ 米棒磨机和一台 $\phi5.5\times3.8$ 米球磨机，棒磨机的排矿筛析如表32.2.31所列。棒磨机采用 $\phi76.2$ 毫米钢棒，棒耗为275克/吨；采用硬镍做衬板，其耗量为20克/吨；能耗为3.5千瓦·时/吨。棒磨机的排矿浓度为

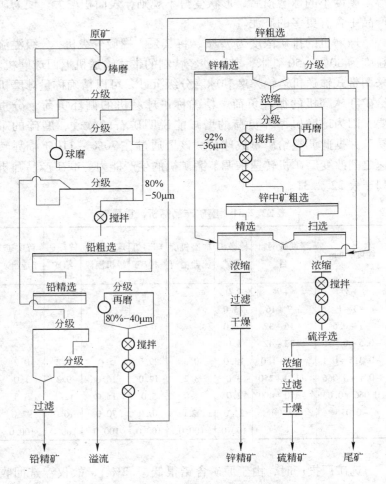

图32.2.11 梅根选矿厂磨矿、浮选工艺流程

80%，该排矿由螺旋分级机和水力旋流器进行两段分级。

占棒磨机给矿量80%的螺旋分级机返砂和水力旋流器沉砂给入球磨机进一步磨矿。球磨机的能耗按新给矿计为 8.5 千瓦·时/吨。磨矿机用橡胶衬板，使用期限为硬镍衬板的两倍。介质采用硬球。其优点是它们即使磨损到几个毫米，还能保持圆形。硬度小的球磨损后，形状变得不规则，表面积增大，使磨矿产品中含有更多的矿泥。

球磨机的排矿浓度为72%，将其泵入螺旋分级机，分级溢流粒度为80%－50微米，其沉砂经特制的带式输送机返回球磨机。采用带式输送机运输棒磨和球磨分级沉砂，可以精确称量球磨机给矿和球磨机的循环负荷。精确称量球磨机的循环负荷十分重要，因为球磨机循环负荷的增减能说明矿石的软硬，磨碎的难易，并据此调整给矿量或球荷。该厂通过在 70%～110% 临界转速之间改变磨矿机转速来调节磨矿机的生产能力。磨矿产品筛析列于表32.2.31。

表 32.2.31   磨矿产品筛析，重量%

粒度，mm	泰勒筛网目目	棒磨机排矿	棒磨机旋流器溢流	球磨机排矿	球磨机分级机溢流	锌浮选给矿	锌中矿浮选给矿
+3	+7	2.0					
－3＋1	－7＋16	23.0					
－1＋0.5	－16＋32	25.0		0.5			
－0.5＋0.315	－32＋42	8.0		3.5			
－0.315＋0.1	－42＋150	13.0	0.8	29.0	5.0	2.2	0.2
－0.1＋0.066	－150＋250	3.0	3.2	12.0	10.0	9.3	1.0
－0.066＋0.036	－250＋400	2.0	4.0	5.0	15.0	12.5	6.8
－0.036	－400	24.0	92.0	50.0	70.0	76.0	92.0
		100.0	100.0	100.0	100.0	100.0	100.0

选矿厂投产时，由于原矿含铅很低(1.2%)，故仅浮选回收锌和黄铁矿。当时锌精矿品位只达48%，这是因为原矿中有10%

很细的胶状黄铁矿可浮性很好，在锌浮选回路中不能被抑制，甚至在 pH 值为 12.4 时，仍和闪锌矿一起上浮。这种胶状黄铁矿是一种黄铁矿与原始结晶的白铁矿的微晶混合物。当增加了铅浮选回路之后，胶状黄铁矿随方铅矿一起浮出，这时锌精矿品位从48% 上升到 51% 而回收率未下降，因而在经济上是合算的。

铅浮选之前，在第一个搅拌槽加氢氧化钠，把 pH 值提高到9.5，在第二个搅拌槽加黑药 242，然后进行铅粗选。铅粗精矿精选三次，经脱水后，即为最终铅精矿。精选尾矿则返至磨矿回路。铅粗选尾矿再磨至80% -40 微米泵到三个串联搅拌槽，加生石灰把 pH 值提高到 12.1，加硫酸铜活化闪锌矿，加戊基钾黄药选锌。这里要指出的是，第一个搅拌槽矿浆搅拌时间需维持 15 分钟，以作为碱化和同时充气的时间，因为充气对锌浮选很重要。不充气浮锌是没有选择性的，充气可以改善锌浮选效果。究其原因，可能是在充气时，黄铁矿颗粒表面形成一层氧化薄膜，这种行为对于黄铁矿是一种附加的抑制剂，也可能是氧活化了闪锌矿。

锌粗选得到的粗精矿精选三次，精选尾矿和扫选精矿合并作为锌中矿，一起泵入锌中矿浓缩机脱水，浓度为 65% 的浓缩机底流再磨至92% -36 微米以后，进入第二段锌中矿浮选回路。锌中矿浮选的特点是将中矿矿浆用蒸汽加热到28℃。将锌中矿浮选所得的粗精矿进行三次精选后产出的锌精矿与第一段锌浮选回路的锌精矿合并为最终锌精矿。第一段锌浮选回路和第二段锌中矿浮选回路所得的两个尾矿合并（含铅 0.6%、含锌 1%），泵入浓缩机脱除大量的碱性水，然后用硫酸将 pH 值调到 5 左右浮选黄铁矿。为了降低硫酸的消耗，在黄铁矿浮选前维持 25 分钟长时间的搅拌是十分必要的。黄铁矿的捕收剂是异丙基钠黄药。全流程药剂消耗量列于表 32.2.32，典型的选矿指标列于表32.2.33。

锌精矿和黄铁矿精矿经过浓缩后，用圆筒型过滤机过滤，随后在回转干燥窑中干燥到含水约为 6% ~8%。由于矿石磨的很细，过滤机滤饼含水较高，约为 15%。

表 32. 2. 32   药剂消耗量

作业名称	铅浮选		锌 浮 选				黄铁矿浮选		
药剂名称	NaOH	黑药 242	CaO	硫酸铜	戊基钾黄药	起泡剂（Flotol B）	硫酸	异丙基钠黄药	中和尾矿CaO
耗量，g/t	2110	1.70	2430	1000	210	8	8900	450	900

表 32. 2. 33   典型选矿指标

项 目	γ，%	品位，%		
		Pb	Zn	S
重介质车间				
尾矿 170~15mm	13.5	0.1	0.1	1.0
尾矿 15~1.5mm	4.5	0.1	0.2	1.5
磨矿机给矿<12mm	71.5	1.25	9.70	41.12
矿泥<120μm	$\dfrac{10.2}{100.0}$	1.01	7.00	22.00
浮 选				
浮选给矿 55μm	82.0	1.22	9.39	38.94
铅精矿<100μm	1.1	33.00	4.00	36.00
锌精矿<100μm	12.7	1.80	56.50	34.00
黄铁矿精矿<120μm	48.4	0.70	1.15	48.00

e 尾矿处理

最终尾矿通过 1.5 公里的管道泵送到标高为 130 米的尾矿池。为了构筑尾矿坝利用了从重介质车间分选出来的 170~1.5 毫米的粗粒废石。由 -4 毫米白云石组成的一个岩石过滤层设于尾矿池的上游，这个过滤层挡住矿泥，使之贮在尾矿池里，但允许渗透一定数量的水。从尾矿池中排出的水，残药未脱尽，依靠在山间溪沟中流动时自然净化。

f 自动检测与控制

梅根选矿厂自动化水平很高，这不但能减少操作人员，而更重要的是能提高精矿品位和回收率。结合梅根矿石复杂的特点，建立了自动检测和控制系统。

粉矿仓设有料位计，通过自动秤控制粉矿仓排矿振动给矿机的速度来控制棒磨机的给矿速度，其准确度约为称量总数的0.5%，这就保证了磨矿和浮选车间的给矿稳定；矿浆浓度测定用放射性同位素铯（Cs^{137}），其放射性活度为 250 毫居里，测量的准确度为小于 0.02 克/升；用控制砂泵池矿浆液面的办法维持旋流器入口压力的恒定。

该厂还设有 pH 值，药剂添加量，矿浆温度、矿浆液面，压力和流速等控制装置。所有的记录器和控制器都在遥控室调节。流程控制盘上展示出所安装的电机和生产过程各种参数的信号灯。遥控室操作工可通过电话系统和工人领班或任何操作工联系。重要部位由工业电视监视。

为了测铅、锌和铁的含量自 1966 年以来已采用了一套西门子 X 射线荧光分析仪。样品是自动取自不同的浮选回路，经过滤、干燥、研磨后进行分析，分析时间是一分钟，每个分析样品从截取到提出分析报告约 20 分钟。X 射线分析的准确度是足够的，锌精矿的分析误差绝对值为 0.05%。

g 技术沿革

上述的铅、锌选矿结果均不理想，尤其是该厂的锌精矿质量下降以及原矿品位逐渐降低，迫使该厂在选铅工艺方面进行了改革。1974 年铅的浮选改用了一种新的工艺。新工艺见图32.2.12。其要点是：在磨矿时就保持高碱度，使 pH 值大于 12，加 390 克/吨异丙基黄药选铅。保持高碱度既能消除黄铁矿氧化所产生的溶盐对极细粒方铅矿所起的抑制作用。又能抑制浮游性能很好的胶状黄铁矿。铅浮选所得的含铅为 10% 的铅粗精矿再添加戊基钾黄药精选三次得最终铅精矿。生产实践表明，这一新的选铅工艺效果良好，而且突破了传统的有关方铅矿浮选的理论，即：当使用黑药"242"或甲酚黑药等浮选铅锌矿时，pH值最高为 9.5，若超过这个限度方铅矿将会失去浮游性能，捕收剂也不会附着在方铅矿表面。这一新工艺被该厂采用后，铅的回收率从 31% 提高到 50%，以后又提高到 54%，同时铅精矿品位

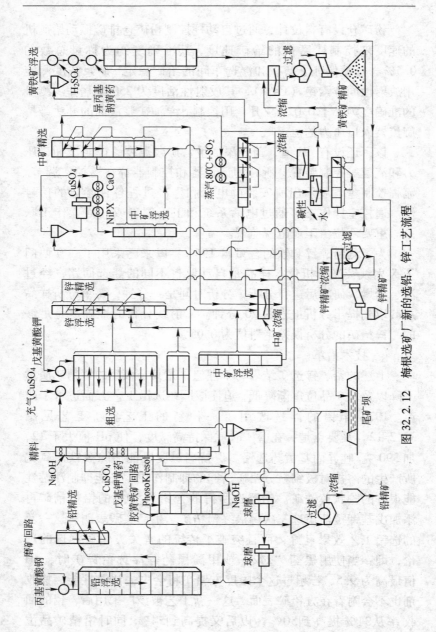

图 32.2.12 梅根选矿厂新的选铅、锌工艺流程

也由 25% ~33% 提高到 50%。

为了消除含量为 10% 的胶状黄铁矿对选锌的影响，在锌浮选之前专门设置了黄铁矿浮选工序，用甲酚黑药将胶状黄铁矿浮出。浮出的黄铁矿粗精矿含有 5% 的锌，将其浓缩脱水，加硫酸铜活化，再从中选锌。通过这一措施锌精矿品位上升到 53.2%。

该矿受到加拿大巴瑟斯特（Bathuist）浮选厂采用热 SO_2 浮选工艺的启示，进行了小型、半工业以及工业试验，试验结果表明，梅根的黄铁矿可以从难分离的浮选产品中分离出来。当 pH 值为 4.6，温度为 80℃ 时，闪锌矿与黄铁矿之间的分选性很好，这是因为温度升高后，SO_2 溶蚀或破坏矿物上吸附的黄药，这一过程对闪锌矿比对黄铁矿进行得要快，并且在矿浆冷却后，若不重新加入捕收剂，闪锌矿是不会浮游的。1976 年 4 月该厂正式使用热 SO_2 浮选工艺（图 32.2.12）。锌精选尾矿和扫选精矿为总的锌中矿，其含锌量为 35% 左右。将该锌中矿进一步选别时，在第一个搅拌槽加入 3.5 千克/吨 SO_2 进行调浆，pH 值定为 4.2，在第二个搅拌槽用蒸汽将温度升到 80℃，然后使矿浆进入 4 台每台容积为 1.5 米³ 的浮选机内进行浮选，泡沫产品进行两次精选。在 SO_2 工序，浮选尾矿即锌精矿，其锌品位为 51%，锌作业回收率为 81%，将此锌精矿与第一段锌浮选获得的含锌 57% 的锌精矿合并，最终获得品位 54.7%，回收率为 91.8% 的锌精矿。新工艺获得的硫精矿含硫为 48%，硫的回收率为 75.0%。

I 芒特·艾萨铅锌矿选矿厂（澳大利亚）

a 概况

芒特·艾萨（Mount Isa）铅锌矿选矿厂位于澳大利亚昆士兰州西北部，距汤斯维尔市 600 公里。在芒特·艾萨联合企业中称 2 号选矿厂。1965 年建成投产。1981 年 8 月扩建后达到日处理矿石量 7750 吨，铅金属年产量增加到 18 万吨。

b 矿床与矿石

矿区发现于 1923 年，矿体厚 1.067 米，宽 2000 米。矿带沉积物由白云石薄层和具有丰富细粒黄铁矿层的火山岩组成。在凝灰岩和碳酸盐、页岩里方铅矿和闪锌矿富集成细长的矿体。主要矿物有方铅矿、闪锌矿、黄铁矿等，矿石品位：铅 7.0%，锌 6.7%，银 173 克/吨。

　　c　碎矿与重介质选矿

　　矿石粗碎设在坑内，碎到 −100 毫米后提升到地面，再采用两段一闭路破碎流程，从 −100 毫米破碎到 −11 毫米。地面破碎系统有两个系列，其中一个系列备用。破碎流程及主要设备如图 32.2.13 所示。

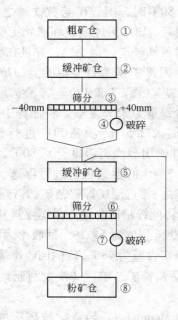

图 32.2.13　芒特·艾萨选矿厂破碎流程

①—粗矿仓：容积 4300t/个；②—缓冲矿仓：容积 135t/个；③—1.53 × 3.66m 艾利斯-查默斯型振动筛；④—φ2.13m 短头型西蒙斯圆锥破碎机，排矿口 20mm；⑤—缓冲矿仓：容积 135t/个；⑥—1.83 × 4.88m 艾利斯-查默斯型振动筛；⑦—φ2.13m 短头型西蒙斯圆锥破碎机，排矿口 8mm；⑧—粉矿仓：容积 17000t

　　破碎车间设有控制室，可以控制主要设备的开、停，并有电视监视。破碎作业的处理量通过选矿厂计算机控制。

1981 年建成重介质分选车间，处理破碎后的矿石，生产预富集的精矿，其产率小于原矿量的 70%，金属回收率在 90% 以上。该车间使原矿石处理量增加到每年 320 万吨以满足每年生产 18 万吨金属的目标。重介质车间的选矿流程如图 32.2.14 所示。

重介质车间由两个平行系统组成。采用 4 台 DSM400 毫米重介质旋流器。加重剂为硅铁和磁铁矿。

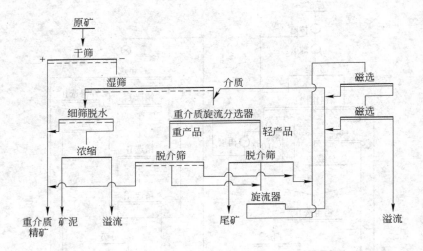

图 32.2.14　芒特·艾萨选矿厂重介质选矿流程

d　磨矿与浮选

该厂采用阶段磨矿、阶段选别的工艺流程（图 32.2.15）。其目的是在粗磨条件下最大限度地回收铅，降低铅精矿中含锌量，提高铅精矿品位；其次是为了使锌矿物更好地单体解离再进一步磨细以提高锌的精矿品位和回收率。

第一段磨矿有 4 个系统，每个系统由一台棒磨机和两台球磨机组成，其处理能力按新给矿计为 80～100 吨/时，磨矿邦德功指数变化于 18.0～20.0 千瓦·时/吨。磨矿粒度为 50%～60% −74 微米。球磨机与两台 D20B 旋流器组成闭路磨矿。棒磨机衬以单波铬钼铸钢衬板，装入 $\phi75$ 毫米低合金碳素钢棒，装棒量占磨矿机容积的 40% ~ 45%。棒磨机以 70% 临界转数运转。球磨机衬以单波硬镍衬板，装入直径为 65 毫米的 700BHN 锻钢球，装球量占磨矿机容积的 45%。球磨机在 72% 临界转速下作业。

第二段磨矿是由两台磨矿机以并联或串联方式组成的。中矿再磨则由两台相同型号的球磨机并联组成。第二段磨矿粒度为 78% -74 微米，中矿再磨粒度为 95% -38 微米。

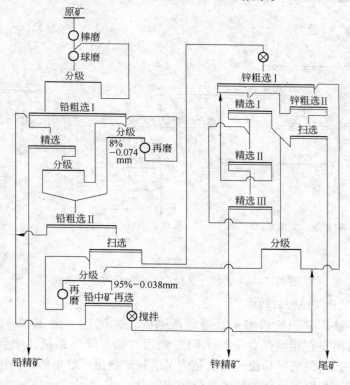

图 32.2.15　芒特·艾萨选矿厂阶段磨矿、阶段浮选工艺流程

铅浮选是在自然 pH 值 8.2 的条件下进行的。作为方铅矿捕收剂的乙基钠黄药加于棒磨机的给矿处。在铅浮选回路中用氰化钠作为闪锌矿和黄铁矿的抑制剂。闪锌矿用硫酸铜活化，用丁基钠黄药捕收。

铅精矿用一台直径为 45 米的浓缩机浓缩后泵送到铅冶炼厂的贮槽中。锌精矿用两台直径为 15.9 米的浓缩机浓缩后泵送到过滤车间的贮槽中，用三台圆筒真空过滤机过滤，滤饼含水为 14%，由铁路运到汤斯威尔，装船前自然风干，其水分为 8%。

铅、锌浮选数质量流程如图 32.2.16 所示，选矿生产指标列于表 32.2.34。磨矿介质和药剂消耗列于表 32.2.35。全厂主要设备列于表 32.2.36。

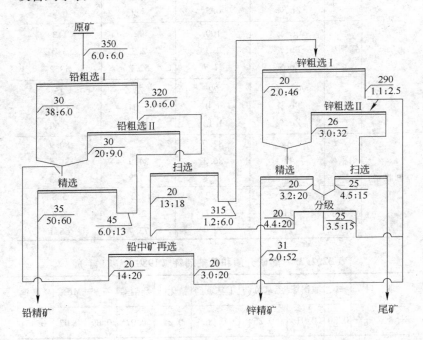

图 32.2.16 芒特·艾萨选矿厂铅、锌浮选数质量流程

e 尾矿处理

选矿厂的尾矿用水力旋流器分级，矿砂用于坑内充填，矿泥用泵送入尾矿浓缩机。为了使浓缩机溢流水澄清，在浓缩机中加入凝聚剂。浓缩机溢流自流到回水缓冲槽，底流送到尾矿池。

f 自动检测与控制

表 32.2.34   选矿厂生产指标

年 份			1978～1979	1979～1980	1980～1981
品位	原矿	Ag, g/t	203	177	155
		Pb,%	7.2	6.8	6.2
		Zn,%	6.1	5.7	6.0
	铅精矿	Ag, g/t	1.468	1.321	1.195
		Pb,%	51.5	50.6	47.7
		Zn,%	6.5	5.9	6.9
	锌精矿	Ag, g/t	100	92	113
		Pb,%	2.3	2.3	3.0
		Zn,%	51.7	52.2	50.2
	尾矿	Ag, g/t	22	23	25
		Pb,%	1.0	1.04	1.11
		Zn,%	1.13	1.03	1.60
回收率,%	铅精矿	Ag	87.0	85.2	80.9
		Pb	86.3	84.9	81.5
		Zn	12.8	11.8	13.3
	锌精矿	Ag	4.2	4.2	5.8
		Pb	2.7	2.7	3.8
		Zn	72.4	73.7	66.1

表 32.2.35   磨矿介质和药剂消耗 （1980～1981 年）

项 目	棒	锻钢球	乙基黄药	丁基黄药	氰化钠	药剂 G	石灰	MIBC	硫酸铜
耗量，kg/t	0.30	0.91	0.25	0.06	0.24	0.07	0.09	0.07	0.45

由中央控制室控制磨矿、浮选、尾矿浓缩站和生产用水系统。磨矿机的给矿速率，加水及泵的运转速度都直接在数字控制之下。矿浆浓度采用核子密度计测量，流量使用电磁流量计测量。浮选回路中的矿浆需要用泵的地方，安装一台变速泵和一台定速泵。变速泵的速度由设在每个泵池的料位测量仪控制。浮选槽充气由气管上的蝶形阀控制。每组浮选槽（4 或 6 台浮选槽）的

表 32.2.36　全厂主要设备表

设　备　名　称	规格、型号	数量 台	安装动力 kW/台
振动筛	1.8×3.6m 单层筛艾利斯-查默斯(Al-lis-Chalmers)	2	2×7.45
第一段短头型圆锥破碎机	φ2.13mXHD 西蒙斯型(Symons)	2	2×233.5
振动筛	1.83×4.88m 单层筛艾利斯-查默斯	4	4×7.5
第二段短头型圆锥破碎机	φ2.13mXHD 西蒙斯型	2	2×233.5
棒磨机	φ2.9×3.66m 马西型(Marcy)	4	4×372
第一段球磨机	φ3.20×4.27m 多米尼恩型(Dominion)	4	4×600
第一段旋流器	D20B 克雷布斯型(Krebs)	16	—
第二段旋流器	D20B 克雷布斯型	16	—
第二段球磨机	φ3.20×4.27m 多米尼恩型	4	4×596
分级机	1.37 阿金斯(Akins)螺旋型	2	
预筛分机(重介质选矿车间)	2.7×7.0m 斯坎科(Schenk)型振动筛	4	
重介质旋流器	DSM400mm-20° 硬镍	16	
重介质回收筛　重产品	2.7×7.0m 斯坎科型(Schenk)	4	
轻产品	2.7×7.0m 斯坎科型	4	
浓缩旋流器	D6BB 克雷布斯型	16	
第一段磁选机	萨拉 WS1224DM	6	
介质稀释旋流器	克雷布斯 D20B	10	
第二段磁选机	萨拉(Sala) WS1224DM	2	
脱水旋流器	瓦曼(Waman)"R"尺寸 20	4	
脱水筛	豪诺特(Honert)BRV122/400	2	
螺旋分级机	瓦曼 SHSer90 1.4m	1	
重介质车间取样机	萨拉 PRC750(Sala)	3	
铅第一段粗选浮选机	阿基泰尔 120-400	16	16×18.5
铅第二段粗选浮选机	阿基泰尔 120-400	24	24×15
铅第一次精选浮选机	阿基泰尔 120-400	8	8×15
铅第一次精选尾矿旋流器	克雷布斯 D10B	8	
铅第二次精选浮选机	阿基泰尔 120-400	8	8×15
铅第三次精选浮选机	阿基泰尔 120-400	8	8×15
铅再磨球磨机	φ2.7×3.7m 多米尼恩型	2	2×372
再磨用旋流器	克雷布斯 D10B	14	
铅再处理粗选浮选机	阿基泰尔 120-400	8	8×15
铅第二次精选尾矿搅拌槽	每台容积 75m³	2	
铅再处理粗选尾矿搅拌槽	每台容积 75m³	2	
锌第一段粗选浮选机	阿基泰尔 120-400	16	16×15
锌第二段粗选浮选机	阿基泰尔 120-400	24	24×15

续表32.2.36

设 备 名 称		规格、型号	数量 台	安装动力 kW/台
锌第一次精选浮选机		阿基泰尔 120-400	8	8×15
锌第一次精选尾矿旋流器		克雷布斯 D10B	13	
锌第二次精选浮选机		阿基泰尔 120-400	8	8×15
锌第三次精选浮选机		阿基泰尔 120-400	8	8×15
精矿浓缩机	铅精矿	威姆科(Wemco)直径 45.7m	2	
	锌精矿	威姆科(Wemco)直径 15.9m	2	
浓缩机		道尔·奥利沃(Dorr Oliver)直径 10.6m	2	

矿浆液面通过设在每组槽末端的降落箱中的垂直箭形阀控制。浮选药剂流量由电磁流量计测量，添加量由控制阀控制。由一台 Honeywell TDC 2000 仪器系统提供浮选充气量和水量、药剂的添加量、泵池的料位以及浮选槽泡沫深度的控制。选矿厂装有一台奥托昆普（Otokumpu）库里厄 300X 射线在线分析仪，它能分析 16 个矿流中的银、铅、锌、铁以及矿浆浓度，以 7 分钟一个循环完成这些分析。分析结果立即显示在彩色电视荧光屏上并贮存，到第七天从贮存器中重新调出资料输入附属在 Hewlett pa-ckard 计算机上的资料存贮盘中。

J 丰羽铅锌矿选矿厂（日本）

a 概况

丰羽矿山位于日本北海道札幌市西南 43 公里丰平河支流白井河的上游。该矿属日本矿业公司。选矿厂建于出矿的竖井附近，1969 年建成投产，处理能力为 60000 吨/月。选矿厂由主厂房和过滤车间两部分组成，浓缩机安装在室外。两处的建筑面积分别为 5050 米² 和 1283 米²，都是平地建厂，厂房为钢结构。

b 矿床与矿石

矿床为浅成热液裂隙充填矿床。其范围为西北—东南 3600 米，东北—西南 1200 米，有 40 余条矿脉。

主要有用矿物有方铅矿、闪锌矿和黄铁矿，伴生有少量黄铜矿、菱锰矿、自然银、辉银矿、磁铁矿和赤铁矿等。围岩有安山岩、泥岩和凝灰岩，并受绢云母化、绿泥石化、硅化和黏土化的作用。脉石矿物有石英、绿泥石、方解石和绢云母等。

矿石中的矿物一般是呈晶体产出，但有很多小晶洞空隙，闪锌矿中含铁为2%～12%，但以2%居多。一部分闪锌矿与黄铁矿、石英共生紧密；方铅矿主要与闪锌矿共生，部分为两者细粒嵌布；黄铁矿的特点是有许多微晶的集合体，由于结晶发育得不完全而易受氧化。含银矿物主要为辉银矿和自然银，也有辉铜银矿、银黄铁矿以及属于 Sb 系和 As 系的银矿物。此外，在黄铁矿和脉石矿物中还含有极细的难于浮选的银。矿石含铅2.62%，锌7.61%，硫12.31%，铜0.02%，金0.3克/吨，银110克/吨。矿石中的矿物含量为黄铁矿22%，闪锌矿9.3%，方铅矿3.2%。

c 破碎、磨矿和浮选

粗碎设在坑内，用颚式破碎机碎到－250毫米提升至地面破碎车间进行中、细碎。经过三段破碎后，最终产品中－16毫米粒级占80%。将粗碎后的矿石用转筒筛和双层振动筛分成＋65、－65～＋20、－20～＋4和－4～0毫米4个级别。＋65毫米和＋20毫米两个级别的矿块进入液压圆锥破碎机中进行中碎，其排矿进入筛孔为18毫米的振动筛筛分；＋18毫米的筛上产品给入短头型圆锥破碎机中进行细碎，其排矿与－18毫米的筛下产品合并给入粉矿仓。双层筛分出来的20～4毫米粒级直接送入粉矿仓；双层筛分出的－4毫米产品给到螺旋分级机分级，其返砂给入粉矿仓，溢流即矿泥，流进贮泥槽（矿泥搅拌槽）贮存，以便定量地送到矿泥浮选系统。

方铅矿、闪锌矿和黄铁矿与脉石矿物的单体解离度达到95%时的粒度，分别为65目、150目、100目。方铅矿和闪锌矿、闪锌矿和黄铁矿之间达到95%单体解离时的粒度，前者是325目，后者是150目。基此，磨矿采用两段磨矿流程，第一段用棒磨机、第二段用球磨机并以螺旋分级机和水力旋流器进行两段分级，即原矿石通过计量带式输送机定量给入棒磨机，棒磨机排矿进入双螺旋分级机，其返砂给入球磨机进行第二段磨矿，球磨机与螺旋分级机构成闭路磨矿。螺旋分级机溢流再给入水力旋流器分级，旋流器沉砂返回球磨机，旋流器溢流浓度为42%，粒度为50% –200目，作为浮选给矿。

磨矿、浮选工艺流程如图 32.2.17 所示。在磨矿回路的旋流器溢流中加入 SO$_2$ 水溶液抑制锌矿物，并将矿浆的 pH 值调到 6.3，再添加黑药 404 捕收剂进行铅粗选。铅粗精矿经过再磨，用苏打灰把 pH 值调到 8.5，再加氰化钠、活性炭和日香 DTP8 号，进行铅精选。

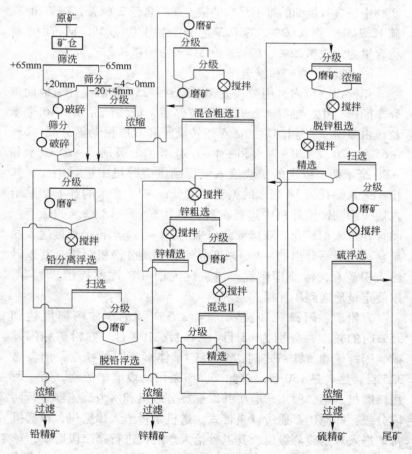

图 32.2.17　丰羽选矿厂磨矿、浮选工艺流程

　　铅粗选尾矿用熟石灰把 pH 值调到 8.5，再添加硫酸铜、3501 号黑药和乙基黄药进行锌粗选，锌粗精矿经过精选后得出含锌约为 60% 的锌精矿。

　　锌浮选尾矿经旋流器脱泥后进行再磨，添加硫酸把 pH 值调整到 5，用乙基黄药选黄铁矿。旋流器脱泥的溢流与选黄铁矿的尾矿合并作为最终尾矿。

　　铅、锌、硫精矿分别浓缩后，再用圆筒真空过滤机过滤。过滤后铅精矿水分约为 7%，锌精矿水分为 8%，硫精矿水分约为 7%。

　　选矿生产指标列入表 32.2.37，主要材料消耗列于表 32.2.38，主要设备列于表 32.2.39。

表 32.2.37　选矿生产指标

类别	产率 %	品　　　位				回收率,%			
		Ag, g/t	Pb,%	Zn,%	S,%	Ag	Pb	Zn	S
原　矿	100.0	109	2.81	8.00	12.10	100.0	100.0	100.0	100.0
铅精矿	3.5	840	70.95			⎫	90.5		
锌精矿	11.1	215		57.72		⎬ 85.2		95.8	
硫精矿	13.5	164			49.16	⎭			34.4

表 32.2.38　主要材料消耗

名　称	碎矿机衬板	磨矿机衬板	钢球 φ30mm	钢球 φ50mm	钢棒 φ70mm	10 号松油	10 号松油（日香牌）	5 号黄樟油
耗量, g/t	26	167	294	353	503	63	25	20

名　称	乙基黄药	戊基黄药	404 号药剂	黑药 3501	日　香 DTP8 号	氰化钠	硫酸锌	硫黄
耗量, g/t	69	4	32	14	14	6	17	133

名　称	硫酸铜	硫　酸	活性炭	熟石灰	碳酸钠	水	电	
耗量, g/t	334	33	44	150	102	3.5m³/t	38.0 kW·h/t	

表 32.2.39　　主要设备明细表（1971 年 8 月）

设 备 名 称	规 格 及 性 能	台数
圆筒洗矿机	ϕ2400 ×3000mm200t/h，110kW	1
振动筛（1 次）	低头式，双层，1500 ×3600mm，70t/h，11kW	1
振动筛（2 次）	低头式，单层，1800 ×3600mm，180t/h，11kW	1
碎矿机（中碎）	1260 号液压圆锥型，ϕ1520mm，180t/h，130kW	1
碎矿机（细碎）	FF-H 短头液压圆锥型，ϕ1830mm，135t/h，170kW	1
分级机(碎矿洗矿系统)	单螺旋，ϕ1650 ×9000mm，24t/h，7.5kW	1
分级机（磨机系统）	双螺旋，ϕ2100 ×13000mm，380t/h，30kW	1
磨矿机	溢流型，ϕ3000 ×3600mm，100t/h，450kW	1
磨矿机	ϕ3000 ×4800mm，80t/h，600kW	1
磨矿机	ϕ2100 ×3000mm，76t/h，150kW	1
磨矿机	ϕ1800 ×3000mm，76t/h，95kW	1
磨矿机	ϕ1500 ×3000mm，65t/h，75kW	1
磨矿机	ϕ900 ×1800mm，3t/h，18.5kW	1
浮选机	瓦曼 48 号，11kW ×6，7.5kW ×56	124 槽
	法连瓦德（Farenward）24 号，11kW ×31	62 槽
	法连瓦德 24 号，改良型 15kW ×12	24 槽
	法连瓦德 21 号，7.5kW ×4	8 槽
浓缩机（ϕ25m）	周边传动 ϕ25.0 ×4.2m，2 台，ϕ25.0 ×5.0m，1 台，2.2kW ×3	3
浓缩机（ϕ18m）	中心传动，ϕ18.0 ×2.7m，1.5kW	1
浓缩机（ϕ13m）	中心传动，ϕ13.0 ×4.0m，2.2kW	1
搅拌槽（ϕ7m）	ϕ7.0 ×6.0m，37kW ×2	2
搅拌槽（ϕ6m）	ϕ6.0 ×6.0m，22kW ×2	2
圆筒真空过滤机 ϕ4.2m	奥利沃型（Oliver），ϕ4.2 ×4.8m，2.2kW ×4，5.5kW ×4	4
圆筒真空过滤机 ϕ2.4m	奥利沃型，ϕ2.4 ×2.4m，1.5kW，3.7kW	1

　　d　尾矿处理

　　尾矿自流入距选矿厂 600 米的泵站，在这里同坑内水、选矿厂污水混合后用瓦曼泵通过直径为 300 毫米的钢管送到离选矿厂约 9 公里外的尾矿池。在尾矿坝上安装了直径为 1200 毫米和

300 毫米两段串联的分级旋流器，尾矿经旋流器分级后，粗砂一部分用于堆坝，一部分用于坑内充填，溢流即放入尾矿池。尾矿池澄清水用直径 400 毫米的管路自流排放到丰平河下游。由于锌精矿的浓缩溢流中含有少量氰离子，添加漂白粉液脱氰处理后排放；坑内水用石灰中和后再混入尾矿中送往尾矿池。

K 沙利文铅锌矿选矿厂（加拿大）

a 概况

加拿大联合矿业有限公司沙利文（ComincoLtd-Sullivan）矿位于珀塞尔（Purcell）山脉东麓，不列颠哥伦比亚省金伯利地区（Kimberley D. C.），矿体露头于 1892 年发现，1923 年在金伯利建成沙利文选矿厂，同年投入生产，当时处理能力为 2500 吨/日。选矿厂几经扩建，到 1945 年的处理能力已达 8500 吨/日；1949 年建成了重介质选矿车间，安装了棒磨机，建成地下破碎车间，铺设一条从地下破碎车间到选矿厂的坑内-地面电力机车运输铁道，使选矿厂的处理能力扩大到 10000 吨/日。目前平均日处理量为 7000 吨，每年处理 240 万吨矿石。

该厂用重介质-浮选-重选联合流程回收铅精矿、锌精矿、硫精矿和锡精矿。此外，还生产硫酸铜供本厂用和外销。

b 矿床与矿石

该矿为前寒武纪泥质石英岩中的交代矿床。矿体为块状、细粒浸染状硫化矿。有经济价值的主要矿物为方铅矿、铁闪锌矿、磁黄铁矿和少量黄铁矿；银是一种重要的伴生元素，它与方铅矿紧密共生；锡以锡石产出。其他次要的金属元素有铋、镉、锑和铟。是一种紧密共生的多金属复杂矿石。

c 碎矿与重介质选矿

破碎作业全部在地下碎矿车间进行。粗碎为两台颚式破碎机，其中一台是 965.2×1219.2 毫米（38×48 英寸）多米尼恩型（Dominion），另一台是 914.4×1066.8 毫米（36×42 英寸）布坎南（Buchanan）型作备用。两台粗碎机的排矿口均为 152.4 毫米（6 英寸）。多米尼恩台时处理量 650 吨。中碎为两台西蒙斯标准型破碎机，排矿口为 31.8 毫米 $\left(1\frac{1}{4}\text{英寸}\right)$，由 183.87 千瓦（250 马力）电动机驱动。破碎后矿石粒度为 40% + 25.4 毫米，送往重介质车间。

重介质选矿车间于 1949 年投入生产。设置该车间的目的是为了适应矿石含硅量的变化。该车间有两台亨廷登（Hnntindon）赫贝莱（Heberleim）型重介质选矿机分选出的轻产品为入选矿石量的 36%。加重剂为一段磨矿后浮选得到的含铅 65% 的铅精矿，其浓度用 γ-射线密度计测量，介质密度为 2.95 克/厘米^3。加重剂的粒度为 55% －200 目。重介质选矿流程见图 32.2.18。

d　磨矿与浮选

磨矿机的给矿由重介质选矿机选出的重产品以及在重介质选矿前预先筛分出的 －4.8 毫米粉矿组成。预先筛分出的粉矿先送到艾金斯（Akins）分级机中进行洗矿，其返砂给入棒磨机，溢流送入 4 台直径 250 毫米克雷布斯旋流器。旋流器的底流给入第一段球磨机，溢流自流入直径 18.3 米浓缩机；浓缩机溢流进入回水系统，底流为铅粗选的部分入料。每天大约有 3000 ~ 3500 吨重产品直接进入一台 $\phi3.5 \times 3.7$ 米棒磨机进行粗磨。

为使大块矿石不进入泵内，棒磨机排矿端装有滚筒筛，筛上物料运出选矿厂堆存。筛下的物料扬至细磨球磨机前的矿浆分配器。由于棒磨机排矿粒度粗，并且要在 65% ~ 70% 的浓度下垂直提升 17.4 米，这是一个难题。为了帮助扬送，将第一段一台球磨机的排矿加入棒磨机排矿池作运输介质。棒磨机装有 $\phi89 \times 3500$ 毫米钢棒，棒耗为 0.138 千克/吨。棒磨机转数为 19 转/分，由 734 千瓦（1000 马力）的电机驱动，衬板消耗平均为 13.62 克/吨，筒体和端部衬板使用期限为三年。

第一段细磨球磨机为 6 台 $\phi3.0 \times 1.2$ 米哈丁球磨机。球磨机排矿粒度组成为 27.5% + 100 目，45.7% + 200 目，54.3% －200 目。磨矿介质为 $\phi50$ 毫米锻钢球，钢耗为 0.233 千克/吨。在 6 台球磨机中，1 台的排矿返回棒磨机，其余 5 台的排矿给入铅粗

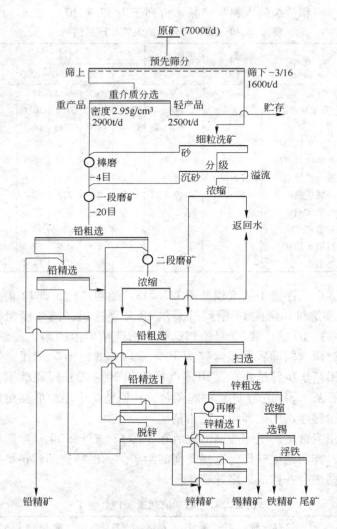

图 32.2.18　沙利文选矿厂重介质选矿、磨矿、浮选工艺流程

选。铅粗选尾矿为第二段细磨球磨机的给矿。锌粗精矿再磨用两台 $\phi 2.4 \times 1.2$ 米哈丁球磨机，钢球直径为 38.09 毫米，再磨粒度为 89.1% –200 目。

磨矿和分级的入料与产品筛析列于表 32.2.40。

表 32.2.40　磨矿和分级的入料与产品筛析

产品名称	处理量 t/d	固体含量 %	网目,%				
			+4	+20	+100	-200	-325
棒磨机给矿	3400		95.9	96.8	98.2	1.3	
重介质细粒产品	1530	24.7	0.8	13.8	31.8	56.1	
磨矿给矿	4930		66.4	71.0	77.6	18.3	
第一段磨矿机给矿	4930			8.5	32.7	46.3	
第一段磨矿机产品	4930	60.2		0.5	24.4	58.1	
第二段磨矿机给矿	10918	54.6		0.2	9.2	78.6	
第二段磨矿机产品	10918	49.8			2.5	89.4	
铅再磨矿给矿					0.3	95.3	
铅再磨矿产品					0.1	98.5	
锌再磨矿给矿					0.8	71.5	58.0
锌再磨矿产品					0.1	74.4	67.9

　　磨矿、浮选工艺流程见图 32.2.18。铅粗选用 5 排 12 槽丹佛 30 号浮选机和两排 14 槽阿基泰尔 48 号浮选机，前 6 槽粗精矿流至两排 10 槽丹佛 30 号铅精选机，扫选精矿返回第二段细磨。铅经过两次精选后得出含锌为 10% ~ 14% 的铅精矿送往脱锌工段。铅精矿脱锌是将矿浆用蒸汽加热到 30 ~ 40℃ 同硫酸铜、黄药、石灰（pH 值为 11）一起调浆，从铅精矿中浮出低品位锌精矿。脱锌浮选尾矿即为最终铅精矿。

　　铅粗选尾矿用硫酸铜活化后在 5 排 12 槽丹佛 30 号浮选机中选锌，锌粗选尾矿作为选锡车间的给矿。三次精选的锌精矿，与脱锌精矿合并构成最终锌精矿。

表 32.2.41　药剂消耗量（1981 年）

名　称	1012 起泡剂	石　灰	硫酸铜	氰化物	黄　药	MIBC
耗量，g/t	5.45	1426	739.6	37.68	70.82	11.35

　　铅浮选回路加氰化物、黄药、石灰（pH 值为 9.5），松油和 MIBC 混合起泡剂；锌浮选回路加硫酸铜、黄药、道弗洛（Dowfroth) 1012 起泡剂，MIBC、石灰（pH 值为 10.6）。药剂消耗量见表 32.2.41。粉状石灰用 25 吨封闭式槽车送来，用压缩空气卸入石灰仓，仓底装有抖动器。石灰由螺旋运输机运入一台 BIF 型石灰熟化器，该熟化器根据需要自动控制开启和用温度控制加水。异丙基黄药以液态罐车运来，卸到选矿厂的容罐里。车中的 25% 黄药溶液是在混合罐中自动稀释到 2.5% 后泵到恒定稳压槽中分配到浮选回路中。氰化钠和道弗洛起泡剂 1012 用桶运来，并分别配成浓度为 10% 和 2.5% 的溶液。硫酸铜溶液就地制备。

选矿厂生产指标详列于表 32.2.42。

表 32.2.42 选矿生产指标

产品名称	处理量 t/d	Ag g/t	含量,%			
			Pb	Zn	Fe	SiO₂
原 矿	6575	50.39	4.74	4.34	21.82	33.8
浮选给矿	4502	72.78	6.84	6.24	29.44	27.4
铅精矿	400	608.37	63.42	4.45	10.11	1.3
锌精矿	510	86.16	6.34	48.63	10.96	1.0
重介质浮出轻产品	2074	1.87	0.18	0.20	5.28	63.6
浮选尾矿	3589	11.20	0.59	0.42	34.23	24.7

总回收率：铅 91.96%，锌 93.13%，银 86.77%

e 锡的回收

锌粗选尾矿含锡约为 0.043%，作为锡回收工段的给矿。其中除含有锡石外，其余主要是磁黄铁矿和硅质脉石。

锡的回收过程是先浮选硫化铁再重选锡石，锡石脱硫后再经重选精选。具体的生产过程如下：

锌粗选尾矿进入回收锡工段后，先经水力分级机和浓缩机脱泥，然后扬至搅拌槽中，加硫酸将 pH 值降至 6.0～6.5，同时加起泡剂 404 和黄药捕收磁黄铁矿和黄铁矿，此作业在两排 14 槽丹佛 30 号浮选机和两排 16 槽 48 号阿基泰尔浮选机中完成。选硫尾矿平均每天有 1700 吨，含锡为 0.07%，它被扬送到 26 台丹佛-巴奇曼（Denver-Buchman）五层自动翻床选锡，其精矿含锡小于 2%，尾矿含锡约为 0.05%。

自动翻床选出的锡精矿送往 4 槽丹佛 18 号浮选机和 4 槽阿基泰尔 48 号浮选机串联进一步脱硫。

脱硫浮选尾矿扬送至一组 6 台精选溜槽精选，使精矿含锡提高到 2.5%。溜槽精选的尾矿再经 4 台溜槽进行精扫选，其精矿返回到精选溜槽，尾矿返到粗选溜槽。精选溜槽精矿在一台水力分级机上分级，再经 4 台戴斯特（Deister）型摇床粗选，其精矿进入 3 台精选摇床；中矿送至 2 台中矿摇床选别，选出的精矿返至精选摇床；矿泥送往一台三层矿泥摇床选别，其精矿送到一台单独的精选摇床。最终摇床精矿含锡约为 40%。

f 硫酸铜车间

硫酸铜车间是科明科公司内部所需硫酸铜的供应者，多余的部分向外销售。供给本选矿厂锌浮选回路所用的硫酸铜为溶液，每升含铜约为 48 ~ 56 克；供给派恩（Pine）、波因特（Point）和特雷尔（Trail）选矿厂的硫酸铜为五水结晶硫酸铜，结晶硫酸铜的纯度为 99.5%。硫酸铜是用特列尔冶炼厂含氧化铜的焙砂与硫酸反应制得。硫酸铜母液用虹吸法吸出，该母液含 $CuSO_4 \cdot 5H_2O$ 约为 600 毫克/升，在两个搅动结晶槽中冷却到约 80℃，用离心机从母液中分离出沉淀晶体。反应器中的浸出渣，采用旋流器洗涤。洗涤回收的液态产品即为本厂使用的硫酸铜溶液。最终残渣用石灰中和、过滤，滤饼与最终铅精矿合并返回特列尔冶炼厂，以回收银、铟和残余铜。

g 精矿脱水

铅精矿扬入一台直径 15 米的浓缩机，浓缩机底流给到过滤机下面的一个贮槽中。贮存的矿浆经过热交换锥，用蒸汽喷吹，提高温度达 40℃。热交换锥的排矿流到两台 $\phi2.4 \times 3.7$ 米的奥列沃圆筒型真空过滤机进行过滤，平均含水为 9.5% 的滤饼，直接送往附近的铁道车辆装载站。精矿在装入铁道车辆之前进行取样，分析金属含量和测定水分。

锌精矿扬入一台直径 15 米浓缩机，底流流入贮槽并用蒸汽加热到 40℃，然后扬至 6 台 φ1.8 ×6 盘的圆盘真空过滤机，滤饼含水为 11.5%，随后送至一台以煤气为燃料的斯特拉塞尔斯威尔斯（Struthers Wells）干燥机，干燥机规格为 φ2.4 ×19.8 米。干燥后的精矿水分为 4.5%。

h　自动检测与控制

1973 年 2 月，该厂安装了一台奥托昆普库里厄 300 型在流 X 射线分析仪，每 6 分钟对 14 个流的样品分析一次。为了使药剂耗量降低和使选矿成绩最佳化，1974 年 11 月装了 IBM/7 计算机系统。吨位计量、粒度分析，浓度和流量等均由各自的仪表输入计算机，至今已有五条回路用于生产，控制着进入浮选回路各个部分的黄药和硫酸铜的添加量。全部浮选过程的 pH 值，铅浮选回路的矿浆液面和空气流量，第三次锌精矿的矿浆温度等亦由计算机控制。

i　尾矿处理

尾矿分为两种，一种含硫化铁高；另一种含硅高。每种在尾矿池中都分别贮存在单独区域内。由于有自然高差，尾矿不需泵送。含硅尾矿中添加石灰使排泄水 pH 值保持在 8.5；硫化铁尾矿池的排泄水呈酸性，pH 值为 3，并溶有大量重金属盐，也用石灰处理。有一部分含硅尾矿池的排泄水，由于符合排放标准，不再进行处理。

j　水和电的供给与消耗

水取自马科克里克（Mak Creek），贮存于选矿厂的高位水池内。每个作业日耗水量平均为 18000 吨。电由设在库特内（Kootenay）和彭多雷（Pend Orelle）河上的水电站供给。每年耗电量为 69342000 千瓦·时，各部分的耗电量列于表 32.2.43。

L　辛克格吕万铅锌矿选矿厂（瑞典）

a　概况

辛克格吕万（Zinkgruvan）位于瑞典南部,离阿斯克松德

表 32. 2. 43　耗电量

作　业	耗量，kW·h/t
破碎、运输和筛分	1.70
磨　矿	11.05
浮　选	7.07
浓缩、脱水和干燥	2.67
照　明	0.30
重介质选别	3.55
锡车间	0.90
供水泵、机修车间和其他	2.28
合　计	28.89

（Askersund）约 14 公里，在瑞典第二大湖韦特恩（Vättern）的北端。

辛克格吕万矿山是比利时矿山协会和维利蒙塔根（Vieille-Montagne）锌公司开办的。年产矿石 60 万吨。选矿厂建于矿山附近，日处理能力平均为 2500 吨。年产锌精矿 11.3 万吨，铅精矿 1.3 万吨。

　　b　矿床与矿石

辛克格吕万矿床是由含有带状硫化矿的变质火山岩、石灰岩和矽卡岩所构成。矿床的范围约为 5 平方公里。有价金属矿物是方铅矿和闪锌矿，矿石平均含锌 8.3%，含铅 1.5%，含银 35 克/吨。其组成矿物的种类及含量列于表 32.2.44。

表 32. 2. 44　矿石的矿物种类及含量

矿物种类	石 英	斜长石	细晶石	矽卡岩	云 母	方解石	闪锌矿	方铅矿
重量，%	25.9	5.2	23.3	22.4	5.2	4.3	12.0	1.7

　　c　碎矿、磨矿和浮选

经粗碎的矿石（粗碎机排矿口为 215～220 毫米）由两台宽 1000 毫米的带式输送机从堆矿场运至自磨机。给矿速率是根据磨矿机的动力和排矿粒度的要求，由控制室手动遥控。

矿石首先在安装动力为 2×1600 千瓦的 6.5×8 米的摩尔嘎谢玛（Morgardshammar）自磨机中进行一段磨矿。自磨机的给矿粒度为 250 毫米。衬以橡胶衬板的自磨机与破碎机和一组旋流器构成闭路。自磨机的排矿经一台筛孔为 8 毫米转筒筛筛分，−8 毫米的筛下产品用泵扬到一组 20 个克雷布斯 D10 旋流器，底流返回自磨机，溢流泵送混合浮选，溢流浓度约为 49%。+8 毫米的筛上产品再给入一台筛孔为 20 毫米的筛子进行再筛分。其中 +20 毫米的砾石根据需要可给入再磨砾磨机作为介质，亦可经破碎后返回自磨机。破碎机有两台：一台西蒙斯 1295.4 毫米 $\left(4\frac{1}{4}英尺\right)$ 短头圆锥破碎机和一台洛扣毛（lokomo）G 610 破碎机。其中一台为备用。自磨机的磨矿浓度为 60% ~65%。

在瑞典斯特罗萨（Strässa）选矿实验室，深入细致的磨矿和浮选试验发现矿石中的闪锌矿在磨矿过程中被活化了。分析其原因是，在磨矿时，由于铅离子释离出来并以类似于铜离子活化作用的方式吸附于锌矿物的表面上而使闪锌矿得到活化。因此，该矿采用了铅锌混合浮选，然后再进行铅锌分离的流程。磨矿、浮选的工艺流程如图 32.2.19 所示。

方铅矿和闪锌矿浮选是以异丙基钠黄药为捕收剂。为了加速闪锌矿的浮选，在扫选中加入了少量硫酸铜。混合浮选的自然 pH 值是 8.5，但是被铅离子活化了的闪锌矿浮选则宜在 pH 值为 7.0~7.5 的范围内进行，为此在混合浮选阶段添加硫酸调节。所用的起泡剂为 MIBC。

在混合浮选回路中，粗选采用 3~5 台阿基泰尔 120 号浮选机，两次扫选采用 15~17 台阿基泰尔 120 号浮选机。混合粗选精矿在一台 3.5×3.8 米，安装动力为 300~350 千瓦的摩尔嘎谢玛磨机中再磨，尔后精选四次，再在分离浮选回路中浮铅抑锌。抑制闪锌矿时，使用硫酸锌，同时把 pH 调到 9~12，以有助于抑制被铅活化了的闪锌矿。分离浮选回路中铅粗选、扫选使用 6 排阿基泰尔 120 号浮选机，铅粗精矿经（2.4×3.6 米）球磨机

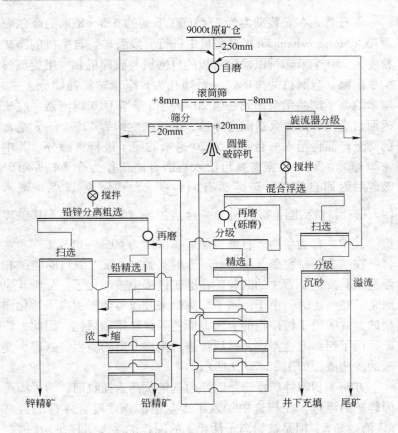

图 32.2.19 辛克格吕万磨矿、浮选工艺流程

再磨后，使用阿基泰尔 60 号浮选机精选五次得最终铅精矿；精
选尾矿即为最终锌精矿。

浮选药剂的耗量及添加地点列于表 32.2.45，选矿生产指标
见表 32.2.46。

d 精矿脱水及尾矿处理

最终精矿经浓缩机和萨拉过滤机脱水。为了便于运输，精矿
尚需干燥。

锌精矿的脱水是比较困难的，其原因是粒度很细，加之在

表 32.2.45 药剂耗量及添加地点

药剂种类	耗量, g/t	添加地点
异丙基钠黄药	165	混合浮选
起泡剂 MIBC	30	混合浮选
硫 酸	660	混合浮选
硫 酸 铜	40	混合浮选扫选
硫 酸 锌	270	铅、锌分离
氢氧化钠	875	铅、锌分离
凝聚剂	2	锌精矿浓缩机

表 32.2.46 选矿生产指标

名 称	产 率 %	品 位,%		回收率,%	
		Zn	Pb	Zn	Pb
原矿石	100.0	8.49	1.48	100.0	100.0
铅精矿	2.0	12.9	63.0	3.0	84.9
锌精矿	15.2	53.05	0.60	95.1	0.2
尾 矿	82.8	0.19	0.16	1.9	8.9

铅、锌分离回路中受到抑制而产生的亲水性质, 结果使真空过滤机的滤饼水分高达 18% ~ 20%。因此, 经直径 10 米的浓缩机和每台面积为 23 米² 的三台萨拉真空过滤机脱水后, 还需用一台燃油干燥机进一步干燥。干燥后的锌精矿含水从 18% ~ 20% 降到 10%。由于环保原因, 燃料油需用含硫低于 0.5% 的一号燃料油。每吨锌精矿干燥消耗的燃料油为 15 升。

上述锌精矿脱水作业费用很高, 故引进了一台 Larox RF25 米² 的压滤机在工业规模上进行连续的压滤试验, 试验结果表明把精矿含水降到 10% 以下是不困难的, 但是精矿水分与压滤机处理能力之间有直接关系, 精矿越干, 能力越低, 需要最佳化操作。

压滤机的能力是由总循环时间确定的, 从泵送矿浆, 加压, 用压缩空气清洗, 压滤机的开、关, 空运转和洗滤布的停滞时间,这样一个正常循环是 10~11 分。

两种脱水方式的生产成本比较列于表 32.2.47。当用常规脱水方式处理很细粒精矿时,采用压滤机是有益的。压滤机还有操作无尘和易于使脱水过程自动化的优点。

表 32.2.47　LAROX 压滤机和圆筒真空过滤机加回转干燥机生产成本的比较

项　目	圆筒真空过滤机加回转干燥机	Larox 压滤机
相对费用	100	40
总成本,%		
工资（包括社会费用）	4.7	21.4
备　件	5.1	35.7
滤　布	1.3	16.4
外部维修	11.0	26.5
燃　料	77.9	—
总　计	100.0	100.0

尾矿由一组克雷布斯 D10 旋流器分成粗、细两部分。可用于坑内充填的粗砂标准是排水速率必须大于 70 毫米/时。细粒尾矿则泵送到离选矿厂 4500 米的尾矿池。

32.2.2.2　硫化铜铅锌矿选矿厂

A　小铁山铜铅锌矿选矿厂

a　概况

小铁山矿位于甘肃省中部。选矿厂于 1980 年 4 月正式投产。原设计规模为日处理 2000 吨矿石。

b　矿床与矿石

该矿属于黄铁矿型铜铅锌多金属复杂硫化矿床,不仅铅锌铜硫的工业储量大,而且伴生有金银及稀散元素,仅金银储量就相当于一个大型的金银矿床。

该矿床产于下古生代变质火山岩系中。含矿围岩为石英角斑凝灰岩。底盘为石英钠长斑岩,顶盘为绿泥石片岩。岩层片理发育，具有紧闭褶皱的特点。在含矿带范围内较为破碎，并且被后期断层和岩脉穿插。

矿区内围岩蚀变比较明显，块状矿体顶部以绿泥石化为主：中间为绿泥石化、硅化；块状矿体下部和浸染矿体中则以绢云母化、硅化发育；另外局部有铁白云石化和重晶石化。

矿石以他形，交代网脉状，交代次生文象状，交代乳浊状等四种构造为主。按照有价矿物和脉石矿物的比例，矿石分为块状与浸染状两种。根据硫化矿床的次生变化，以矿石中最易氧化的方铅矿为标准，又分成三种类型，即氧化矿、混合矿、硫化矿。

矿石矿物组成见表32.2.48，矿石的全分析、试金分析及物相分析分别列于表32.2.49、表32.2.50、表32.2.51。

矿石中各种有价矿物共生紧密，粒度细小，尤其是铜、铅、

表32.2.48 矿石矿物组成

项 目	主要矿物	次要矿物	微量矿物
金、银矿物			银金矿、金银矿自然金、自然银
原生硫化矿物	黄铁矿、闪锌矿方铅矿、黄铜矿	砷黝铜矿、黝铜矿毒砂、白铁矿、胶状黄铁矿、铅锌矿	辉银矿、辉铜银矿、麦金斯特黑矿、硫金银矿、脆硫锑铜矿、螺状硫银矿、硫铜银矿
原生氧化矿物		磁铁矿、金红石	赤铁矿
次生硫化矿物	铜蓝、辉铜矿	斑铜矿、硫砷铜矿	
次生氧化矿物	针铁矿、胆矾、黄钾铁矾、氯铜矿、石膏	锌矾、菱锌矿、彩钼铅矿	赤铁矿、褐铁矿
脉石矿物	石英、绢云母、绿泥石、铁白云石、方解石、斜长石	重晶石、石燧、高岭土	

表 32.2.49　矿石试金分析结果

组成成分	Cu,%	Pb,%	Zn,%	Fe,%	S,%	SiO₂,%	CaO,%	MgO,%
原生矿	0.94	3.794	7.67	15.00	20.00	35.61	0.79	1.75
混合矿	0.87	2.45	3.65	14.10	14.95	42.42	1.85	1.25
氧化矿	0.835	8.10	0.75	20.20	5.10	35.32	1.20	0.24
全区	1.13	3.30	5.17	22.23	19.50	14.48		

组成成分	Al₂O₃,%	As,%	Sb,%	Ba,%	Se,%	Te,%	Ge,%	Ga,%	Cd,%	In,%
原生矿	6.50	0.0916	0.0135	1.90	0.0063	0.0042	0.00027	0.0014	0.0262	0.00092
混合矿	7.80	0.065	0.011	2.42	0.004	<0.0001	0.00015	0.00035	0.024	
氧化矿	4.0	0.1324			0.0054	0.00012		0.00246	0.035	
全区	3.96	0.061	0.04		0.0063			0.0023		0.0007

表 32.2.50　矿石试金分析结果

矿石类型	元素	
	Au, g/t	Ag, g/t
原生矿	1.60	160.0
混合矿	2.50	88.5
氧化矿	5.33	185.0
全区	1.80	94.7

表 32.2.51 矿石物相分析结果

组成相别	铜物相,%				铅物相,%			锌物相,%		
	总铜	原生硫化铜	次生硫化铜	氧化铜	总铅	硫化铅	氧化铅	总锌	硫化锌	氧化锌
原生矿	0.88	0.715	0.155	0.01	3.79	3.50	0.29	7.07	6.855	0.215
混合矿	0.90	0.31	0.51	0.08	2.41	1.86	0.55	3.65	3.18	0.47
氧化矿	0.835	0.043	0.152	0.64	8.18	0.651	7.529	0.73	0.014	0.716

锌矿物一般呈 0.02~0.30 毫米细小矿粒。其中小于 0.074 毫米的铜矿物占 69.15%，方铅矿占 61.8%，闪锌矿占 46.55%。

金银矿物在不同类型矿石中的含量变化很大，详列于表 32.2.52。从表 32.2.53 可见大于 0.043 毫米的金矿物占金矿物总量的 70%，由此可见矿石中金矿物采用重选法回收是可行的。

表 32.2.52 矿石中金、银含量的分布

元 素	Au, g/t		Ag, g/t	
	变化范围	平均含量	变化范围	平均含量
块状铜铅锌矿石	0.4~14.2	3.0~5.0	34.8~729.4	150~300
浸染状铜铅锌矿石	0.1~1.8	0.5~1.0	4.8~319.8	20~80
黄铁矿矿石	0.1~0.7	0.2~0.4	0.9~22.0	1.2~7.5

表 32.2.53 金矿物粒度特性

粒级，mm	分配率,%	
	个 别	累 计
>0.50	1.88	
0.5~0.25	29.04	30.92
0.25~0.074	23.86	54.78
0.074~0.043	15.71	69.95
0.043~0.025	13.40	83.35
0.025~0.01	9.31	92.66
<0.01	7.33	100.00
合 计	100.00	

c　破碎、磨矿和浮选

　　由坑内采出的最大块度为 500 毫米的矿石，采用三段一闭路破碎流程破碎，粒度为 – 12 毫米的最终产品送往粉矿仓。粗碎用 600 × 900 毫米复摆式颚式破碎机，中碎用 φ1650 毫米标准型圆锥破碎机，细碎用 φ1750 毫米短头型圆锥破碎机。粗碎前的预先筛分采用棒条间距为 150 毫米的固定棒条筛，中碎后的矿石经 1500 × 3000 毫米惯性振动筛筛分，该筛与细碎组成闭路。

　　磨矿、浮选工艺流程如图 32.2.20 所示。该厂采用三段磨矿，第一段磨矿分两个系统，第二、三段磨矿合并为一个系统。

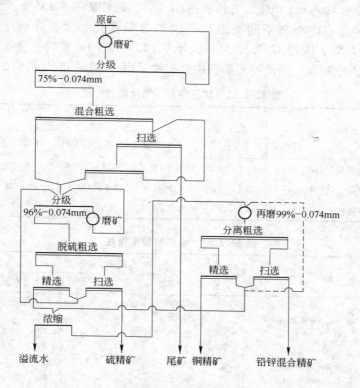

图 32.2.20　小铁山选矿厂磨矿、浮选工艺流程
- - - - ，——为系统分离中矿返回地点

第一段磨矿用两台 φ2700×3600 毫米格子型球磨机，分别与 φ2400 毫米高堰式双螺旋分级机组成闭路磨矿。分级机溢流浓度为 30%，粒度为 70%~75%~0.074 毫米。

第二段磨矿是一台 φ2100×3000 毫米溢流型球磨机，它的入料是两个系列的混合浮选粗精矿及扫选泡沫经一次精选之精矿合并进入旋流器进行预先分级后的沉砂。该磨矿机与旋流器组成闭路磨矿。旋流器溢流浓度为 26%，粒度为 96%-0.074 毫米。

该厂采用铜铅锌硫混合浮选，然后对混合浮选精矿进行分离的流程。

铜铅锌硫混合浮选，用石灰调浆使游离氧化钙达 5.6~22.4 克/米^3，再加丁基黄药 60~80 克/吨和二号油 10 克/吨进行粗选。其尾矿再添加丁基黄药 100~150 克/吨，二号油 10 克/吨进行扫选，扫选尾矿即为最终尾矿。

黄铁矿与铜铅锌的分离，是将混合浮选扫选泡沫进行一次精选后得出的精选泡沫产品与混合浮选粗选泡沫合并经再磨（第二段磨矿），尔后加石灰，使矿浆游离氧化钙含量达到 950 克/米^3 以抑制黄铁矿，用丁基黄药 90~100 克/吨，二号油 5 克/吨粗选铜铅锌，粗选尾矿再加丁基黄药 50 克/吨，二号油 10 克/吨，进行扫选，其槽内产品即为硫精矿。

铜与铅锌的分离是脱出硫化铁的铜铅锌粗选泡沫经一次精选，精选所得泡沫产品经浓缩脱水后再磨（第三段磨矿），在第三段磨矿的球磨机中加硫化钠 600~1000 克/吨，在搅拌槽中加亚硫酸 350.0 千克/吨（含 $SO_2 0.3\%$）抑制铅锌，用丁基黄药 10 克/吨选铜。铜浮选是一精一扫，得铜精矿和铅锌混合精矿。铜扫选时要补加 5 克/吨丁基黄药。

浮选机为 6A 型，共用 120 台。1985 年主要材料消耗及水、电消耗列于表 32.2.54，1985 年选矿生产指标见表 32.2.55。1985 年该厂金、银的选矿指标列于表 32.2.56。

d 技术沿革

由于原来地质工作对金、银没有做详细研究，故原设计也未

表 32.2.54   主要材料及水、电消耗（1985 年）

主要材料消耗量，kg/t					水 耗 m³/t	电 耗 kW·h/t
钢 球	石 灰	丁基黄药	二号油	硫化钠		
2.546	4.702	0.316	0.024	0.354	4.78	4.119

表 32.2.55   选矿生产指标（1985 年）

原矿品位，%				精矿品位，%			
Cu	Pb	Zn	S	Cu	Pb	Zn	S
0.40	2.14	3.43	7.26	8.80	15.81	27.40	29.89

尾矿品位，%				理论回收率，%			
Cu	Pb	Zn	S	Cu	Pb	Zn	S
0.06	0.27	0.39	2.11	51.81	79.75	84.75	20.89

表 32.2.56   金、银选矿生产指标（1985 年）

名　称	金品位，g/t	金回收率，%	银品位，g/t	银回收率，%
原　矿	0.86	100.00	62.0	100.00
铜精矿	7.85	21.49	525.0	20.89
铅锌精矿	3.15	38.94	315.0	54.01
硫精矿	0.98	5.98	32.0	2.71
尾　矿	0.28	23.42	19.35	22.39
重选金精矿	350.0	10.17		

考虑金银的单独选别回收，致使金银在选别过程中流失较多。自
1978 年以来，该厂对地质岩心样重新复查，对原矿中金、银矿
物种类、粒度特性及赋存状态做了较全面的研究，从而得知，原
矿中的金有 95% 呈自然金状态，粒度较粗。"粒间金"、"裂隙

金"相对含量多，而包裹金含量较低。对选矿产品中金的分布状况进行筛析及镜下观察表明：球磨机排矿粒度在 30% ~40% -0.074毫米时，已有87%的金达到单体解离，金矿物粒度大于0.074毫米者占80%左右；浮选尾矿中金的损失率约为30%，其中金矿物粒度大于0.074毫米占50%以上，已单体解离的金占50%以上；单体解离的金往往在磨矿循环中被砸成片状而且表面污染严重，浮选难于回收；硫精矿中金的损失率约为15%，其中金矿物粒度大于0.074毫米占46%，单体解离的金占33%。

由上所述，可见现行的磨浮工艺流程对金的回收效果较差。

为了提高金的回收率，该厂研究制定了重选-浮选联合流程，重选部分的流程如图 32. 2. 21 所示。经工业试验表明，重-浮联合流程比单一浮选流程金的总回收率提高 10%，遂按此流程改造了原流程。

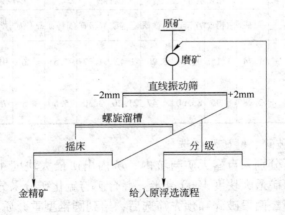

图 32. 2. 21 小铁山选矿厂重-浮联合流程中的
重选流程

B 兹良诺夫斯克铜铅锌选矿厂（苏联）

a 概况

兹良诺夫斯克（Зыряновск）选矿厂位于苏联哈萨克地区。1953 年投产，处理兹良诺夫斯克矿床的矿石。电由石山口城水电站供给，水取自别廖佐夫卡河。

　　b　矿床与矿石

　　该矿处理的矿石为细脉浸染状硫化矿和混合矿。矿床赋存于微晶石英岩和石英-绿泥石-绢云母片岩中。金属矿物主要为方铅矿、闪锌矿、黄铁矿和黄铜矿；其次为磁黄铁矿和黝铜矿。混合矿石中，除上述矿物外，尚有白铅矿、菱锌矿、氢氧化铁、辉铜矿、铜蓝、白铁矿及其他矿物。脉石矿物主要为石英、绢云母、绿泥石和碳酸盐。

　　该矿床的特点是铅、锌、铜含量比较均匀，大致为 1∶1.57∶0.23。矿石的物相分析列于表 32.2.57。

表 32.2.57　矿石物相分析

组成相别	分布,%									
	以铅矿物形式				以锌矿物形式			以铜矿物形式		
	铅矾	白铅矿	方铅矿	铅铁矾	菱锌矿	异极矿	闪锌矿	氧化铜	原生硫化矿	次生硫化矿
硫化矿	1.74	1.15	91.91	5.20	1.42	1.07	97.51	5.6	91.1	3.3
混合矿	2.98	8.95	83.60	4.47	21.20	3.30	75.50	6.5	75.8	17.1

　　c　破碎、磨矿和浮选

　　矿石分别采自露天矿与坑内，坑内出矿最大块度 400 毫米，露天矿出矿最大块度 1000 毫米。混合矿与硫化矿分采分选。

　　矿石经两段破碎和预先筛选后，给到圆锥型重介质选矿机中进行选别。重介质选矿的加重剂为硅铁和磁铁矿，以 3∶1 混合。重介质选出的重产品，在洗出加重剂以后再经圆锥破碎机破碎到 −16 毫米，作为浮选车间给矿；选出的轻产品，一部分作为建筑碎石用，一部分作为坑内充填料。

　　浮选流程是选出铜-铅与锌-黄铁矿两种混合精矿，然后再将混合精矿分别分离成铜、铅、锌和黄铁矿四种单一精矿。铜铅混

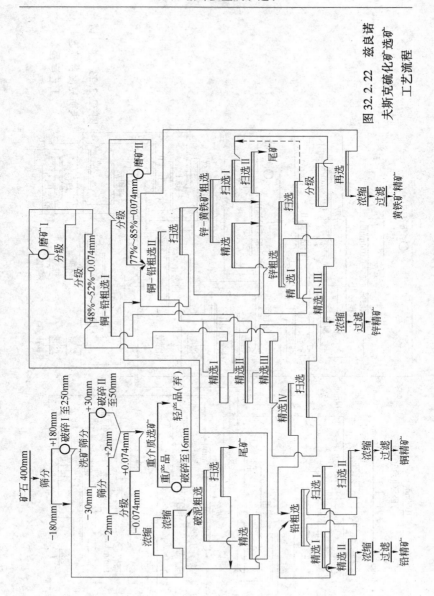

图 32.2.22 兹艮诺夫斯克硫化矿选矿工艺流程

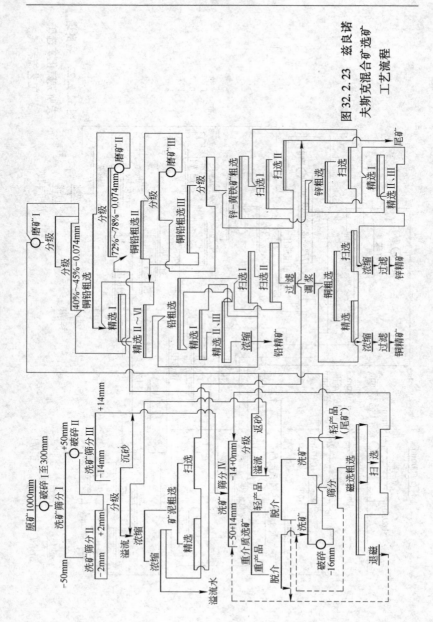

图 32.2.23　兹良诺夫斯克混合矿选矿工艺流程

合精矿分离用氰化法，分离过程很稳定，但不符合现代对环保的要求。为此曾进行过非氰化法-硫代硫酸盐法分离铜铅混合精矿的工业试验，分离后的铜、铅在同名精矿中的回收率分别为82.2%和87.6%。

选矿工艺流程如图 32.2.22、图 32.2.23 所示。选矿厂设备联系图如图 32.2.24 所示。碎矿和磨矿产品粒度特性列于表 32.2.58。重介质分选及洗矿的某些工艺参数列于表 32.2.59。

浮选低硫矿床的混合矿时，在第二段磨矿机中加苏打 500 ~ 1000 克/吨，石灰 0 ~ 50 克/吨调整矿浆 pH 值；分段添加丁基黄药和 T-66 环乙醇起泡剂，总耗量为：丁基黄药 62 ~ 175 克/吨，T-66环乙醇 27 ~ 63 克/吨。

表 32.2.58 碎矿与磨矿产品粒度特性

粒级，mm	产率，%		
	碎 矿	磨 矿	
		I 段	II 段
+25	1.57		
−25 +16	8.89		
−16 +10	36.23		
−10 +6	12.60		
−6 +3	12.85		
−3 +1.6	7.07	0.95	
−1.6 +1.25	1.10	1.30	
−1.25 +0.42	8.7	17.54	0.70
−0.42 +0.21	3.38	15.33	6.16
−0.21 +0.14	1.08	7.01	2.65
−0.14 +0.10	0.89	5.94	8.91
−0.10 +0.074	0.58	3.53	6.53
−0.074	5.02	48.40	74.96

浮选高硫矿床的混合矿时，在第一段磨矿回路的分级机溢流处加 0 ~ 50 克/吨苏打；石灰分段加在铅粗选，锌粗选和锌精选中，总耗量为 22 ~ 155.3 克/吨，硫化钠在第一段磨矿分级溢流

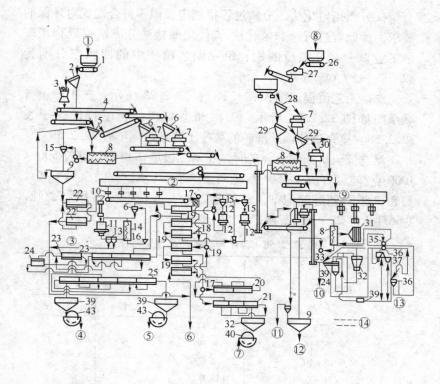

图 32.2.24　兹良诺夫斯克选矿厂设备联系图

1—1800×6000mm 板式给矿机；2—700×1000 条 格 筛；3—格 涅 基 36 号（Кеннеди）旋回破碎机；4—胶带运输机；5—ГТС 型自动平衡筛；6—振动筛；7—КСД-2200 型中碎用圆锥破碎机；8—2КСП-12 型沉没式双螺旋分级机；9—П-30 型周边传动式浓密机；10—闸门漏斗；11—МШР-3200×3100 格子型球磨机；12—МШЦ-2100×3000 中心排矿式球磨机；13—900×900mm 双室跳汰机；14—1КСН-24 型非沉没式单螺旋分级机；15—水力旋流器；16—砂泵；17—搅拌槽；18—ФМР-25 型机械搅拌式浮选机（铜—铅 Ⅰ，Ⅱ 次粗及扫选浮选机）；19—同上型号（锌—黄铅矿粗选及 Ⅰ，Ⅱ 次扫选浮选机）；20—同上型号（锌粗选浮选机）；21—同上型号（锌粗精矿 Ⅰ—Ⅲ 次精选）；22—同上型号（细泥粗、扫选浮选机）；23—同上型号（铜—铅精矿 Ⅰ—Ⅳ 次精选浮选机）；24—同上型号（铜—铅精矿 Ⅳ 次精扫选浮选机）；25—ФМР-10 型机械搅拌式浮选机（铅浮选 Ⅰ—Ⅱ 次扫选，铅精矿 Ⅰ—Ⅱ 次精选用浮选机）；26—2400×12000mm 板式给

矿机；27—1500 × 2100mm 颚式破碎机；28—ГСТ-51 型自动平衡筛；29—1500 ×
3000mm 惯性筛；30—КМД-2200 细碎用圆锥破碎机；31—共振分段筛；32—6000mm
直径圆锥选矿机；33—自动平衡脱水器；34—带有空气升液器的介质稀释漏斗；
35—其他筛子；36—D = 600mm 单圆筒湿式电磁选机；37—矿浆分配器；38—D =
200 脱磁器；39—17-15 型周边传动式浓密机；40—БОУ-40-3 型外滤式筒形真空过滤
机；41—КМД-2200 细碎圆锥破碎机；42—浓介质漏斗；43—瓦利夫-布卡乌
（Вольф-Букау）型 33m² 外滤式筒形真空过滤机：①硫化矿石；②—细碎仓；③—选
金回收系统；④—铅精矿；⑤—铜精矿；⑥—废弃尾矿；⑦—锌精矿；⑧—混合矿
石；⑨—矿仓；⑩—轻部分废弃；⑪—溢流返回；⑫—送第二段铜铅粗浮选；⑬—尾矿；
⑭—图例；----稠介质；---稀释介质和水返回

表 32.2.59　重介质分选及选矿工艺参数

参 数 名 称	指 标
筛分单位面积生产率，$t/(m^2 \cdot h)$	15
筛出 −8mm 粒级产率，%	25 ~ 30
洗矿耗水量，m^3/t	0.3 ~ 0.5
硫化矿分选介质密度，g/cm^3	2.66 ~ 2.68
混合矿分选介质密度，g/cm^3	2.68 ~ 2.7
硫化矿轻产品产率，%	23 ~ 25
混合矿轻产品产率，%	37 ~ 45
硅铁耗量，g/t	140 ~ 150
磁铁矿耗量，g/t	70 ~ 90

处加 10 ~ 30 克/吨，在铅浮选前的搅拌槽中加 3 ~ 15 克/吨，在
铅精选中加 0 ~ 30 克/吨。硫化锌加在铅浮选前的搅拌槽中，用
量为 125 ~ 210 克/吨，氰化钠加在铅精矿精选中，用量为 20 ~
54 克/吨，还分段加了硫酸铜。氯化钙在铅粗选加 50 ~ 90
克/吨，在铅精选中加 0 ~ 10 克/吨。

　　浮选硫化矿时，在第一段磨矿机中加 0 ~ 50 克/吨苏打。石
灰分别加在铅粗选、锌粗选和锌第一次精选中，用量分别为 40，
300 ~ 400，100 ~ 200 克/吨。铜、铅、锌浮选均用丁基黄药为捕
收剂，T-66 环乙醇为起泡剂并分段添加。硫化钠分别加在第一

段磨矿机，铅浮选前的搅拌槽，矿泥混合浮选粗选前的搅拌槽。硫酸铜主要加在铅锌粗选及扫选，锌扫选中。硫酸锌分别加在铜铅浮选前的搅拌槽，二段磨矿机，铜铅精选，矿泥混合浮选粗选前的搅拌槽等处。氰化钠添加地点除了与硫酸锌相同外，尚加在铅浮选前的搅拌槽和铅精矿精选处。氯化钙加在铅粗选和铅精选中。浮选硫化矿时各种药剂的总耗量列于表 32.2.60。

选矿生产指标列于表 32.2.61，精矿粒度特性见表 32.2.62，精矿脱水作业制度列于表 32.2.63。

表 32.2.60   浮选硫化矿药剂总耗量表

药剂名称	苏 打	石 灰	丁基黄药	T-66 环乙醇	硫化钠
总 耗 量 g/t	0~50	440~640	23.5~63.5	42.5~119	23~62.5

药剂名称	硫酸铜	硫酸锌	氰化钠	氯化钙
总 耗 量 g/t	56~111	330~685	121.5~250	50~110

表 32.2.61   选矿生产指标

精 矿 名 称	品 位，%			回 收 率，%		
	Pb	Zn	Cu	Pb	Zn	Cu
铅精矿	72.5	2.7	2.1	84.0	1.8	10.6
锌精矿	1.1	56.5	0.3	2.8	84.4	3.6
铜精矿	3.0	5.1	24.3	2.0	1.9	62.7

    d   黄金的回收

该厂除了用浮选法回收铜、铅、锌外，还用重选法回收黄金。金的回收工艺流程如图 32.2.25 所示。

原矿中金的粒度平均为 3 毫米，偶尔可见 10 毫米的大粒金。采用 МОД-2 型跳汰机，CKM-1A 和 CKM1 型摇床回收自然金以及采用混汞法回收自然金。再磨矿采用 ϕ2100×3000 毫米球磨

表 32. 2. 62 精矿粒度特性

粒级，mm	各级别产率，%		
	铜精矿	铅精矿	锌精矿
0.7~0.25	3.0	0.3	0.4
0.25~0.15	4.8	1.6	1.6
0.15~0.1	8.5	4.1	4.7
0.1~0.074	12.2	8.1	10.6
0.074~0.044	10.5	10.0	10.0
0.044~0	61.0	75.9	72.7

表 32. 2. 63 精矿脱水作业制度

精矿名称	浓缩机浓度			过滤后滤饼水分%
	给矿（固体%）	底流（固体%）	溢流 g/L	
硫化矿铅精矿	15~20	60~70	0.15	
混合矿铅精矿	15~20	60~70	0.10	
全部铜精矿	7~10	55~67	0.15	
硫化矿锌精矿	28~30	60~70	0.8	
混合矿锌精矿	25~27	45~50	0.8~1.0	

机，与 ϕ1200 毫米螺旋分级机构成闭路磨矿。磨矿介质是 50~100 毫米的砾石。重选得到的精矿进行混汞回收金，汞齐再经重选除去杂质后送至 700℃ 电炉，同时回收金和汞。

 e 选矿工艺、设备及其他特点

 各段破碎前在筛子上进行洗矿，脱去黏土质，消除流程不畅通和矿仓堵塞。

 用重介质预选"抛废"，减少了磨矿量；采用了重选法、混汞法回收金。

 破碎、磨矿及辅助设备的备件规格统一化，广泛采用部件表面硬化处理工艺；易损件采用喷涂修理、管道、搅拌槽、水力旋流器等采用铸石作衬里。

 利用离子交换树脂净化铜、铅精矿浓缩机的溢流，除掉其中铜、锌、金的氰化物。

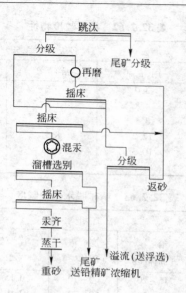

图 32.2.25　兹良诺夫斯克金回收工艺流程

　　磨矿机的利用系数达 91.8%。选矿厂处理每吨矿石的电耗为 19.65 千瓦·时，水耗为 2.6 米³，钢球和衬板的消耗量分别为 0.759 千克和 0.144 千克。

f　技术沿革

　　1979 年，该厂处理斯涅格列夫斯克（Снегревск）矿石时，研究和应用了将铜铅一次精选的中矿从回路中引出单独精选的工艺。将这种数量大、含锌高的中矿引出来单独精选的好处，一是有利于铜铅浮选回路的给料稳定；二是能够把抑制剂和捕收剂用量控制在最低限度；三是减少了进入锌—黄铁矿浮选回路中的铜和铅使锌容易活化；四是在铜铅浮选回路中减少了抑制剂，从而也就减少了锌在尾矿中的损失。这项工艺实施结果，使铜、铅、锌回收率分别提高 34.9%、9.7% 和 2.1%，同时改善了铅、锌精矿质量，铜精矿中锌含量从 20% 降到 12%。

　　该厂在长期的无废水的工艺研究和实践中，积累了许多成功的经验。重介质选矿作业前的洗矿水经过浓缩、沉淀矿泥后，返回到洗矿作业，使新水量减少20%。1975年通过离子交换装置处理浓缩机溢流水，使溢流水中氰离子浓度降至100～200毫克/升，可作为铜铅分离氰化工艺用水；1979年通过离子交换装置处理了20%的浓缩机溢流，从中回收了99.6%的铜，99%的锌，96.3%的金，36.0%的银。使8.7%的氰化液变为无害。净化尾矿溢流水的方法主要是利用氰化池，借助于生化作用消毒，将土壤的消毒作用计算在内的废水净化平均效率为：氰化物91.4%，铜86%，铅95.6%，锌91.2%。1980年夏季，氰化物的净化率达99.8%～100%，冬季则下降。把氰化池停放15昼夜的尾矿溢流返回到锌-黄铁矿浮选回路使用，选矿效果与使用清水一样；用在铜-铅浮选回路，铜铅总回收率从169%上升到173%，并减少了铜-铅浮选回路起泡剂用量50%，黄药用量15%，但要增加铅精选作业。

C 不伦瑞克铜铅锌矿选矿厂（加拿大）

a 概况

不伦瑞克（Brunswick）矿山和选矿厂位于新不伦瑞克（New Brunswick）巴瑟斯特（Bathurst）西南24公里。矿石来自露天和地下。选矿厂于1964年投产，1980年日处理矿石量达11000吨。

b 矿床与矿石

矿石80%为硫化矿，20%为石英、方解石和硅酸盐。主要硫化矿物为黄铁矿、闪锌矿、方铅矿和黄铜矿；少量的砷黄铁矿、白铁矿、硫锑铅矿、黄锡矿、黝铜矿、锡石和深红银矿等金属矿物。

赋存于高品位带内的闪锌矿和方铅矿颗粒较粗，其粒度一般为100～1000微米，偶尔有大至几个毫米的；在低品位矿带内的方铅矿和闪锌矿颗粒一般都很细，其粒度为1～100微米。

c 破碎、磨矿与浮选

粗碎设在坑内，粗碎后的-152.4毫米矿石提升到地面，再用φ1676.4毫米标准型和短头型圆锥破碎机两段破碎到12.7毫米，然后储入 12.000 吨容量的粉矿仓中。从粉矿仓排出的粉矿给到一条单独的带式输送机上进行配矿，配好的矿石给入 10 吨容量的缓冲矿仓，从该矿仓再给入磨矿回路。缓冲矿仓内安装有料位控制器。破碎车间采用奥托昆普梅特（Outoκuпpи Metor）型金属探测器有效地除去夹杂的铁块。

磨矿是在三个平行的第一段磨矿回路中进行。第一、二系列分别配有一台 $\phi3200.4 \times 4267.2$ 毫米开路作业的棒磨机和两台平行的 $\phi3200.4 \times 3962.4$ 毫米球磨机与两段旋流器构成闭路磨矿、第三系列采用一台 $\phi4267.2 \times 4876.8$ 毫米开路作业的棒磨机和一台 $\phi4267.2 \times 4572.0$ 毫米球磨机与两段旋流器构成闭路磨矿。第二段旋流器溢流给入浮选系统，其粒度为 65% −400 目。

浮选流程为先浮出铜铅混合精矿。混合精矿分离采用抑制方铅矿和闪锌矿浮出铜的方法，浮选泡沫即为铜精矿。浮选尾矿泵送给球磨机进行再磨，通蒸汽调浆，从热矿浆中浮选出黄铁矿并排入最终尾矿中，非浮物冷却并调浆后浮出铅锌混合精矿，铅锌混合精矿采用抑铅浮锌的办法使锌与铅分离，非浮物即为铅精矿。

铜铅混合粗选尾矿泵到锌粗选回路浮选出锌精矿。三个系列的锌粗精矿合并后抑锌浮硫；尾矿即为高品位锌精矿，这是组成最终锌精矿的一部分。硫精矿与来自三个第一段选锌回路尾矿合并作为第二段锌浮选回路的给矿。在第二段锌浮选回路中产出低品位锌精矿，该锌精矿经再磨后精选，精选出来的锌精矿同第一段高品位锌精矿合并组成最终锌精矿。选矿厂原则流程见图 32.2.26。

（1）第一段铜-铅浮选回路

这里只叙述一、二系列，因为它们已被改为新颖的 SO_2 充气流程（图 32.2.27），第三系列和以前一样还是用苏打法。

一、二系列铜-铅浮选回路的要点是加 SO_2 和苏打一起搅拌，控制 pH 值为 8.5 的条件下充气 25 分钟。加黄药和艾罗弗洛（Aerofloat）241，浮铜-铅混合精矿。1977 年 4 月曾把溶解于水

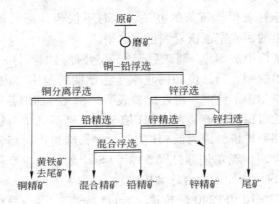

图 32.2.26 不伦瑞克选矿厂原则流程图

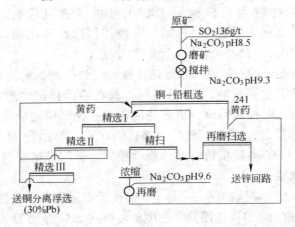

图 32.2.27 不伦瑞克选矿厂铜-铅浮选回路

中的 $SO_2$136.2 克/吨加到磨矿机中，此时磨矿的 pH 值为 6.5。磨矿后矿浆充气 25 分钟，然后在浮选前用石灰把 pH 值提高到 9.5。在开始按此条件生产时，生产结果与半工业试验的结果相比是满意的。但是，生产两周之后，药剂需要量增加近 60%，铜和铅的回收率却降低了，究其原因是生产的两周里内部循环水的 TWH（水的总硬度）增加了。为了消除这种影响，采取在铜-铅浮选回路中以苏打灰代替石灰的办法，这时不仅药剂需要量有所降低，铜和铅的回收率也恢复到正常水平。

在球磨机中加 SO_2，磨矿后充气 25 分钟再加苏打，铜-铅浮选回路选出的铜、铅品位和回收率是在预期的范围之内。但是，锌浮选回路却很不稳定。工业试验表明，在充气前加苏打，锌粗选的稳定性可得到改善。在低 pH 值条件下磨矿几个月以后，苏打又移回到磨矿机，因为低 pH 值引起了棒磨机内衬板和磨矿介质的腐蚀加剧。现在是苏打同 50% 的 SO_2 水加到棒磨机中，其余 50% 的 SO_2 均加入两台球磨机中。

第二系统用 BFP240 萨拉槽（Sala）充气。第一系统用两台 254×304.8 毫米维姆科（Wemco）搅拌槽作为充气器，第一个搅拌槽的叶轮盖板机构用 DR-30 丹佛浮选机代替，用 563 克/厘米² 的压力强制充气；第二个搅拌槽除循环机构以外，还安装了 101.5～152.4 毫米直径的空气注入管。

要有足够的充气时间来保证黄铁矿受到抑制。充气的 pH 值对锌浮选有重要影响，pH 值低时，锌在铜铅精矿中的含量低，但铜铅粗选时控制困难，更多的闪锌矿在充气中被活化，在铜-铅粗选中浮起，使中矿负荷增高；当在充气器中把 pH 值调到 8.5 时，锌在铜-铅粗选时的选择性很好，即闪锌矿在铜-铅粗选中浮出量减少。

SO_2 充气浮选的优点一是中矿负荷低，随着黄铁矿活性的降低，一般在铜-铅浮选回路中的中矿负荷从 22% 降到 11%（对磨矿机的给矿）；二是改善回路的平衡，简化了铜-铅回路尾矿中金属含量的控制，因为仅有一段回路要控制；三是改善回路的稳定性，随着黄铁矿在充气阶段的抑制，铜-铅浮选回路的操作与苏打回路相比较，对矿石类型的变化不太敏感。

该回路取得的选矿生产指标列于表 32.2.64。

（2）分选铜、铅提高品位、混合浮选回路

从三个系统来的铜-铅混合精矿合并给到分选铜的回路。给矿同小麦糊精、丹宁酸提取的混合物搅拌 20 分钟抑制方铅矿，添加

表 32.2.64　第一段铜-铅和锌选矿生产指标

（第一和第二系统）

名　称	品位，%			分布率，%		
	Pb	Zn	Cu	Pb	Zn	Cu
原　矿	3.76	9.2	0.25	100.00	100.00	100.00
第一段铜铅混合精矿	30.00	12.00	1.50	70.00	11.47	52.57
铜-铅回路尾矿	1.23	8.92	0.13	30.00	88.53	47.43
第一段锌精矿	1.90	50.00	0.25	6.97	75.05	13.79
锌回路尾矿	1.12	1.60	0.11	23.03	13.48	33.67

活性炭，然后用液态 SO_2 把 pH 降到 4.8 搅拌 20 分钟，最后加 Z-200调浆后选铜。选出的铜精矿直接注入蒸汽加热达 40℃ 精选三次产出最终铜精矿。

分选铜、铅提高品位、混合浮选回路如图 32.2.28 所示。

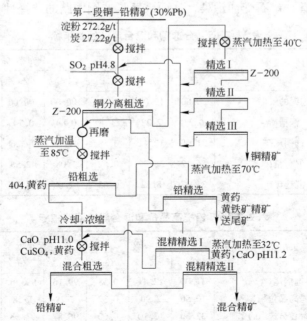

图 32.2.28　不伦瑞克选矿厂分选铜、铅提高品位、
混合浮选回路

为了摩擦矿物表面和减小粒度（达 6% +400 目），铜粗选尾矿在 1828.8 ×7315.2 毫米的艾利斯·查默斯管磨机中再磨 10 分钟，然后直接注入蒸汽加热到 85℃并搅拌 40 分钟，再加黄药和黑药 404 浮选黄铁矿，其粗精矿再用蒸汽加热到 70℃，精选一次得黄铁矿精矿，排到选矿厂尾矿中。

从铅提高品位回路产出的尾矿，在直径为 12.92 米道尔·奥列沃浓缩机中浓缩到 70% 的浓度，然后用新水稀释到 35% 固体，冷却矿浆到 30 ~ 35℃以适应混合浮选的需要。表 32.2.65 和表 32.2.66 分别列有上述回路的选矿生产指标。

丹宁酸是一种极好的方铅矿抑制剂，但是它仅在很窄的浓度范围内有效。它同 C9524 混合后总添加量从 340.5 克/吨减到 272.4 克/吨，同时改善了对方铅矿的抑制。由于采矿用了无轨采矿设备，矿石受油污染，从而破坏了选铜回路的选择性，因此

表 32.2.65　分选铜和混合浮选回路指标

名　称	品位,%			分布率,%		
	Pb	Zn	Cu	Pb	Zn	Cu
选铜的给矿	30.00	12.00	1.50	100.00	100.00	100.00
铜精矿	6.23	2.22	23.40	0.84	0.74	63.02
选铜尾矿	31.00	12.41	0.58	99.16	99.26	36.98
混合精矿	16.12	38.77	0.52	7.08	42.56	4.57
混选尾矿	33.37	8.22	0.65	92.08	56.70	32.41

表 32.2.66　铅提高品位和混合浮选回路指标

名　称	品位,%			分布率,%		
	Pb	Zn	Cu	Pb	Zn	Cu
选铜尾矿	31.00	12.41	0.58	99.16	99.26	36.98
铅提高品位精矿	10.50	2.90	0.32	2.29	1.58	1.40
铅提高品位分选出的尾矿	32.50	13.10	0.60	96.87	97.68	35.58
混合精矿	16.50	36.60	0.40	8.83	49.92	4.28
混合浮选尾矿	36.00	7.98	0.64	88.03	48.75	31.30

在选铜回路加活性炭是十分必要的，其添加量为272.4克/吨给矿。选铜回路精选在浓度为20%、温度为40℃的条件下进行。

因为提高铅品位回路浮起物直接排入尾矿，所以该回路仅在需要时才开车。铅提高品位回路产出的32% Pb 的铅精矿给入混合浮选回路。

（3）第一段锌浮选回路

闪锌矿富集于第一段铜-铅浮选回路的尾矿中。锌浮选回路如图32.2.29 所示。

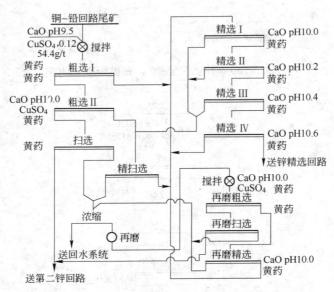

图 32.2.29　不伦瑞克选矿厂第一段锌浮选回路

（4）锌提高品位回路

由三个系统来的第一段锌精矿在锌提高品位回路中把品位提高到54%锌。其浮选回路图如图32.2.30 所示。

（5）第二段锌浮选回路

从三个系统第一段锌浮选回路来的尾矿和提高锌品位回路浮选的黄铁矿合并给到第二段锌浮选回路（图32.2.31）。该回路

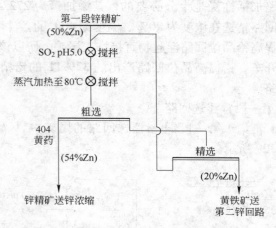

图 32.2.30   不伦瑞克选矿厂锌提高品位回路

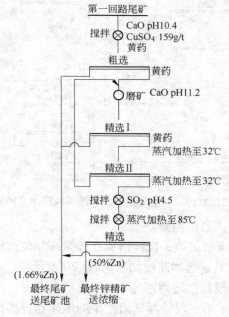

图 32.2.31   不伦瑞克第二段锌浮选回路

中的磨矿机为 3657.6×4267.2 毫米的球磨机，其排矿稀释到 30% 的浓度。第二段锌浮选指标列于表 32.2.67。

表 32.2.67 第二段锌浮选指标

名　　称	含锌,%	锌分布率,%
第二段锌给矿	2.2	100.00
粗选精矿	7.5	71.23
粗选尾矿	0.8	28.77
精选精矿	2.6	24.66
精选尾矿	3.2	46.77
提高品位浮起部分	16.5	21.19
提高品位非浮部分	50.00	25.38
总尾矿	1.66	74.62

全厂浮选药剂消耗列于表 32.2.68。所用黄药为 80% 异丙基黄药和 20% 的戊基钠黄药的混合物。1977 年将气态 SO_2 改为液态，液态 SO_2 通过控制阀直接从压缩贮罐给入浮选回路，控制阀由 pH 值记录控制仪来调整。液态 SO_2 在改善 pH 值控制和降低操作费用上令人满意。在浮选中用液体或气体 SO_2 在选矿效果上相同。Z-200 直接给到选铜作业，不稀释。

D 维汉蒂铜铅锌矿选厂（芬兰）

a 概况

维汉蒂（Vihanti）矿位于芬兰奥卢（Oulu）省，维汉蒂镇。该矿山于 1954 年投产，开始只开采锌矿石。1967 年 7 月开始采黄铁矿型矿石，后来开采浸染状铜矿石。选矿厂的处理量逐年提高，现在的年处理量达 93 万吨，产锌精矿 7 万吨，铜精矿约 1.3 万吨和铅精矿 0.25 万吨。

b 矿床与矿石

该矿床是由变质酸性火山岩、石灰岩、青石片麻岩等组成。矿体长度约 2 公里，主矿体宽约 300 米。

该矿床有五种矿石类型，即铀沥青-磷灰石，黄铁矿矿石，浸染的铜矿石，锌矿石和铅-银矿石。目前只有锌矿石，一部分

表 32. 2. 68   浮选药剂消耗量

回　路	药剂名称	耗量, g/t
铜-铅浮选	苏打灰	2724
	SO$_2$	136. 2
	黄药	36. 32
选　铜	淀粉	27. 24
	活性炭	27. 24
	SO$_2$	454
	Z-200	4. 54
铅精选	黄药	4. 54
	404	4. 54
混合浮选	石灰	90. 8
	硫酸铜	136. 2
	黄药	18. 16
第一段选锌	石灰	908
	硫酸铜	635. 6
	黄药	145. 28
锌精选	SO$_2$	953. 4
	黄药	13. 62
第二段选锌	石灰	272. 4
	硫酸铜	181. 6
	黄药	118. 04
	SO$_2$	272. 4
	404	9. 08

浸染铜矿石以及铅-银矿石具有开采价值。矿石的开采范围。除了锌含量外尚取决于铜含量的多少。

矿石的开采是复杂的，锌矿石品位在致密的浸染的矿石之间是变化的，它还含有不同数量的黄铜矿和方铅矿。矿石中平均含有 10% ~14% 的闪锌矿，5% 的黄铁矿和磁黄铁矿，1.5% 的黄铜矿和 0.5% 的方铅矿。脉石矿物为石灰石、透辉石及透闪石等。在闪锌矿矿石中含有重晶石及少量的金和银。浸染矿石平均含铜 0.5% ，锌 0.1% ~0.5% ，硫 10% ~15% 。

　　c　破碎与磨矿

　　粗碎设在坑内。碎后的矿石提升到地面破碎车间进行中、细碎。中碎机用 ϕ1676.4 毫米的西蒙斯型标准圆锥破碎机，细碎机用 ϕ1676.4 毫米西蒙斯短头型圆锥破碎机。破碎最终粒度小于 18 毫米。破碎、磨矿工艺、设备联系图如图 32.2.32 所示。

　　磨矿有两个平行系统，第一系统为三段磨矿，即棒磨、砾磨及球磨。第一段棒磨为开路；第二段为两台砾磨机与两台耙式分级机组成闭路磨矿；第三段为球磨机与水力旋流器组成闭路磨矿。

　　棒磨机用硬镍衬里，端盖用锰钢衬里，前者使用期限为 1.5 至 2 年，后者为 2 年，每周加棒两次。

　　砾磨为下排矿型，内有胶衬。磨矿介质的添加完全是自动的。耙式分级机装有自动控制矿浆浓度的装置。磨矿粒度为 57% −200 目。

　　第二系统为两段磨矿，即棒磨和砾磨。用旋流器及锥形分级器进行两段分级。磨矿机的衬里与第一系统相同，磨矿的最终粒度为 61% −200 目。

　　棒磨机给矿用电子胶带秤称量，设有自动调节胶带加料机速度的装置以保持给矿量恒定。砾磨介质添加是自动的。

　　磨矿机的技术规范列于表 32.2.69。

　　d　浮选

　　浮选采用铜-铅部分混合浮选，铜铅混合精矿再分离，混合浮选尾矿选锌的工艺流程。

　　在铜、铅混合粗选作业，用石灰、氰化物和硫酸锌抑制闪锌矿和硫化铁，用异丁基黄药捕收铜、铅。选出的铜、铅混合精矿经三次精选后添加重铬酸钠抑制方铅矿，使黄铜矿与方铅矿分离。铜粗精矿再精选三次，得最终铜精矿。在铜、铅浮选尾矿中添加硫酸铜活化闪锌矿，用石灰和氰化物抑制硫化铁、浮选闪锌矿，锌粗精矿经三次精选得最终锌精矿。浮选工艺、设备联系图如图

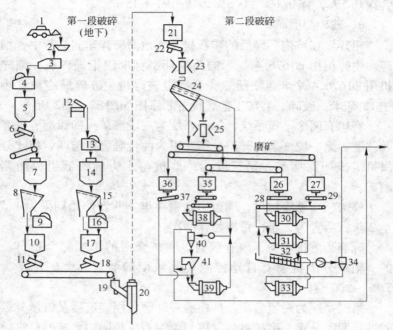

图 32.2.32 破碎、磨矿工艺、设备联系

1—装载车；2—水平给矿机；3—移动式给矿机；4—单肘式破碎机，开口
1500mm×1200mm；5—矿仓，200t；6—电磁振动给矿机；7—矿仓，500t；
8—栅筛给矿机；9—颚式破碎机，开口 900mm×500mm；10—矿仓，2400t；
11—振动给矿机；12—7m³ 矿车；13—颚式破碎机，开口 1500mm×1200mm；
14—矿仓，500t；15—栅筛给矿机；16—颚式破碎机，开口 900mm×500mm；
17—矿仓，2000t；18—振动给矿机；19—秤盘；20—矿石卷扬机；21—矿仓，
300t；22—两台振动给矿机；23—两台标准型圆锥破碎机，ϕ1676.4mm
$\left(5\frac{1}{2}$英尺$\right)$；24—两台双层振动筛，1620mm×5000mm；25—两台短头型圆锥
破碎机，ϕ1676.4mm$\left(5\frac{1}{2}$英尺$\right)$；26—六个粉矿仓，285t；27—卵石贮斗，
50t；28—六台皮带给矿机；29—振动给矿机；30—棒磨机，ϕ2700mm×
3600mm；31—两台砾磨机，ϕ2750mm×3200mm；32—两台耙式分级机，
9200mm×2400mm；33—球磨机，ϕ2750mm×3200mm；34—旋流器，ϕ500mm；
35—五个粉矿仓，300t；36—砾石仓，300t；37—六台皮带给矿机；38—棒磨
机，ϕ2250mm×3500mm；39—砾磨机，ϕ3200mm×4500mm；40—两台旋流器，
ϕ500mm；41—锥形分级机，ϕ1600mm

表 32.2.69 磨矿机技术规范

技 术 规 范	第 一 系 统				第 二 系 统	
	棒磨机	砾磨机	砾磨机	球磨机	棒磨机	砾磨机
磨矿机尺寸,直径×长度,mm×mm	2700×3600	2750×3200	2750×3200	2750×3200	2250×3500	3200×4500
磨矿机转数,r/min	20	21	21	21.4	26	18
速率,%	75	81	81	81	87	74
电机功率,kW	315	220	220	160	260	500
输入功率,kW	300	185	185	110	235	420
充填量,%	50	45~50	45~50	10~15	35	30
矿浆中固体,%	70	60	60	65	70	67
磨矿介质消耗	317g/t	2.4%	2.4%	88g/t	323g/t	4%

32.2.33 所示。浮选指标及药剂消耗分别列于表 32.2.70 及表 32.2.71。铜-铅浮选 pH 值为 10.6，锌浮选 pH 值为 12.2。

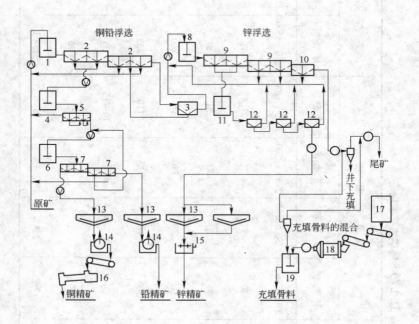

图 32.2.33　浮选工艺、设备联系图

1—搅拌槽，$\phi 2.8m \times 3.0m$；2—两台四槽浮选机（OK16），槽容积 $16m^3$；3—双槽浮选机（OK16），槽容积 $16m^3$；4—搅拌槽，$\phi 2.0m \times$ 2.2m；5—两台四槽浮选机（OK3），槽容积 $3m^3$；6—搅拌槽，$\phi 2.0m \times 2.2m$；7—四台四槽浮选槽（OK3），槽容积 $3m^3$；8—搅拌槽，$\phi 2.8m \times 3.0m$；9—两台四槽浮选机（OK16），槽容积 $16m^3$；10—双槽浮选机（OK16），槽容积 $16m^3$；11—搅拌槽，$\phi 2.8m \times$ 3.0m；12—六台双槽浮选机（OK3），槽容积 $3m^3$；13—四台浓密机，$\phi 7000mm$；14—两台转鼓式过滤机；15—三台圆盘过滤机，$\phi 1800mm/4$；16—回转干燥窑；17—炉渣料斗；18—棒磨机，$\phi 1800mm \times 3200mm$；19—搅拌槽，$\phi 2.8m \times 3.0m$

表 32.2.70　浮选指标

名　称	产率 %	品　　　位					回收率，%				
		Cu %	Zn %	Pb %	Ag g/t	Au g/t	Cu	Zn	Pb	Ag	Au
锌精矿	6.36	0.50	50.00	0.50	40.0	0.40	9.59	93.30	7.49	8.55	10.10
铜精矿	1.00	24.00	3.00	2.00	1200.0	12.0	72.35	0.88	4.71	40.34	47.73
铅精矿	0.46	1.00	3.00	55.00	900.0	3.0	1.39	0.41	59.58	13.92	5.49
尾矿	92.18	0.06	0.20	0.13	12.0	1.10	16.67	5.41	28.22	37.19	36.67
原矿	100.00	0.33	3.41	0.43	29.74	0.25	100.00	100.00	100.00	100.00	100.00

表 32.2.71　药剂消耗量，g/t

药剂名称	铜-铅浮选	锌浮选
石　灰	250	1440
氰化钠	2	4
异丁基黄药	15	20
硫酸锌	382	
重铬酸钾	16	
硫酸铜		256
起泡剂	6	28

e　精矿脱水与尾矿处理

铜精矿和铅精矿脱水各用一台 $\phi7$ 米的浓缩机，锌精矿则用两台 $\phi7$ 米浓缩机。铅精矿和铜精矿过滤均用 $\phi940 \times 1270$ 毫米圆筒式过滤机，锌精矿用 4 台 $\phi1828.8$ 毫米的圆盘过滤机。铜精矿还进行干燥。

尾矿用旋流器分级，底流作为坑内充填用，溢流入尾矿池，约有 60% 的尾矿可作为坑内充填料，尾矿澄清水流量约 2.2 米³/分，返回磨矿。

f　自动检测、控制与能耗

1971 年安装了奥托昆普库里厄 300X 射线在线分析仪，1974 年用上了 Proscon103 电子计算机。浮选系统完全是仪表化和计算机控制。浮选槽液面，矿浆浓度，药剂添加量，空气以及水的流量，pH 值等都有自动测量和控制。

各作业能耗（单位：kW·h/t）如下：

破碎	1.1	脱水	2.2
磨矿	10.6	其他	3.7
浮选	2.2	总计	25.7

32.2.2.3　硫化锌矿选矿厂

A　杨锌矿选厂（美国）

a　概况

杨（Young）选矿厂位于美国田纳西州，距杨矿山 35 公里。该厂于 1975 年建成投产，处理杨和伊默尔（Immel）地下矿采出的矿石，处理能力为 7710 吨/日。每天产出品位为 63% 的锌精矿 300 吨。

该选矿厂把 92.5% 的矿石量回收为有用的可供销售的产品，其中除了锌精矿外，还产有建筑材料，砂石和农用石灰石，废料很少，这是该厂一个重要特点。

b　矿床与矿石

矿体是由原生构造形成的石灰岩及次生石灰岩以及燧岩和碧玉所形成的含硅石灰岩中产出。锌矿物以闪锌矿存在，矿石中有时含有较多的黄铁矿，偶尔含有重晶石和萤石。

c 碎矿和重介质选矿

杨矿山原矿石从井下提升进入 816 吨矿仓，然后用一台 1.52 米的振动给矿机经 1.52 米宽的带式输送机运到破碎车间。依麦尔矿山矿石用卡车运输 10 公里，通过一个单独装置自动记录矿石重量，然后将矿石翻卸到容量为 136 吨的缓冲矿仓中，再用两台振动给矿机给到 1.52 米宽的带式输送机运到破碎车间。

杨和依麦尔矿石合并进行两段破碎和两次筛分。第一次筛分为筛孔 12.7 毫米的 1.8 米振动格筛，筛上产品给入一台 1.2 × 1.5 米锤勒（Traylor）型颚式破碎机进行第一段破碎，其破碎产品与筛下产品合并给到 2.1 米西蒙斯型圆锥破碎机进行第二段破碎，该破碎机与 2.4 × 6.1 米泰勒双层筛组成闭路碎矿。双层筛产出的产率为 75% 的 +12.7 ~ −38.1 毫米粒级产品进入 2270 吨矿仓，作为重介质给矿；截取的产率为 25% 的 −12.7 毫米粒级的产品进入 1180 吨矿仓，作为磨矿的给矿；上层筛上的 +38.1 毫米大块产品返回第二段破碎机。

在颚式破碎机的给矿带式输送机上装有电磁铁。全部带式输送机都装有制动控制器，四个最大的带式输送机上装有分离控制器。两段破碎和筛分流程如图 32.2.34 所示。

从 2270 吨矿仓来的矿石经两台运输机给入重介质分选工段。在重介质选矿前用筛子洗矿，预防介质的浪费。筛子采用 2.4 × 4.9 米的水平筛，在筛子上装有高压冲洗水。洗矿产出的细粒部分给入 ϕ1.2 米的螺旋分级机进行分级，其溢流给入浓缩机，脱水后的沉砂为浮选入料的一部分。经洗矿后的 −38.1 ~ +12.7 毫米粒级给入 ϕ4.9 米的威姆科圆锥型重介质选矿机进行选别。加重剂为硅铁，重介质密度为 2.85 克/厘米^3。为了促进介质密度的稳定加入了石灰，总耗量为 0.045 千克/吨。介质密度由一台奥马特（Ohmart）放射性同位素浓度计测定。加重剂（硅铁）的耗量对重介质选矿给矿为 0.15 千克/吨。

重介质选出的重产品通过空气提升排出，并将它运到 1.5 ×

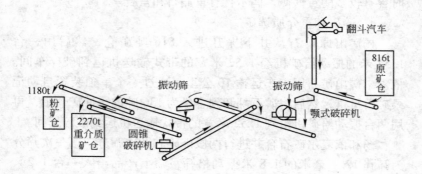

图 32. 2. 34 杨选矿厂两段破碎和筛分流程

2.4 米戴斯特倾斜筛上进行冲洗筛分，筛上产品在 $\phi1.3$ 米西蒙斯短头型圆锥破碎机中破碎，破碎机与筛子构成闭路。破碎后的 −8 毫米产品送往磨矿。

为了回收硅铁，重介质分选出的重产品和轻产品在 0.75 ~ 1.0 毫米筛孔的排出筛和冲洗筛上进行筛分。排出筛的筛下产品直接返回到重介质选矿机，冲洗筛的筛下产品用泵扬入两台 $\phi262 \times 1220$ 毫米的双筒磁选机中磁选回收硅铁。

重介质选矿丢弃占重介质给矿量 80% 的废石，或占原矿量 60% 的废石。锌在重产品中的最佳回收率为 90%，丢弃的轻产品（废石）含锌为 0.25%。重介质选矿流程见图 32.2.35。

d 磨矿和浮选

磨矿给矿是由 −12.7 毫米粒级的细碎产品和重介质选出的重产品（精矿）组成，以 2:1 的比例混合给入。混合给矿可以减少从细碎和重介质选矿来矿的波动，并能保证浮选要求的给矿品位。

由 $\phi4.1 \times 4.6$ 米马西（Marcy）溢流型球磨机与克雷布斯旋流器组成闭路磨矿。浮选入料粒度为 55% −200 目。浮选入料浓度为 45%。

闪锌矿的活化剂硫酸铜是当地由废铜生产出的水溶液，其添

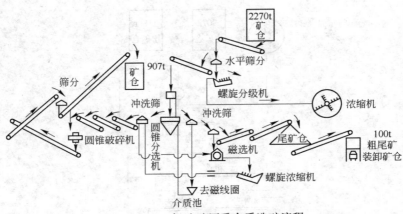

图 32.2.35 杨选矿厂重介质选矿流程

加量为 0.254 克/吨。采用钠黑药和 211 号黑药两种捕收剂选锌，每种用量均为 21 克/吨。

浮选全部用 8.5 米³ 丹佛浮选机，粗选 4 槽，扫选 5 槽，一次精选 4 槽，二次精选 2 槽。浮选给矿品位平均为 4% ~ 6% Zn，锌精矿品位为 63% Zn，浮选尾矿含锌为 0.12%。锌回收率平均为 98%。锌浮选尾矿送到副产品回收车间。磨矿和浮选流程如图 32.2.36 所示。

e 精矿脱水

最终精矿用克雷布斯旋流器分级，同时清洗附着物。占旋流器给料量的 80% 作为底流产出，给到 φ3 米的道尔·奥利沃（Dorr Oliver）水平过滤机过滤，滤饼含水约为 6%，然后再给到劳斯维尔（Louisville）型 1.8×12.2 米回转干燥窑中干燥，干燥后的精矿水分 0.3%。干燥燃料油耗为 9 升/吨。

克雷布斯旋流器的溢流给到一台 φ12 米浓缩机和一台 φ2.4 米×10 盘的圆盘过滤机脱水，脱水后的精矿水分 8.5%。精矿脱水流程，设备联系如图 32.2.37 所示。

f 副产品的回收

从锌浮选尾矿中回收三种副产品：20 目的砂石、农业用石灰

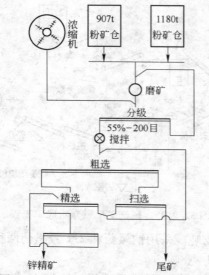

图 32. 2. 36 杨选矿厂磨矿、浮选工艺流程

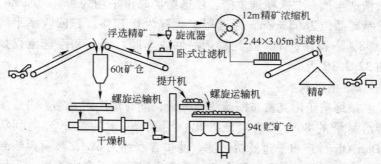

图 32. 2. 37 杨选矿厂锌精矿脱水流程设备联系

石和 100 目的筑路材料。副产品回收工艺流程见图 32. 2. 38。

20 目的砂石，农业用的石灰石均为自然干燥。第三段旋流器组底流（100 目筑路材料）用 2.4 米 ×10 盘威姆科过滤机过滤脱水。

32. 2. 2. 4 氧化（混合）铅锌矿选矿厂

A 柴河氧化铅锌矿选矿厂

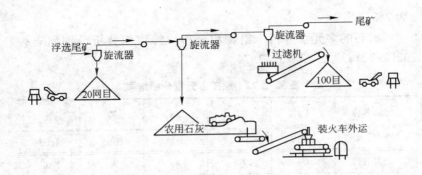

图 32.2.38 杨选矿厂副产品回收工艺流程

a 概况

柴河选矿厂位于辽宁省内。该厂于 1966 年 1 月建成投产，1969 年 4 月重介质选矿投产。

b 矿床与矿石

该矿床赋存于条带状白云岩中，沿裂隙交代形成中低温热液交代矿床。其构造类型较多，其中主要有致密块状，细脉浸染状，松散状的氧化矿石。

矿体形状很不规则，在富矿与贫矿之间有明显的氧化矿物，同时伴随有溶洞，含有大量矿泥。贫矿主要分布在富矿周围。

各矿体所含矿物成分不一，矿石氧化程度亦各异，造成供矿没有规律性，致使入选的矿石性质不稳定，原矿品位波动很大。原矿铅锌合计品位一般在 15% ~ 30% 之间；矿石的氧化率波动亦大，一般在 15% ~ 30% 之间。

金属矿物主要有方铅矿、闪锌矿、黄铁矿，其次是白铅矿、铅矾、铅丹、菱锌矿、异极矿、红锌矿、硅锌矿、褐铁矿、针铁矿、赤铁矿，还有少量的黄铜矿、黝铜矿、辉银矿等。脉石矿物主要是碳酸盐矿物（方解石、白云石），石英和少量的方柱石、重晶石等。黄铁矿在致密块状矿石中含量较高，一般硫的含量在 4.19% ~ 14.53% 之间，平均为 8.5%。细脉浸染状矿石中的硫含量一般在 1% 以下，平均 0.46%。全矿区硫的平均含量为 2%。

矿石的多元素分析，铅物相分析，锌物相分析分别列于表
32.2.72、32.2.73、32.2.74。

表 32.2.72　原矿多元素分析结果

元素名称	Cu	Pb	Zn	Fe	S
含量，%	0.017	1.02	2.24	0.95	1.05
元素名称	Cd	Hg	As	Ag	Au
含量，%	0.0051%	0.045%	0.0084%	34.34g/t	<0.05g/t

表 32.2.73　铅物相分析结果

相别	铅矾中的铅	白铅矿中的铅	方铅矿中的铅	铅铁矾等矿物中的铅	总铅
含量，%	0.04	0.30	0.68	0.04	1.06
占有率，%	3.77	28.30	64.15	3.77	100.00

表 32.2.74　锌物相分析结果

相别	硫酸盐中的锌	氧化物中的锌	硅酸盐中的锌	硫化物中的锌	锌铁尖晶石中的锌	总锌
含量，%	0.00	0.82	0.10	1.45	0.03	2.4
占有率，%		34.17	4.17	60.41	1.25	100.00

c　破碎、磨矿与浮选

从采场来的原矿最大粒度为 480 毫米。矿石由 1.2×7 米的
板式给矿机从容量 150 吨的原矿仓给入一台 600×900 毫米颚式
破碎机，排矿粒度为 -100 毫米，该产品给入筛孔为 18 毫米的
1500×3000 毫米惯性振动筛筛分，筛上产品进入筛孔为 30 毫米
的 1200×1200 毫米振动筛筛分，筛出的 +30 毫米产品给入
ϕ1650 毫米标准型圆锥破碎机破碎；-30 毫米给入 ϕ1650 毫米
短头型圆锥破碎机破碎，两种破碎产品同时返回给第一段筛分，
小于 18 毫米产品，送给粉矿仓。

磨矿为两段两闭路流程。－18 毫米的原矿石分别给入两台 $\phi 2700 \times 2100$ 毫米格子型球磨机，每台球磨机分别与 $\phi 2000 \times$

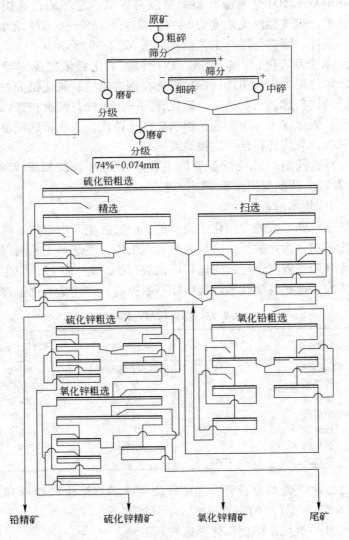

图 32.2.39 柴河选矿厂破碎、磨矿与浮选工艺流程

8400 毫米单螺旋分级机组成闭路磨矿，该段分级机溢流浓度为 40%，粒度为 60% -0.074 毫米。第一段磨矿分级机溢流给入一台 φ2000×3500 毫米溢流型第二段磨矿机，它与旋流器组成闭路磨矿。旋流器溢流浓度为 54%，粒度为 73% -0.074 毫米。

破碎、磨矿与浮选工艺流程如图 32.2.39 所示。

浮选为硫化铅、氧化铅、硫化锌、氧化锌依次优先浮选流程。硫化铅为一次粗选，四次扫选，四次精选；氧化铅为一次粗选，两次扫选，三次精选；硫化锌为一次粗选，两次扫选，三次精选；氧化锌为一次粗选，粗精矿精选两次，二次粗选粗精矿精选三次，氧化锌扫选一次得最终尾矿。

浮选药剂耗量及设备规格、数量分别列于表 32.2.75 和表 32.2.76。药剂费用为 5.77 元/吨。

d 技术沿革

该厂原是按处理硫化矿设计的，但实际生产中出现了铅、锌氧化矿物，为此进行了一系列的研究工作，使选矿工艺流程及设备等日趋完善、合理；对选矿厂也进行了改造、扩建，使生产规模扩大；选矿各项技术经济指标不断提高，特别是氧化铅锌矿的

表 32.2.75 浮选药剂消耗 （1983）

药剂名称	消耗量，g/t	药剂名称	消耗量，g/t
丁基黄药	114	六聚偏磷酸钠	161
铵黑药	5	石 灰	973
2 号油	135	活性炭	25
硫酸锌	170	混合胺	37
碳酸钠	82	盐 酸	44
氰化钠	9	水玻璃	509
硫化钠	4570		

浮选指标提高尤为显著。选矿厂历年来的选矿生产指标列于表 32.2.77。选矿厂的主要技术改革分述如下：

（1）氧化铅矿物硫化浮选的新工艺

该厂经过试验和长期的生产实践表明，在磨矿机中加大量的

表 32.2.76　主要设备明细表

作业名称	设 备 名 称	规 格	数量，台
破 碎	颚式破碎机	600×900	1
	标准型圆锥破碎机	$\phi 1650$	1
	短头型圆锥破碎机	$\phi 1650$	1
	惯性振动筛	1200×2000	1
		1500×3000	2
磨 矿	格子型球磨机	$\phi 2700 \times 2100$	2
	溢流型球磨机	$\phi 2000 \times 3500$	1
	单螺旋分级机	$\phi 2000 \times 8400$	2
	水力旋流器	$\phi 500$	2
浮 选	浮选柱	$\phi 2200 \times 4500$	4
		$\phi 2200 \times 6000$	2
		$\phi 2500 \times 4500$	2
		$\phi 2200 \times 7000$	2
	浮选机	6A	67
脱 水	中心传动式浓缩机	$\phi 12000$	3
	圆筒型过滤机	$\phi 2600$	1
	折带式过滤机	$20 \mathrm{m}^2$	4
	圆盘式过滤机	$51 \mathrm{m}^2$	1
	水环式真空泵	ZK-4	5

硫化钠（2000 克/吨左右），对磨矿分级溢流进行充气活化，这样不但可以硫化浮选氧化铅矿物，而且硫化铅矿物的可浮性亦有所提高，并一起上浮，使铅的总回收率明显上升（提高 3% ~ 5%）；铅精矿中含锌及锌精矿中含铅均有所下降。1979 年该工艺投入生产后，氧化铅回收率由 1979 年的 58.82% 提高到 1983 年的 71.63%。

（2）氧化锌矿物不脱泥浮选新工艺

原来采用十八碳胺浮选氧化锌矿物，浮选前必须预先脱泥。脱泥后虽然浮选正常，效果较好，但脱出的细泥中金属含量一般在 20% 左右，严重影响金属回收率。1979 年在浮选氧化锌矿物前，添加六偏磷酸钠不脱泥的浮选工业试验，取得较好效果。以后又在氧化锌矿物浮选中使用六聚偏磷酸钠和硫化钠与混合胺的乳化

表32.2.77　历年选矿生产指标

年份	产品名称	原矿				精矿品位, %		尾矿品位, %		回收率, %		
		品位, %		氧化率, %							相回收率	
		铅	锌	铅	锌	铅	锌	铅	锌	总回收率	硫化	氧化
1966	铅精矿	4.435	10.516			62.63	8.501	0.728	2.276	80.39		
	锌精矿					1.849	49.21			78.58		
1970	铅精矿	5.167	13.850			58.80	11.40	0.437	2.704	85.66		
	锌精矿					1.516	44.00			75.70		
1980	铅精矿	1.720	4.713	25.90	30.70	56.50	6.11	0.150	0.910	85.86	91.33	65.25
	锌精矿					1.355	46.38			79.37	93.91	54.24
1981	铅精矿	1.435	3.757	26.20	33.70	55.33	6.437	0.126	0.677	85.70	91.75	65.51
	锌精矿					1.376	48.06			79.27	92.69	60.39
	氧化锌精矿					1.669	33.83					
1982	铅精矿	1.367	3.421	34.40	36.01	56.41	5.98	0.119	0.553	86.60	94.80	69.86
	锌精矿					1.13	49.62			81.50	93.08	64.56
	氧化锌精矿					1.45	33.65					
1983	铅精矿	1.325	3.432	32.50	39.30	58.02	5.251	0.109	0.472	86.52	94.04	71.63
	锌精矿					1.17	49.46			84.39	93.28	73.83
	氧化锌精矿					1.294	34.09					
1984	铅精矿					62.15	4.314			85.52		
	锌精矿					0.954	53.08			86.07		
	氧化锌精矿					2.208	33.85					

液，又进一步改善了氧化锌矿物不脱泥的浮选新工艺。1986 年末，新工艺投产后，氧化锌精矿质量和回收率均大幅度提高，氧化锌回收率由 1979 年的 37.96% 提高到 1983 年的 73.85%。

（3）浮选柱在硫化矿浮选中的应用

该厂于 1967 年初开始使用浮选柱选别硫化铅、锌矿物。生产实践表明，浮选柱和 6A 浮选机相比，具有富集比高，选择性好，适用于原矿含泥高，磨矿粒度细的入选矿石；由于充气量不受矿浆浓度的影响，适于高浓度浮选等工艺特点。浮选结果表明浮选柱比浮选机铅回收率提高 1.59%，铅精矿品位降低 4.9%；锌回收率提高 2.38%，锌精矿品位提高 1.45%。浮选柱与浮选机相比，设备投资可节省 50%，电能节省 40%，占地面积减少 45%，管理费节约 65%。浮选柱还有建设速度快，结构简单容易制造等优点。浮选柱的缺点是，当无准备突然停电，停风时，需放矿，需设置贮矿池，否则会造成金属流失。多年来的生产实践证明，浮选柱用于粗、扫选作业选别硫化铅和硫化锌，完全能够代替浮选机，选别指标稳定。

（4）采用重介质选矿

该厂于 1965 年进行了重介质选矿试验，于 1969 年 4 月正式投产，为我国填补了重介质选矿技术的空白，载入我国选矿事业发展的史册。

该厂处理的矿石有两种类型，一种是原生矿，另一种是氧化矿。在原生矿中，主要为致密块状，有部分被氧化。有用矿物嵌布粒度较粗，绝大部分脉石矿物密度在 2.83 ~ 2.87 克/厘米³ 之间，适合采用重介质预先富集。

原矿给矿粒度 - 30 毫米，经筛孔为 10 毫米的 1500 × 5000 双层直线振动筛进行洗矿、筛分。+10 毫米矿石给入 ϕ2.4 米的重介质圆锥分选机中进行分选。分选的介质密度为 2.87 ~ 2.90 克/厘米³。选出的重产品用 1.8 × 5.5 米脱介筛筛出介质后，再经直径为 400 毫米的螺旋输送机和宽 400 毫米脱水斗式提升机送至粉矿仓。轻产品经 1.8 × 5.5 脱介筛和宽 400 毫米脱水斗式提

升机给入 1.5 米³ 箕斗送往废石场。－10 毫米矿石经 φ750 毫米
螺旋分级机脱泥与重产品一起送往粉矿仓。

　　用硅铁作加重剂。硅铁的制备是将粒度为 100 毫米的大块破
碎、磨细到 90% －0.074 毫米供使用。硅铁循环使用，其净化处
理用直径为 2 米的磁力脱水槽，1.4×1.4 米倾斜浓缩箱与
φ0.6×1.0米永磁磁选机组成的系统，再经 φ150 毫米旋流器浓
缩后返回到矿石分选系统使用。

　　重介质选矿丢废率为 30% ~40% ，使浮选给矿品位由原来
的含铅 2.30% 、锌 4.30% 分别提高到 3.50% 和 6.70% 。重介质
选矿车间的金属总回收率：铅 96% ，锌 96% 。重介质选矿技术
的应用，不仅增加了选矿厂的生产能力，同时也为采用高效率的
采矿方法，扩大边界品位，充分利用国家资源创造了有利条件。

　　重介质选矿生产工艺流程如图 32.2.40 所示，选矿生产指标
列于表 32.2.78。由于情况变化，现在重介质车间已经停止生产。

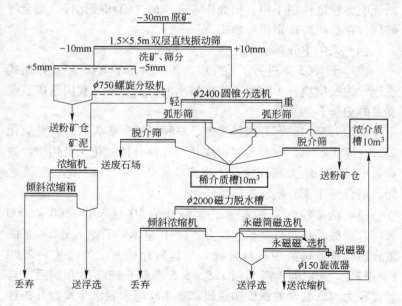

图 32.2.40　柴河选矿厂重介质选矿生产工艺流程

表 32.2.78 重介质选矿生产指标

产品名称	产率,%	品位,%		回收率,%	
		Pb	Zn	Pb	Zn
轻产品（废石）	36.42	0.198	0.340	3.15	2.86
分离浓缩机溢流	0.51	4.904	6.751	1.09	0.79
磁选介质总尾矿	0.05	4.267	7.154	0.10	0.09
总丢弃产品	36.98			4.34	3.74
综合精矿	57.75	3.36	6.620	84.86	88.12
分级浓缩机底流	5.27	4.685	7.154	10.80	8.14
总精矿	63.02	3.48	6.67	95.66	96.26
原 矿	100.00	2.287	4.333	100.00	100.00

B 塞尔托里氧化铅锌矿选矿厂（意大利）

a 概况

萨尔托里（Sartori）选矿厂位于意大利撒丁岛的蒙特波尼（Monterponi），是意大利撒丁岛最大的选矿厂之一。于 1963 年开始兴建，1967 年竣工投产，设计规模为日处理 6000 吨，1972 ~ 1973 年达到设计的生产能力。

选矿厂处理三种类型矿石，即硫化矿，混合矿，氧化矿。

b 矿床与矿石

矿石产于铁化碳酸盐类的片岩岩石中。

硫化矿中主要金属矿物有闪锌矿，黄铁矿。矿石中含锌 6.5%，含铁 20% ~ 25%。矿石的特点是闪锌矿呈微细粒与黄铁矿、可溶盐类矿物紧密共生。

混合矿中主要金属矿物有方铅矿、白铅矿、闪锌矿。矿石中铅 1.3%（方铅矿中的铅占 0.6%，白铅矿中的铅占 0.7%），锌为 5%（闪锌矿中的锌占 3%，氧化锌矿物中的锌占 2%），铁为 5%。矿石的特点是闪锌矿呈微细粒与方铅矿、黄铁矿共生。

氧化矿中主要金属矿物为白铅矿、菱锌矿和异极矿，有少量的铅矾和磷氯铅矿，氧化铅的原矿品位为 0.5% ~ 0.8% Pb，氧化锌的原矿品位为 4% ~ 6% Zn。菱锌矿和异极矿均被氧化铁所污染。氧化矿来自坑内各个采场和以往开采堆存的贮矿场以及旧尾矿堆。

　　c　破碎、磨矿和选矿

　　该厂采用三段破碎，第一段破碎采用 1100×900 毫米颚式破碎机，第二段用标准型圆锥破碎机，第三段破碎为短头型圆锥破碎机。

　　氧化矿和混合矿经两段破碎后进入重介质选矿，重介质选矿得出的轻产品送去浮选，重产品进入威尔兹回转窑中。处理混合矿时，在重介质选矿前先经筛洗，排出 -6 毫米粒级的筛下产品送去磨矿和浮选；+6 毫米用威姆科圆筒型重介质选矿机分选，分选出的重产品送到第三段破碎，轻产品用于制造水泥和筑路材料，其产率为 60%；重产品在螺旋分级机和耙式分级机中分成矿砂和矿泥两部分，分别磨矿和浮选。

　　重介质选矿车间每小时处理混合矿 75 吨，氧化矿 160 吨。重介质选矿的加重剂为硅铁和磁铁矿（4:1）。处理氧化矿时硅铁消耗量很大，在 250~500 克/吨之间波动。氧化矿石重介质选矿设备联系如图 32.2.41 所示。

　　硫化矿采用两段磨矿，磨矿粒度为 80% -0.074 毫米。两段磨矿的回路是先经 φ2.4×3.6 米棒磨机磨矿，其排矿进入螺旋分级机，螺旋分级机溢流给入旋流器，旋流器沉砂给入 1.8×1.8 米球磨机，水力旋流器溢流进入浮选。

　　采用优先浮选流程从硫化矿石中浮选锌和黄铁矿。先在 pH 值为 7.5 的条件下同时加入硫酸铜和氰化物进行锌粗、扫选。锌扫选尾矿在弱酸性介质中选黄铁矿。

　　混合矿石的磨矿采用 φ2.4×2.4 米球磨机与螺旋分级机组成一段闭路磨矿，磨矿粒度为 80% -0.074 毫米。混合矿的浮选回路是先选硫化铅，其尾矿浮选闪锌矿，从锌粗、扫选尾矿中浮选黄铁矿，选出黄铁矿后再最后选白铅矿。

　　氧化矿的磨矿细度为 80% -0.055 毫米，有时为 80% -0.09 毫米。氧化矿石的浮选流程如图 32.2.42 所示。

　　值得指出的是，在白铅矿粗选前设三台搅拌槽预先进行搅拌

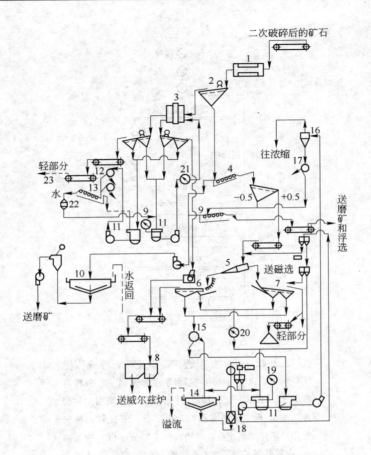

图 32.2.41　萨尔托里氧化矿石重介质选矿设备联系

1—圆筒洗矿机(2×6m)；2—平面筛(1.85×5m)；3—维姆科重介质圆筒选矿机(4×4m)；4—维姆科螺旋分级机(0.12×8.07m)；5—维达格重介质旋流器(0.41m)；6—重产品的水平筛(0.925×5m)；7—轻产品的水平筛(1.85×5m)；8—重产品的钢板矿仓(2台，150t)；9—维姆科螺旋分级机(1.44×12.61m)；10—维姆科浓缩机(2台，30m)；11—重介质桶4台；12—拉比德磁选机2台(0.72×1.008m)；13—维姆科分级机(0.86×6.65m)；14—浓缩机(6m)；15—拉比德磁选机(0.78m)；16—旋流器(3台，0.350m)；17—拉比德磁选机(0.76×0.61m)；18—浓度调节器；19—液面控制；20—旋流器浓度控制；21—圆筒选矿机浓度控制；22—脱磁装置；23—电磁水阀门

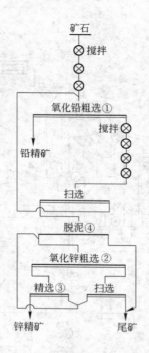

图 32.2.42   萨尔托里选矿厂氧化矿石浮选流程
①—氧化铅粗、扫选用阿基泰尔浮选机 24 台，每槽容
积 1.35m³；②—氧化锌粗、扫选用依达尔斯温斯科型
浮选机 36 台，每槽容积 1.35m³；③—氧化锌矿精选
采用丹佛浮选机 6 台，每槽容积 2.83m³；④—脱泥采
用阿基泰尔微型水力旋流器 288 台，直径 0.3m

硫化，扫选作业前设四台搅拌槽。这样可使氧化铅矿物和硫化剂
充分接触。白铅矿浮选尾矿脱泥后的矿砂也经多段搅拌硫化后再
用第一胺(18 个碳原子)浮选异极矿，目的也是要保持氧化锌矿
物与硫化钠有足够而合适的接触时间。
　　各种不同类型矿石所用药剂种类和用量列于表 32.2.79。
　　该厂生产方铅矿、白铅矿、氧化锌和黄铁矿等精矿。方铅矿
和白铅矿精矿混在一起过滤。选矿生产指标是混合后的铅精矿含

表 32.2.79　药剂用量，g/t

药　剂	矿　石		
	混合矿石	硫化矿石	氧化矿石
石　灰	90	880	—
苛性钠	1750	2000	—
碳酸钠	500		—
硫　酸	330	50①	—
硫酸铜	650	950	—
亚硫酸钠	5000	—	6500
水玻璃	1500	—	1900
乙黄药	230	20①	—
戊基黄药	70	75	
黑　药	100	30	
№526 胺		110	170
松　油		110	180
道起泡剂	20	100	—
硫代二苯脲（白药）	—	11	10
甲　醇	—	12	11
氰化钠	160	190	—
硫酸锌	—	600	
聚磷酸盐混合物（M23）		50	80

①用于浮选黄铁矿。

铅 50%，锌精矿含锌为 59%。回收率指标如下：

项目名称	回收率,%
混合铅精矿中的铅	70
氧化矿中的铅	30～40
硫化矿中的锌	96
混合矿中的锌	92
氧化矿中的锌	45～60

选矿厂利用了循环水，在每昼夜所用 15000 米³ 的水中，回水占 6000 米³。

32.2.3　国内外主要铅锌矿选矿厂汇总

国内外主要铅锌矿选矿厂汇总（表 32.2.80、表 32.2.81）

表 32.2.80　国内主要铅锌铜多金属矿选矿厂一览表

国别	厂名	处理能力 t/d	矿石类型	矿物组成	选矿方法工艺流程
中国	凡口		硫化铅锌矿石	方铅矿、闪锌矿、石英、方解石、白云石、绢云母、绿泥石	铅、锌、黄铁矿"依次优先浮选
	桃林		硫化铅锌矿	方铅矿、闪锌矿及少量黄铜矿、黄铁矿、绢云母、高岭土、石英、萤石、重晶石	先铜、铅混合浮选然后依次选锌、选萤石选优先浮选部分混合浮选
	黄沙坪		硫化铅锌矿	方铅矿、铁闪锌矿、纤锌矿、黄铁矿、黄铜矿、萤石、绢云母、石英、方解石、绿泥石	等可浮浮选流程
	佛子冲(河三选厂)		矿化铅锌矿	方铅矿、铁闪锌矿、闪锌矿、磁黄铁矿、少量黄铁矿及黄铜矿、透辉石、方解石、石英	先铜、铅混合浮选、后选锌的部分混合浮选流程
	八家子		硫化铅锌矿	方铅矿、闪锌矿、黄铁矿、磁黄铁矿、黄铜矿、辉铜矿、银锡矿"等、少量黑硫	铜铅混合浮选与锌硫混合浮选选然后分离的流程
	青城子		硫化铅锌矿	方铅矿、闪锌矿、黄铁矿、磁铁矿、少量黄铜矿、辉铜矿、毒砂、石英、方解石、绢云母、白云石、角闪石、辉石、锂云母等、正长石等	全浮选流程

续表 32.2.80

国别	厂名	原矿品位				选矿指标									水耗 m³/t	电耗 kW·h/t
						Ag g/t	同名精矿中的品位				同名精矿中的回收率					
		Cu%	Pb%	Zn%	S%		Cu%	Pb%	Zn%	S%	Cu%	Pb%	Zn%	S%		
中国	凡口		5.12	11.89	23.25			50.20	51.36	46.62		78.83	91.38	46.85	10.15	58.94
	桃林	0.081	0.73	1.6	15.39		26.27	71.87	53.52		66.71	86.72	89.80			
	黄沙坪		3.21	5.48				72.67	44.03	36.12		90.02	91.80	56.64		
	佛子冲(河三选厂)	0.068	1.625	1.932		43.75	20.69	69.46	47.695		24.76	85.14	87.50		3.5	35.77
	八家子		2.062	2.278	7.85	149	16.19	57.68	47.516	36.38	56.91	82.10	84.03	58.57	5.3	55
	青城子		2.52	1.28	6.14			67.52	54.30	38.08		90.42	87.50	73.73	4	37

续表 32.2.80

国别	厂名	处理能力 t/d	矿石类型	矿物组成	选矿方法工艺流程
中国	西林		硫化铅锌矿	闪锌矿、铁闪锌矿、黄铁矿、黄铜矿、方铅矿、磁黄铁矿、白铁矿、毒砂、白云石、方解石、绿泥石、石英	铅、锌、硫化铁优先浮选
	水口山		硫化铅锌矿	方铅矿、闪锌矿、黄铁矿、黄铜矿、沥青铜矿、自然金等、方解石、石英等	铅、锌、硫等可浮流程
	桓仁		铅锌型及铜铁型硫化矿	闪锌矿、方铅矿、黄铁矿、磁黄铁矿、黄铜矿、绿帘石、石榴石、辉石、绿泥石、阳起石、方解石、石英	先混选铜，铅后选锌的部分混合优先浮选流程
	小铁山		铜铅锌多金属硫化矿	黄铁矿、闪锌矿、方铅矿、黄铜矿、铜蓝、辉铜矿、石英、绢云母、绿泥石、铁白云石、方解石、斜长石	铜、铅、锌、黄铁矿全混合浮选，混精脱硫，铜与铅、锌分离的流程
	柴河		氧化铅锌矿	方铅矿、闪锌矿、黄铁矿、异极矿、铅丹、铅矾、菱锌矿、红锌矿、硅锌矿、褐铁矿、针铁矿、赤铁矿、方解石、白云石、石英少量方柱石、重晶石	硫化铅、氧化铅、硫化锌、氧化锌，依次优先浮选流程

续表32.2.80

国别	厂名	原矿品位					选矿指标								水耗 m³/t	电耗 kW·h/t
							同名精矿中的品位				同名精矿中的回收率					
		Cu%	Pb%	Zn%	S%	Ag g/t	Cu%	Pb%	Zn%	S%	Cu%	Pb%	Zn%	S%		
中国	西林		3.93	5.39	16.39			58.27	49.12			88.81	84.81			
	水口山		3.06	5.46		0.96		59.54	51.20	42.77		83.68	88.95	66.70		
	恒仁	0.34	0.21	0.96	7.26		28.71	67.03	56.07		88.71	61.26	89.64		2.515	45.3
	小铁山	0.4	2.14	3.43			8.80	15.81	27.40	29.89	51.81	79.75	84.75	20.89	4.78	41.19
	柴河	1.33	1.33	3.43				58.02	49.46 34.09			86.52	84.39			

表32.2.81　国外主要铅、锌、铜多金属矿选矿厂一览表

国别	厂名	处理能力	矿石类型	矿物组成	选矿方法工艺流程
芬兰	维汉提	93万t/a	硫化矿石，铜矿石、铅银矿石	闪锌矿、黄铁矿、磁黄铁矿、黄铜矿、方铅矿、石灰石、透辉石、透闪石、重晶石	先铜铅混合浮选，后选锌的部分混合优先浮选流程
美国	杨	7710t/d	矿化锌矿	闪锌矿、黄铁矿、重晶石、萤石、石灰石	重介质-浮选联合流程
美国	塞尔托里	6000t/d	硫化、混合、氧化三种矿石	硫化矿：闪锌矿、方铅矿、白铅矿、黄铁矿；氧化矿：异极矿、菱锌矿、白铅矿、闪锌矿	硫化矿和混合矿用浮选法；氧化矿采用重介容器联合处理法尔兹回转窑捕收浮选氧化锌
意大利	萨恩乔文尼	350t/d	氧化铅锌矿	白铅矿、方铅矿、菱锌矿、异极矿；石英、白云石、黏土、褐铁矿	先硫选氧化铅，后经两段脱泥再用胺类捕收剂浮选氧化锌
意大利	高尔诺	500t/d	氧化铅锌矿	闪锌矿、方铅矿、白铅矿、含银方铅矿、水锌矿、异极矿、石英、重晶石、方解石、萤石	硫化铅、硫化锌混选，然后依次浮选硫化锌和氧化锌
苏联	阿尔玛雷克	300万t/a	硫化、氧化锌矿	黄铁矿、闪锌矿、异极矿、菱锌矿、方铅矿、白铅矿、石英、长石、辉石、石榴石、碳酸盐、绢云母、绿泥石	铅锌混合浮选

续表 32.2.81

国别	厂名	原矿品位					同名精矿中的品位				同名精矿中的回收率				水耗 m³/t	电耗 kW·h/t
		Cu%	Pb%	Zn%	S%	Ag g/t	Cu%	Pb%	Zn%	S%	Cu%	Pb%	Zn%	S%		
芬兰	维汉提	0.33	0.43	3.41		29.74	24.00	55.0	50.0		72.35	59.58	93.30			
美国	扬		1.3 0.5~ 0.8~	4~6(浮选) 5 4~6					63(浮选)				98(浮选)			
	塞尔托里			6.5				50	59			70 30~40	96 45~60	92		
意大利	萨恩乔文尼		0.75	3.51				65.88	36.81			57.9	53.8			
	高尔诺		1.00	8.50				60.00	41.00			87.00	82.40			
苏联	阿尔玛雷克							52~53	54~55			82~83	72~75			

续表32.2.81

国别	厂名	处理能力 t/d	矿石类型	矿物组成	选矿方法工艺流程
苏联	兹良诺夫斯克		硫化和混合铜铅锌多金属矿	方铅矿、闪锌矿、黄铁矿、黄铜矿、白铅矿、菱锌矿、石英、绢云母、绿泥石、碳酸盐矿物	铜、铅及锌、黄铁矿分别混选，然后分离的流程
	西部矿山有限公司	900~950	铜、铅、锌多金属硫化矿	闪锌矿、黄铜矿、方铅矿、黝铜矿、黄铁矿、石英、绢云母、绿泥石、重晶石、方解石	先混合浮选铅、铜，然后选锌的部分混合优先浮选流程
	沙利文	7000	含锡石的硫化铅锌矿	方铅矿、铁闪锌矿、磁黄铁矿、少量黄铁矿和锡石	重介质-浮选-重选（锡）联合流程
	威尔罗伊	1100	铜铅、锌多金属硫化矿	磁黄铁矿、黄铁矿、闪锌矿、黄铜矿、方铅矿、铁、辉银矿、石英、长石、黑云母等	先混合浮选铜铅然后选锌的部分混合优先浮选流程
加拿大	塞浦路斯安维尔	10000	硫化铅锌矿	黄铁矿、闪锌矿、方铅矿和少量黄铜矿、石英、重晶石	铅、锌依次优先浮选
	布坎斯	1200	铜、铅、锌金属硫化矿	闪锌矿、方铅矿、黄铁矿、黄铜矿、硅酸盐矿物及方解石、重晶石	先铜、铅混合浮选后选锌的部分混合优先浮选流程

续表 32.2.81

国别	厂名	原矿品位					选矿指标 同名精矿中的品位				同名精矿中的回收率				水耗 m³/t	电耗 kW·h/t
		Cu%	Pb%	Zn%	S%	Ag g/t	Cu%	Pb%	Zn%	S%	Cu%	Pb%	Zn%	S%		
苏联	兹良诺夫斯克		1.4	7.8			24.3	72.5	56.5		62.7	84.0	84.4		2.6	19.65
	西部矿山有限公司	1.2	4.74	4.34			27.8	42.5	52.5		79.7	81.8	81.5			
	沙利文		0.19	3.82		50.39		63.42	48.63			91.96	93.13			28.89
加拿大	威尔罗伊	0.56	3.4	5.7			24.27	34.44	51.70		81.9	39.8	86.8			27.6
	塞浦路斯安维尔							67.8	51.6			83.1	79.9			
	布茨斯	0.95	6.00	10.5			27.0	57.2	55.4		58	83.8	79.1			

续表 32.2.81

国别	厂名	处理能力	矿石类型	矿物组成	选矿方法工艺流程
联邦德国	波尔利希	500t/d	铜、铅、锌多金属硫化矿	方铅矿、闪锌矿、黄铜矿、黄铁矿、重晶石、碳酸盐脉石矿物	先混合浮选铜铅，然后依次选锌和硫化铁的部分混合优先浮选流程
	拉麦尔	720t/d	富铜、铅、锌多金属硫化矿	闪锌矿、黄铁矿、方铅矿、黄铜矿、重晶石、碳酸盐脉石矿物	先混合浮选锌，然后依次选铅和黄铁矿的部分混合优先浮选流程
	梅根	87万t/a	硫化铅锌矿	黄铁矿、闪锌矿、方铅矿、脉石主要为硅酸盐矿物	重介质选然后进行铅、锌、黄铁矿优先浮选
澳大利亚	芒特-艾萨	7750t/d	硫化铅锌矿	方铅矿、闪锌矿、黄铁矿	重介质预选，然后进行阶段磨阶段选的流程
日本	丰羽	6000t/月	硫化铅锌矿	方铅矿、闪锌矿、黄铁矿、菱锰矿、黄铜矿、自然银、辉银矿、少量石英、绿泥石、方解石绢云母等	铅、锌、硫化铁依次优先浮选
	松峰	4万t/月	多金属复杂硫化矿"俗称黑矿石"	黄铜矿、方铅矿、闪锌矿、黄铁矿、重晶石	先混合浮选铜、铅，然后进行铅锌、硫化铁依次顺次优先浮选

续表 32.2.81

国别	厂名	原矿品位					选矿指标									水耗 m³/t	电耗 kW·h/t
		Cu%	Pb%	Zn%	S%	Ag g/t	同名精矿中的品位				同名精矿中的回收率						
							Cu%	Pb%	Zn%	S%	Cu%	Pb%	Zn%	S%		
联邦德国	波尔利希希	0.4	4	8			19.84	37.18	43.5		70.7	94.9	92			
	拉麦尔	1.0	6	16			22	41	44		50	62	82			
	梅根		1.2	8.3	34.75			33.0	56.5	48		31	91	78		
澳大利亚	芒特-艾萨		6.2	6.0		155		47.7	50.2			81.5	66.1			
日本	丰羽		2.81	8.00	12.10	109	22.5	70.95	57.72	49.16	90	90.5	95.8	34.4		
	松峰	2.3	0.8	3.0	19	50		61	55	50	90	40	89	89		

续表 32.2.81

国别	厂名	处理能力	矿石类型	矿物组成	选矿方法工艺流程
日本	细仓	8万t/月	硫化铅锌矿	方铅矿、闪锌矿、黄铁矿等绿泥石、石英等	重介质预选、重产品优先选铅，然后混合浮选锌、黄铁矿
	神冈鹿间	3200t/d	硫化铅锌矿	方铅矿、闪锌矿、辉石、石英、方解石	铅锌混合浮选流程
	田老	2.1万t/月	硫化铅锌矿	黄铁矿、闪锌矿、方铅矿、黄铜矿、绿泥石、石英、方解石、绢云母	重介质预选、重产品先混合浮选铜铅然后混合浮选锌、硫化铁
瑞典	辛克格昌万	2500t/d	硫化铅锌矿	方铅矿、闪锌矿石英、斜长石、细晶石、砂卡岩、云母、方解石	混合浮选铅、锌
摩洛哥	米布雷登	650t/d	氧化铅矿	白铅矿、方铅矿、少量砷酸铅矿铅矾和钒酸铅矿、重晶石、泥质灰石、粘土和石灰石、白云石	采用硫氢化钠硫化浮选法
印度	毛其阿		硫化铅锌矿	方铅矿、闪锌矿、黄铁矿、白云石、石英	铅、锌优先浮选
	巴拉力阿		硫化铅锌矿	闪锌矿、黄铁矿及少量方铅矿、白云石、石英	铅、锌优先浮选

续表 32.2.81

国别	厂名	选矿指标														水耗 m³/t	电耗 kW·h/t
		原矿品位					同名精矿中的品位				同名精矿中的回收率					
		Cu%	Pb%	Zn%	S%	Ag g/t	Cu%	Pb%	Zn%	S%	Cu%	Pb%	Zn%	S%		
日本	细仓		1.25	3.65	8.75			66.8	57.29	47.42		89.04	91.52	57.59		
	神冈鹿间		0.22	3.44		19		55.4	57.0			77.3	95.9			
	田老	0.27	1.45	4.10	16.56		23.64	47.64	50.53	46.83	70.6	75.9	84.7	67.0		
瑞典	辛克格日万	1.48	1.48	8.49			63.0		53.05			84.9	95.1			
摩洛哥	米布雷登		8.05					75.31				92.8				
印度	毛其阿		1.81	3.23				65	52			85	88			
	巴拉力阿		1.01	3.90				55	52			77	88			

参 考 文 献

[1] B. R. Macgregor, A. J. Wall, Mining Annual Review, 1985, pp62~63.

[2] 长春地质学院矿产地质基础编写组，矿产地质基础(下册)，地质出版社，1979，第588—589页.

[3] 刘瑛、吕凤翔，中国地质科学院南京地质矿产研究所所刊，4(1983)，№1，73.

[4] Г. М. Логинов, и др. ИЭИ Цвет, Металлургия, (1981), №14, 10.

[5] Н. Н. Болошин, и др. Обогащение руд, (1981), №5, 3.

[6] *E/MJ*, (1982), №1, 47.

[7] Bergmann and B. Heide, Min Mng., 25(1973), №6, 43.

[8] Min. Mag., 141(1979), №5, 426.

[9] Min. Eng. (1973), №6, 43.

[10] J. Bartrum, et al., Lead-Zinc Update. ed, by D. O. Rausch et al., SME of the AIMM & PE, Inc., New Yark, 1977, pp. 157—181.

[11] 日本鉱業(株)，丰羽鉱業所選鉱课，浮選，(1973)，春季号，№49，208.

[12] 臼井凯也，日本鉱業会誌，98(1982)，№1134，119.

[13] H. P. Jacobi milling Practice in Canada, ed. by D. E. Pickctt, et al., CIM, 1978, CIM Special Volume 16, pp. 208—214.

[14] D. E. Pickett, SME Mineral Processing. Handbook, ed. by N. L Weiss, SME of the AIMM and PE. Inc., New York, 1985.

[15] Fred Mellbery, ⅩⅣ International Mineral Processing Congress, Toronto, Ontario, Canada, CIM, 1982, pp. Ⅳ-2·1—Ⅳ-2·2.

[16] *W nid Mining Equipment*, (1985), №8, 18.

[17] С. И. Полькин, и др. Цвет. Металлы, (1975).

[18] Б. Ф. Васильев, и др. Цвет, Металлы, (1977)№6, 85.

[19] К. М. Асеева, и др. Цвет. Металлы, (1977), №12, 57.

[20] К. М. Асеева, и др. Цвет. Металлы, (1981), №11, 62.

[21] Б. Ф. Васеельев, Цвет Металлы, (1980), №10, 129.

[22] Б. Ф. Васеельев, Цвет Металлургия, ИЭИ, (1981), №20, 16.

[23] Справогник по обогащению руд, одогатительные фабрики 《НЕДРА》 Москва, 1984, стр, 77—84.

[24] J. R. Schnarr, milling Practice in Canada, ed. by D. E. Pickett, et al., CIM, 1978, CIM Special Volume 16, pp. 158—161.

[25] 刘钰等，国外金属矿选矿，(1986)№10，22.

[26] B. A. Wills, Min. Mag, 149(1983), №3, 176.

[27] L. Gregory, Gullord Lead-Zinc Update, ed. by D. O. Rausch, et al., SME of the AIMM & PE, Inc., New York, 1977, pp. 149—156.

[28] С. И. Полькин, и др., Цвет. *Металлы*, (1975), №10, 78.

32.3 镍的选矿

32.3.1 绪论

32.3.1.1 镍的性质和用途

纯镍有鲜亮银白色的金属光泽，密度 8.9 克/厘米^3，熔点 1452℃，沸点 2900℃。有磁性，但加热至一定温度(365℃)时，磁性消失。镍属于铁族元素，在许多物理化学性质上与同族的铁和钴相似。镍具有很高的化学稳定性、高热稳定性和优良的机械性能。在空气中不易氧化，对酸和碱的抗蚀能力很强，但易溶于稀硝酸和王水中。传热率和导电率均较差，而抗张能力很强，在 56898 牛每平方厘米以上，延展性好，承压力强，并易于机械加工。镍的杂质含量对其性能有显著影响，例如少量的硫杂质也会引起镍的热脆性。

镍的主要用途是制造镍钢。镍可提高钢的强度和韧性，并可改善其机械加工性能。钢中含镍量不同，合金钢的性能差异显著：当含镍量在 2% ~4% 范围内，则每增加 1% 的镍，钢的抗张强度可增加 58860 牛每平方厘米；当含镍量高于 10% 时，加热再冷却后，刚性变软；含镍量在 24% ~32% 时，具有很高电阻，可制电炉的发热金属丝。一般含镍 0.5% ~3% 的低镍钢，具有质坚、韧性和强抗蚀力，广泛应用于拖拉机、汽车、机器、武器等制造业。含镍 5% ~7% 的高镍钢还可制化学用具。在铸铁中加入少量镍，可增加其硬度、机械强度、耐蚀性和可铸性，故在汽车和柴油机的汽缸、活塞、唧筒以及压风机的铸造中，都需要这样的含镍铸铁。纯镍可制造各种器械，如镍坩埚、管子、仪器以及散热器等。此外，还可制造通信器材。

由于镍具有优良性能，已成为发展现代航空工业、国防工业和建立人类高水平物质文化生活的现代化体系必不可少的金属。

32.3.1.2　世界镍资源概况

目前，已探明陆地上的镍矿资源中，镍金属工业储量约为 8 千万吨，其中硫化镍矿约占 20%、镍红土矿约占 75%、而硅酸镍矿占 5%。此外，尚有远景储量 1.68 亿吨。近年来，相继发现丰富的海底锰结核矿床，平均含镍 1%、铜 1%、镍 24% 和钴 0.35% 左右，据估算仅镍金属储量就有 7 亿多吨。

世界上陆地镍矿资源主要集中分布于下列地区：

A　硫化镍矿的分布

中国甘肃省金川镍矿带，是我国最大的镍钴基地，称为世界三大硫化铜镍矿床之一；中国吉林省磐石镍矿带；加拿大安大略省萨德伯里(Sudbury)镍矿带，蕴藏着目前世界上最大的硫化铜镍矿资源，该矿区由四十多个硫化铜镍矿床组成；加拿大曼尼托巴省林莱克—汤普森(Lynn Lake-Thompson)镍矿带；苏联科拉(Кола)半岛镍矿带，包括贝辰加(Пегенг)等矿区；苏联西伯利亚诺里尔斯克(Норильск)镍矿带，包括塔尔纳赫(Тальнах)和十月(Октябрмек)镍矿区等，也是世界三大硫化铜镍矿之一；澳大利亚坎巴尔达(Kambalda)镍矿带，包括坎巴尔达和温达拉(Windarra)等镍矿区；博茨瓦纳塞莱比—皮奎(Selebi Phikwe)镍矿带；芬兰科塔拉蒂(Kotalahti)镍矿带。

B　镍红土矿资源的分布

南太平洋新喀里多尼亚(New Caledonia)镍矿区是目前世界上规模最大的镍红土矿资源区；印度尼西亚的摩鹿加(Moluccas)和苏拉威西(Sulawesi)地区镍矿带；菲律宾巴拉望(Palawan)地区镍矿带；澳大利亚的昆士兰(Queensland)地区镍矿带；巴西的米纳斯吉拉斯(Minas Gerais)和戈亚斯(Goias)地区镍矿带；古巴的奥连特(Oriente)地区镍矿带；多米尼加的班南(Banan)地区镍矿带；希腊的拉耶马(Larymma)地区镍矿带；以及苏联和阿尔巴尼亚等国的一些镍矿带。

32.3.1.3　世界镍产量和消耗量

目前，主要产镍国家有：加拿大、苏联、澳大利亚、新喀里

表 **32.3.1** 世界矿产镍金属产量(万 t)

地 区	1982 年	1983 年	1984 年
欧洲			
芬兰	0.63	0.53	0.69
希腊	0.55	0.81	1.36
挪威	0.05	0.05	0.06
捷克斯洛伐克	0.35	0.36	0.22
阿尔巴尼亚	0.90	0.90	0.90
民主德国	0.25	0.20	0.20
波兰	0.10	0.03	0.02
苏联	17.00	17.20	17.50
共计	19.83	20.08	20.55
非洲			
博茨瓦纳	1.78	1.82	1.86
摩洛哥	0.05	—	—
南非	2.05	2.05	2.20
津巴布韦	1.34	1.10	1.11
共计	5.22	4.97	5.17
亚洲			
缅甸	0.01	0.01	0.01
印度尼西亚	4.85	4.16	4.78
菲律宾	1.97	1.39	1.56
共计	6.83	5.58	6.35
美洲			
加拿大	9.27	12.81	17.42
美国	0.29	—	0.87
古巴	3.76	3.92	3.32
巴西	0.53	1.07	1.27
哥伦比亚	0.50	1.75	1.65
多米尼加	0.66	2.12	2.43
共计	14.95	21.67	26.96
澳洲			
澳大利亚	8.76	7.87	7.69
新喀里多尼亚	6.01	4.24	5.83
共计	14.77	12.11	13.52
其他	1.40	1.70	1.95
全世界总计	62.92	65.83	74.72

表 32.3.2 世界镍金属消耗量

地　区	1982 年	1983 年	1984 年
欧洲			
芬兰	0.95	0.82	1.32
法国	3.18	3.54	3.89
西德	5.77	5.76	7.80
意大利	2.40	2.05	2.80
西班牙	0.79	0.80	0.93
瑞典	1.50	1.50	2.04
英国	2.25	2.25	2.01
捷克斯洛伐克	1.00	1.02	1.10
民主德国	1.00	0.90	1.00
波兰	0.65	0.70	0.75
罗马尼亚	0.55	0.50	0.45
苏联	13.80	14.00	14.00
其他	1.45	1.50	1.75
共计	35.30	35.34	40.46
非洲共计	0.65	0.65	0.80
亚洲			
中国	1.90	1.90	2.00
印度	1.10	1.10	1.52
日本	10.67	10.94	14.60
其他	0.60	0.60	1.03
共计	14.27	12.64	19.13
美洲			
加拿大	1.0	1.0	0.91
美国	9.43	11.74	14.48
巴西	0.57	0.72	1.03
其他	0.59	0.59	0.61
共计	11.59	14.02	15.28
澳洲共计	0.36	0.36	0.35
其他	0.50	0.50	0.50
全世界总计	62.67	68.23	78.27

表32.3.3 镍矿石的一般工业要求

项 目	矿石类型及开采方法			
	硫化镍矿			氧化镍-硅酸镍矿
	原生矿石		氧化矿石	
	坑采	露采		
边界品位，Ni%	0.2～0.30		0.7	0.5
最低工业品位，Ni%（按单工程单矿层计）	0.3～0.50		1	1

表32.3.4 硫化镍矿石的品级

矿石品级名称	镍品位,%	
	上 限	下 限
特富矿石	3	
富 矿 石	1	<3
贫 矿 石	0.3～0.5	<1

多尼亚、印度尼西亚、古巴和中国等；主要耗镍国家有：美国、苏联、日本、西德、法国、英国、意大利和中国等。1984年世界年产矿产镍74.72万吨，另产再生镍几万吨；世界总消耗量为78.27万吨。产量和消耗量基本保持平衡。预计，今后全世界的镍总消耗量将以年平均2%的速度增长。近年来，世界矿产镍产量和镍消耗量分别列于表32.3.1和表32.3.2。

32.3.1.4 镍矿石和镍精矿质量标准

A 镍矿石的一般工业要求

我国目前镍矿床地质评价标准列于表32.3.3。

硫化镍矿石的品级标准列于表32.3.4。

硫化镍矿床的矿石又按硫化率，即呈硫化物状态的（S_{Ni}）与全镍（T_{Ni}）之比分为：原生矿石 $S_{Ni}/T_{Ni} > 70\%$；混合矿石 $S_{Ni}/T_{Ni}45\% \sim 70\%$；氧化矿石 $S_{Ni}/T_{Ni} < 45\%$。

氧化镍矿床的矿石按氧化镁含量分为：铁质矿石 MgO $< 10\%$；铁镁质矿石 MgO $10\% \sim 20\%$；镁质矿石 MgO $> 20\%$。

B　伴生组分的综合评价

硫化镍矿除含铜外，还伴生有铂族金属、钴、金、银、硒、碲等有价元素，评价标准列于表 32.3.5。

表 32.3.5　镍矿石伴生组分评价标准

元素名称	Pt、Pd	Os、Ru、Rh、Ir	Au	Ag	Co	Se	Te
单　位	g/t				%		
含　量	0.03	0.02	0.05 ~ 0.1	1.0	0.01	0.0005	0.0002

C　镍精矿质量标准

矿产镍精矿等级质量标准列于表 32.3.6。

镍锍精矿质量标准列于表 32.3.7。

表 32.3.6　矿产镍精矿等级质量标准（YB742—82）

产　品　等　级	镍含量,% 不小于	杂质 MgO 含量,% 不大于
特级品	8	6
一级品	7.5	6
三级品	7	6
四级品	6.5	7.5
五级品	5.5	10.5
六级品	5	12
七级品	4.5	13.5
八级品	4	15
九级品	3.5	17.5
十级品	3	20

表 32.3.7　镍锍精矿质量标准（YB744—70）

精矿品级	含 Ni,%	杂质铜含量,% 不大于
一级品	65.0	3.50
二级品	62.0	5.00

32.3.1.5　镍矿选矿方法

镍矿中含有铜、钴、铂族金属和金银等伴生有价元素，可资选矿综合回收。镍矿石中常见的矿物列于表32.3.8。

A　硫化铜镍矿选矿

该类型矿石多为岩浆熔离型铜镍矿，其中含镍3%以上的富矿石可供直接冶炼；含镍小于3%的矿石，则需选矿处理。

硫化铜镍矿的矿物组成和选矿方法

该类矿石中常见金属矿物有：磁黄铁矿、镍黄铁矿和黄铜矿，此外还有磁铁矿、黄铁矿、钛铁矿、铬铁矿、墨铜矿、铜蓝、辉铜矿、斑铜矿以及铂族矿物等；脉石矿物有：橄榄石、辉石、斜长石、滑石、蛇纹石、绿泥石、阳起石和云母等，有时还有石英和碳酸盐等。

铜镍矿石中铜主要以黄铜矿形态存在；而镍主要呈镍黄铁矿、针硫镍矿、紫硫镍铁矿等游离硫化镍形态存在，有相当一部分镍以类质同象赋存于磁黄铁矿中，还有少量硅酸镍。

硫化铜镍矿石的选矿方法，最主要的是浮选，而磁选和重选通常为辅助选矿方法。

主要镍矿物的可浮性及铜镍矿石的浮选特点

镍黄铁矿、针硫镍矿和含镍磁黄铁矿均可用丁基或戊基等高级黄药有效浮选。镍黄铁矿和针硫镍矿的可浮性介于黄铜矿与磁黄铁矿之间。镍黄铁矿在弱酸性、弱碱性或中性介质中均能获得较好浮选；针硫镍矿在弱酸性、中性或弱碱性介质中也可用丁基

表 32.3.8 镍矿石中的主要矿物

矿物名称		化学式	含量,%		密度 g/cm³
中 文	英 文		Ni	Cu	
镍黄铁矿	Pentlandite	$(Fe, Ni)_9S_8$	$33 \sim 35$	—	$4.6 \sim 5.0$
针镍矿	minerite	NiS	64.5	—	5.5
辉砷镍矿	gerderffite	$NiAsS$	35.4	—	5.8
紫硫镍铁矿	Violarite	Ni_2FeS_4	$38 \sim 40$	—	$4.5 \sim 4.8$
含镍蛇纹石	Nickelifrous Serpentine	$(Mg, Ni, Fe)_3Si_2 O_5(OH)_4$	可达 40	—	$2.4 \sim 2.8$
含镍皂石	Nickelifrous Sapenite	$(H, Na, K)_{0.67} (Ni, Mg)_8 (Si_{7.33} Al_{0.67})O_2(OH)_4 \cdot nH_2O$	30	—	$2.04 \sim 2.70$
含镍滑石	Nickel-talc	$(Ni, Mg)_3Si_4O_{10} (OH)_2$	25	—	$2.7 \sim 2.8$
含镍绿泥石	Nickel-chorite	$(Ni, Mg, Fe, Al)_3(Si, Al)_2O_5 (OH)_4$	24	—	$2.9 \sim 3.2$
黄铜矿	Chalcoprite	$Cu_2Fe_2S_4$		36.5	$4.1 \sim 4.3$
方黄铜矿	Cubanite	$CuFe_2S_3$		23.5	$4.03 \sim 4.18$
墨铜矿	Vallerite	$NiFeS_2 \cdot n[Mg (OH)_2]$		$17 \sim 20$	$3.14 \sim 3.20$
砷铂矿	Sperrylite	$PtAs_2$	—	—	$10.17 \sim 10.50$
磁黄铁矿	Pyrrhotite	$Fe_{1-x}S$	$0.2 \sim 0.6$	—	$4.58 \sim 4.65$
黄铁矿	Pyrite	FeS_2	—		5.02
橄榄石	Olivine	$(Mg, Fe)_2SiO_4$	$0.2 \sim 0.4$		$3.2 \sim 3.4$
透辉石	Diopside	$Ca(Mg, Fe)Si_2O_6$			$3.2 \sim 3.4$
蛇纹石	Serpentite	$(Mg, Fe)_5Si_2O_6$	$0.1 \sim 0.3$		$2.4 \sim 2.6$
绿泥石	Chlorite	$(Mg, Fe, Al)_3 (Si, Al)_2O_5(OH)_4$			$2.9 \sim 3.2$
滑 石	Tale	$Mg_3Si_4O_{10}(OH)_2$			$2.6 \sim 2.8$
磁铁石	Magnetite	Fe_3O_4			5.17
赤铁矿	Hematite	Fe_2O_3			5.26
针铁矿	Goettite	$HFeO_3$			$3.3 \sim 4.3$
尖晶矿	Spinel	$(Fe, Mg)(Cr, Al, Fe)_2O_4$			$4.5 \sim 4.8$

黄药较好浮选；含镍磁黄铁矿适于在酸性或弱酸性介质中浮选，但浮选速度较慢。

镍黄铁矿、针硫镍矿和含镍磁黄铁矿三者均可用石灰抑制，但其程度不同。磁黄铁矿较易抑制，而抑制镍黄铁矿和针硫镍矿则要求过量石灰。与磁黄铁矿和黄铁矿不同，其他碱不抑制镍黄铁矿和针硫镍矿。单独使用石灰分离镍黄铁矿和黄铜矿的效果不够好，通常需加少量氰化物来抑制镍黄铁矿。镍黄铁矿能较快地被空气中的氧所氧化，在其表面生成氢氧化铁膜，可浮性下降，磁黄铁矿比镍黄铁矿在空气中氧化更快。硫酸铜是镍黄铁矿，尤其是磁黄铁矿的活化剂。镍矿物被石灰（而不是被氧化物）抑制后，可用硫酸铜再活化。为了改善硫酸铜对镍矿物的活化，有时需预先添加少量硫化钠。

硅酸镍矿物目前尚不能用工业浮选法选出，因此，矿石中的硅酸镍含量的多少是影响镍回收率高低的重要因素。

基于铜镍矿石的性质，其浮选工艺具有下列特点：浮选流程较简单、浮选时间长、精选次数少、分散精选多点出精矿，尽早回收镍矿物；镍精矿品位一般为 4% ~ 8%，高者可达 13% ~ 15%。脱除磁黄铁矿以及滑石、绿泥石、阳起石、蛇纹石、云母等易浮脉石是改善镍精矿质量的关键；为强化镍矿物浮选，常采用混合捕收剂；为脱除磁黄铁矿常采用浮选和磁选联合流程。

铜镍矿石的浮选流程

浮选硫化铜镍矿石时，常采用浮选硫化铜矿物的捕收剂和起泡剂。确定浮选流程的一个基本原则是，宁可使铜进入镍精矿，而尽可能避免镍进入铜精矿。因为铜精矿中的镍在冶炼过程中损失大，而镍精矿中的铜可以得到较完全的回收。铜镍矿石浮选具有下列四种基本流程：

直接优先浮选或部分优先浮选流程

当矿石中含铜比含镍量高得多时，可采用这种流程（图 32.3.1），可把铜选成单独精矿。该流程的优点是，可直接获得含镍较低的铜精矿。

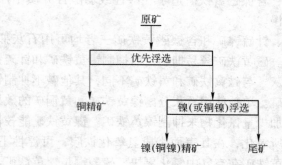

图 32.3.1   直接优先浮选或部分优先浮选流程

混合浮选流程

用于选别含铜低于镍的矿石，所得铜镍混合精矿直接冶炼成高冰镍（图 32.3.2）。

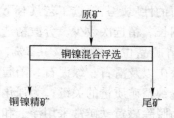

图 32.3.2   混合浮选流程

混合-优选浮选流程

从矿石中混合浮选铜镍，再从混合精矿中分选出含低镍的铜精矿和含铜的镍精矿。该镍精矿经冶炼后，获得高冰镍，对高冰镍再进行浮选分离。该流程如图 32.3.3 所示。

混合-优先浮选并从混合浮选尾矿中再回收部分镍

当矿石中各种镍矿物的可浮性有很大差异时，铜镍混合浮选后，再从其尾矿中进一步回收可浮性差的含镍矿物（图 32.3.4）。

铜镍分离

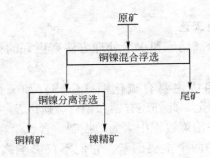

图 32.3.3   混合-优选浮选流程

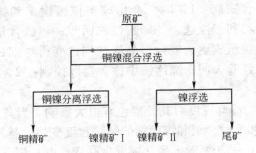

图 32.3.4   混合-优先浮选并从混合浮选尾矿
中再回收部分镍

铜是镍冶炼的有害杂质，而在铜镍矿石中铜品位又具有工业回收价值，因此铜镍分离技术是铜镍矿石选矿中的一个重要课题。铜镍分离技术分为铜镍混合精矿分离和高冰镍分离工艺两种。通常，铜镍矿物粒度较粗且彼此嵌布关系不甚紧密的矿石，多采用混合精矿分离方法；而对铜镍矿物粒度细且彼此嵌布十分致密的矿石，则多采用高冰镍分离工艺。

铜镍混合精矿分离工艺

目前，该工艺最常用的分离方法为石灰-氰化物法和石灰-硫化钠法，有时采用矿浆加温措施会改善分离效果。此外，还有亚硫酸氢盐法等。

高冰镍分离工艺

该工艺比分离熔炼和水冶处理方法有更好的技术经济效果，故应用较广。

高冰镍的组成主要有硫化铜（Cu_2S）和硫化镍（Ni_3S_2），其次是 Cu-Ni 合金，此外还有钴和铂族金属以及一些铁杂质。高冰镍的组成可在冶炼过程中人为地控制。含铁量和冷却速度是高冰镍浮选分离的两个主要因素，它们不仅影响高冰镍的物质组成，而且影响其晶体结构。

铁是高冰镍分离浮选的有害杂质，它可导致高冰镍的组成复杂化。当含铁量 <1% 时，会出现类似斑铜矿和镍黄铁矿的化合物，而不利于浮选，并影响钴的回收；当铁含量 >4% 时，不仅使高冰镍组成更为复杂，晶体结构也变得更细，而不利于浮选。生产经验表明，高冰镍中铁含量以控制在 2%～4% 范围内为宜。

高冰镍的冷却速度对其分离也有很大影响。当其从 800℃ 缓慢冷却至 200℃ 时，铜和镍矿物的结晶粒度变粗，特别是当缓冷温度降至 510～520℃ 时，硫化镍发生晶变，由 β-Ni_3S_2 转变为 α-Ni_3S_2，使溶于硫化镍中的硫化铜析出，从而有利于降低硫化镍矿中的含铜量。因此，保证高冰镍的缓冷速度，可以改善高冰镍浮选的分离效果。

B 氧化镍矿处理

氧化镍矿中的镍红土矿含铁高，含硅镁低，含镍为 1%～2%；而硅酸镍矿含铁低，含硅镁高，含镍为 1.6%～4.0%。目前，氧化镍矿的开发利用是以镍红土矿为主。由于氧化镍矿中的镍常以类质同象分散在脉石矿物中，且粒度很细，采用机械选矿方法直接处理，难以获得良好效果。矿石经焙烧处理改变矿物结构后，虽可取得较好技术指标，但费用较高，尚未用于工业生产。

目前，氧化镍矿处理多采用破碎、筛分等工序预先除去风化程度弱、含镍低的大块基岩矿块，富集比较低。近年来，由于炼镍技术的不断发展和镍消耗量的增加以及硫化镍富矿资源的不断减少，氧化镍矿的开发利用日益受到重视。氧化镍矿床一般埋藏较浅，适于露天大规模开采，亦可进行选择性开采。由于采矿成本较低，与硫化镍矿相比，具有一定的竞争能力。

氧化镍矿的冶炼富集方法，可分为火法和湿法两大类。火法冶炼又可分为造锍熔炼、镍铁法和粒铁法。湿法冶炼又有还原焙烧——常压氨浸法、高压酸浸法等。

火法冶炼中的回转窑粒铁法，属于古老方法，其缺点是，流程复杂，粒铁含镍低，镍回收率低，不能回收钴；电炉熔炼的特点是镍回收率高，一部分钴进入镍铁，可在精炼过程中回收，该法适于处理硅镁镍矿。当其用于含铁高的红土矿时，铁的回收率较低，且电能消耗较大。

湿法冶炼中的常压氨浸法，具有钴回收率较低的缺点；而高压酸浸法适合于处理含硅酸镁低的氧化镍矿。

目前，氧化镍的处理多采用电炉炼冰镍法；而回转窑炼粒铁法已少见。湿法冶炼方法，如氨浸和酸浸法等已在工业上应用。其他氧化镍新冶炼方法，如高温氯化、硫酸化焙烧等提取工艺，目前仍处于研究阶段，已取得一定进展。

32.3.2 硫化镍矿选矿实例

32.3.2.1 中国铜镍选矿厂

A 金川有色金属公司铜镍选矿厂

金川镍矿是大型多金属共生硫化铜镍矿，属于岩浆熔离型矿床。共有四个矿区，除铜镍外，还伴生有钴、铂族金属、金、银等十多种有价元素，可资综合利用。二矿区金属储量占全区地质储量的76%；一矿区占总储量的16%。

该公司有两座镍选厂。第一选矿厂于1963年兴建，1965年投产，处理一矿区富矿石；第二选矿厂于1965年兴建，1967年投产，处理一矿区贫矿石。目前，由于露天矿的贫矿生产能力下降，实际贫矿日处理矿石量比设计能力低。1983 年二矿区富矿体开始出矿，利用原有二选厂贫矿选矿系统，经改建和扩建后用于处理二矿区富矿。

金川第一选矿厂

该选矿厂处理一矿区龙首矿地下开采的富矿石。用电机车将矿石运往选矿厂，再用翻车机卸入粗矿仓。

矿石性质。该富矿体赋存于超基性岩体中，矿石呈致密块状，以海绵晶铁状构造为主，氧化蚀变程度较弱。矿石中主要金属硫化矿物有紫硫镍铁矿、黄铜矿和黄铁矿，还有相当数量的镍黄铁矿和磁黄铁矿，金属硫化物集合体粒度一般为 1~5 毫米，脉石矿物主要有橄榄石、辉石以及其蚀变产物蛇纹石、绿泥石、透闪石等。脉石矿物的粒度一般为 1~4 毫米。矿石中铜镍含量比例为 0.6:1，原矿含镍 1.5%、铜 0.9%，并伴生有钴、铂族金属和金银等有价元素。硫化镍占总镍的 90% 左右，其余的为硅酸镍等，属于较易选矿石。矿石的密度为 3.02 克/厘米^3，松散密度为 1.9 克/厘米^3。

选矿工艺流程。破碎为三段一闭路流程，最大给矿块度为 400 毫米，最终破碎产品粒度为 12 毫米。磨矿和浮选工序自投产以来，在原有设计的基础上，不断地改进和完善，将原来的二段磨矿和二段浮选流程改为三段磨矿、三段浮选流程。磨矿和浮选分为两个平行系统，每个系统的磨矿作业，由六台 ϕ1500 × 3000 毫米的球磨机分别与 ϕ1200 毫米的螺旋分级机和 ϕ500 毫米的旋流器相配合，组成三段闭路磨矿流程。采用了球磨机装球合理配比措施，将 ϕ100、80、60 和 40 毫米的钢球分别按 20%、30%，30% 和 20% 配比添加，实践证明取得良好效果，使最终磨矿细度达 80% −200 目。浮选作业的粗、扫选采用 JJF−4 型浮选机，精选采用 XJK−2.8 型浮选机，组成三段浮选回路。采取多点产出合格精矿、加丁基铵黑药等技术措施强化浮选，改善了选矿指标。当原矿含镍 1.6% 时，可得浮选镍精矿含镍 6.3%，回收率88%～89%。一选矿厂的磨矿和浮选生产工艺流程如图32.3.5所示。药剂制度和材料消耗列于表32.3.9。历年来生产技术指标列于表32.3.10。

表32.3.9 药剂制度和材料消耗

浮选药剂		水 耗 m³/t 矿石	电 耗 kWh/t 矿石	球 耗 kg/t 矿石
名 称	用量，g/t			
丁基黄药 乙基黄药	100～150	6.2	49.2	1.44
2 号油	30～40			
硫酸铵	4000～5000			
碳酸钠	4000～5000			
丁基铵黑药	70～100			

表32.3.10 历年选矿厂生产技术指标

年份，年		1965	1970	1980	1981	1982	1983	1984	1985
处理矿量，万 t		13.9	41.9	33.2	29.2	28.0	33.4	34.2	38.5
原矿仓 Ni,%		1.04	0.998	1.47	1.59	1.91	1.82	1.75	1.62
精矿品位,%	Ni	4.37	4.11	5.40	5.65	5.73	5.51	6.15	6.36
	Cu			2.82	2.96	2.97	2.81	2.97	3.20
精矿回收率,%	Ni	73.3	79.9	89.6	89.7	90.7	90.1	88.0	88.08
	Cu			88.3	84.5	85.7	86.7	83.6	84.35

脱水工艺和设备的改进。将20平方米的圆筒外滤式过滤机改为折带式过滤机，可将精矿滤饼水分由原来的23%降至20%。在过滤中采用矿浆蒸气加温工艺，改善了矿浆的分散性，从而进一步提高了过滤效率，降低了精矿滤饼水分；新建的精矿沉淀池，用于回收浓密机溢流中的细粒精矿，同时为澄清水的循环使

用创造了条件。

　　该选厂的主要选矿设备见表32.3.11。

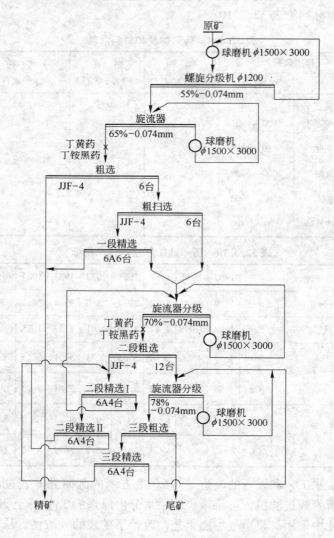

图 32.3.5　金川一选厂磨矿浮选流程

表 32.3.11 主要选矿设备

设 备 名 称	规 格	数量，台
颚式破碎机	PEF600×900	2
标准型圆锥破碎机	PYBφ1200	1
短头圆锥破碎机	PYDφ900	3
自定中心振动筛	SZZ$_1$ 1250×2500	2
球磨机	MQGφ1500×3000	12
螺旋分级机	FLGφ1200	12
水力旋流器	φ500	
浮选机	JJF-4	34
浮选机	XJK-2.8	16
中心传动浓缩机	WZ-12	4
折带式圆筒过滤机	20m^2	6
水环式真空泵	SZ-4	4

金川第二选矿厂

贫矿系统

该系统处理一矿区露天矿开采的浸染状贫镍矿。用铁路将矿石送至厂前的原矿仓，运输距离为 6 公里。1983 年，露天矿贫矿出矿能力下降，导致该系统的处理能力由 6000 吨/日降至 2000～3000 吨/日。

矿石性质。一矿区贫矿矿体产于含辉橄榄岩中。矿石大体分为三种类型：靠近矿体顶盘的细粒结构矿石，蚀变程度较弱，金属矿物嵌布致密，脉石矿物主要为蛇纹石、矿石难选；位于矿体中部的粗粒弱蚀变矿石，金属硫化矿物嵌布粒度较粗，脉石矿物主要为蛇纹石，矿石较易选；靠近矿体底盘的粗粒强蚀变矿石，蚀变程度强，脉石矿物多为绿泥石和碳酸盐，泥化严重，金属硫化矿物的表面氧化程度较深，并常被脉石矿物细泥覆盖，而影响其可浮性，属于难选矿石。入选贫镍矿石平均含镍 0.5%，其中硫化镍仅占总镍的 60%～65%。矿石密度 2.9 克/厘米^3。

选矿工艺流程和指标。破碎为三段开路流程，原矿块度 1200 毫米，经粗碎、中碎和细碎，最终产品粒度为 -25 毫米。中碎和细碎前设有预先筛分作业。最终破碎产品用皮带运输机直接运往磨浮厂前的 6 个粉矿仓，每个粉矿仓可容纳矿石 1700 吨。

    磨矿和浮选工段分为三个平行的生产系列，每系列流程相同，如图 32.3.6 所示。该棒磨—球磨—旋流器磨矿分级流程在我国是首次采用。浮选药剂为乙基黄药、松醇油和硫酸铜等，矿浆为自然 pH 值。原矿含镍 0.5%，选得铜镍混合精矿含镍 3.5%，镍回收率为 50% 左右。该流程浮选尾矿中尚损失相当一部分难选镍矿物，为了进一步回收，在原有设计流程的基础上，曾扩建了尾矿脱泥、浮选、磁选和粗精矿再磨选矿流程，可获得含镍 3%、回收率为 2% 的镍精矿。目前，该回收镍系统已停用。最终铜镍精矿采用浓密、过滤两段脱水作业，最终精矿滤饼水分为 23% 左右。

    贫矿选矿系统的选矿工艺流程如图 32.3.6 所示，历年来的生产技术指标列于表 32.3.12，电耗、水耗和药耗等列于表 32.3.13，主要设备列于表 32.3.14。

表 32.3.12   历年生产技术指标

年份，年		1967	1970	1980	1981	1982	1983	1984	1985
处理矿量，万 t		19.9	158.0	181.6	155.6	113.2	64.7	44.1	105
精矿品位,%	Ni	3.16	3.45	3.57	3.60	3.54	3.65	3.66	3.45
	Cu			1.64	1.78	1.94	1.97	1.85	1.23
回收率,%	Ni	49.7	57.2	54.8	58.9	52.5	55.3	62.43	58.99
	Cu			40.40	46.98	37.63	52.63	55.86	49.10

表 32.3.13   药剂、水、电和钢耗

浮 选 药 剂		水 耗	电 耗	棒、球耗，kg/t
名 称	用量，g/t	m³/t	kW·h/t	
丁基乙基黄药 乙基黄药	90～100	4	39.55	球耗 0.5～0.7 棒耗 0.4～0.45
丁基铵黑药	20～30			
松醇油	50～60			
硫酸铜	110～150			

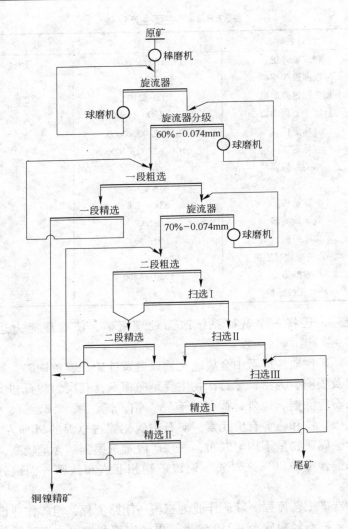

图 32.3.6 金川二选厂 1 号系统贫矿选矿流程

富矿系统

80 年代初，在二选厂扩建了富矿破碎系统，处理二矿区井下富矿石，处理能力为 3000 吨/日；磨浮工段除扩建一个 1500 吨/日

表 32.3.14　主要生产设备

设备名称	规　格	数　量
颚式破碎机	PEF1500×2100	1
标准圆锥碎矿机	PYB φ2100	1
短头圆锥碎矿机	PYD φ2100	2
自定中心振动筛	SZZ₁1800×3600	5
棒磨机	MBY φ2700×3600	2
球磨机	MQG φ2700×3600	5
水力旋流器	φ750	6
浮选机	XJK－5.8	96
浮选机	XJK－5.8	42
脱泥旋流器	φ500	
浓缩机	TNB30	5
40m³ 折带式过滤机		6
重型筛	1750×3500	1
叶片式过滤机	112m²	2

系统外，还将一个贫矿系统改为处理富矿，使处理能力达到 3000 吨/日。

原矿性质。矿石中金属硫化物以磁黄铁矿、镍黄铁矿、黄铜矿以及墨铜矿为主；脉石矿物主要是橄榄石，其次为辉石和少量斜长石。除铜、镍外，尚伴生有钴、铂、钯、锇、铱、钌、铑、金、银、铁和硫等有价元素。矿石中硫化镍占总镍的90%左右。有价金属矿物呈不均匀嵌布，一些矿段难选墨铜矿含量较高，约占总铜含量的20%~25%。铜镍矿物相互嵌布致密，铜镍分离困难。

选矿工艺流程。碎矿作业为三段一闭路流程，粗碎作业设在矿山。矿石经粗碎至－250毫米，再经中碎和细碎，细碎机与筛分机构成闭路，最终碎矿产品粒度为－12毫米。

磨矿浮选流程为三段磨矿、二段浮选流程第一段球磨磨矿粒度为70%－0.074毫米，二段为80%－0.074毫米；一段浮选流程为一次粗选、一次精选；二段浮选流程为一次粗选、二次精选、二次扫选；第一次扫选精矿产品经脱水后，再通过一次粗选、二次精选，选出硫精矿；浮选药剂为：六聚偏磷酸钠、丁基黄药、松醇油、丁基铵黑药、水玻璃、硫酸铜和硫酸。入选原矿含镍 1.75%，选得镍精矿含镍 6.5% ~ 7%、镍回收率 89% ~ 90%。二选厂富矿系统磨浮工艺流程如图 32.3.7 所示。选矿技术指标列于表 32.3.15。

该系统脱水作业除扩建两台 ϕ30 米浓密机外，过滤设备仍使用原贫矿系统的设备。该富矿系统主要设备列于表 32.3.16。

表 32.3.15　富矿系统生产技术指标

产品名称	产率 %	品位,%				回收率,%	
		Ni	Cu	S	MgO	Ni	Cu
铜镍精矿	27.95	6.72	3.25	25.05	10	90.03	85.31
硫精矿	1.24	1.44	0.70	30.12		0.85	0.85
尾 矿	70.81	0.269	0.19	2.92		9.12	12.84
原 矿	100.00	1.75	0.89	7.93		100.00	100.00

表 32.3.16　金川二选厂富矿系统主要设备

设 备 名 称	规 格	数 量
标准圆锥碎矿机	PYB ϕ1750	1
短头圆锥碎矿机	PYD ϕ1750	2
自定中心振动筛	SZZ$_1$1800×3600	2
棒磨机	MBY ϕ2700×3600	2
球磨机	MQG2700×3600	4
螺旋分级机	2FLG ϕ2400	1
球磨机	溢流型 2100×3000	2
水力旋流器	ϕ500	4
浮选机	BX-8 型	80
浮选机	XJK-2.8	72
离心式风机	D-400-11 型	2

金川二期扩建工程。扩建的选矿厂处理二矿区富矿，磨矿设备采用了 ϕ2700×4000 棒磨机和 ϕ3200×5400 球磨机；浮选采用

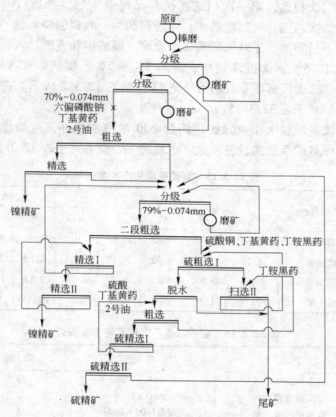

图 32.3.7　金川二选厂富矿系统生产流程

了容积为 16 米³ 的充气式浮选机；脱水设备有 φ45 米的浓密机和芬兰 Larox 型自动压滤机，可使精矿滤饼水分降至 10% 以下。

尾矿系统

尾矿库设置于距二选厂 4 公里的戈壁滩上。初期坝用戈壁砂石堆成，面积为三平方公里（宽 1.5 公里、长 2 公里）。从库的中间隔成东西两个库，交替使用。一选厂的尾矿用直径 250 毫米的压力管道输送；二选厂尾矿用 600 × 600 毫米的沟槽自动流到尾矿库，再用离心砂泵经 350 毫米管道送至坝的四周，主管道上设有若干直径为 125 毫米的支管，按要求将尾矿分级分区排入库内。

尾矿水回收利用。尾矿库内的澄清水通过建在中心的回水塔和地下沟渠引到库外，用 2 台离心水泵径 300 毫米管道送往二选厂回水池，与二选厂的精矿澄清水合并，用 4 台离心式水泵经直径 500 毫米的管道送往二选厂磨矿和浮选作业。

高冰镍磨浮分离车间

金川硫化铜镍矿属于蛇纹石类型矿石，铜镍矿物彼此致密嵌布，直接采用机械选矿方法进行铜镍分离有困难，故采用了高冰镍浮选分离技术。铜镍混合精矿经转炉熔炼成高冰镍，其主要化学成分列于表 32.3.17。高冰镍需经缓冷、破碎、磨矿和浮选等工序处理。

高冰镍物料性质。它是冶炼过程中的一种产品，属于人造铜镍硫化物，其物理化学性质与天然矿物相似。高冰镍的物质组成和金相结构影响铜镍分离，而缓冷是决定高冰镍金相结构的关键。经过缓冷的高冰镍物质组成为：硫化镍（Ni_3S_2）、硫化铜 $[(Cu_2S_2)_2FeS + Cu_2S]$、合金（$Cu-Ni-Fe$）、金属铜（Cu）以及少量磁铁矿（Fe_3O_4）和残渣。其中硫化镍和硫化铜含量占 90% 以上。熔融状态的高冰镍在缓慢冷却三天条件下，晶粒变大，当温度在 530℃时，硫化镍发生晶变，由 $\beta-Ni_3S_2$ 变成 $\alpha-Ni_3S_2$，将其中的固熔硫化铜析出，这为铜镍选矿分离创造了极为有利的条件。高冰镍含有铂、钯、金、银等贵金属，绝大部分富集在合金中。高冰镍中钴的分布与含铁量有关，铁含量高，则钴含量随之提高，辉银矿（Ag_2S）与斑铜矿呈类质同象，故银主要富集在铜硫化物中。

工艺流程。高冰镍的破碎和磨浮工艺流程，如图 32.3.8 所示。

碎矿。高冰镍具有质硬而脆的特点，高冰镍冷却块首先用吊锤打碎后，用电耙扒至破碎作业。采用了三段开路碎矿流程，粗碎用一台 600×900 毫米颚式碎矿机，产品粒度 -150 毫米；中碎用一台 250×400 毫米颚式碎矿机，产品粒度 -35 毫米；细碎用 ϕ600×400 毫米对辊破碎机，最终破碎产品粒度为 -20 毫米。

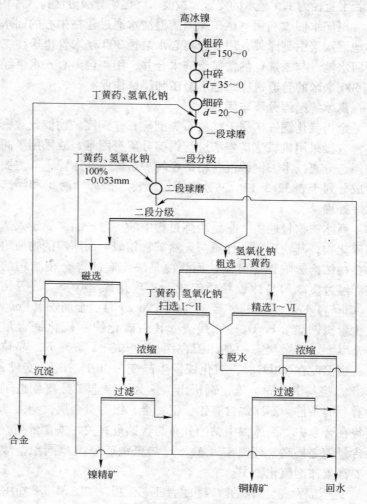

图 32.3.8　一次高冰镍磨浮车间工艺流程

磨矿。采用两段磨矿流程，第一段采用 $\phi1500 \times 3000$ 毫米球磨机与一台 $\phi1000$ 毫米单螺旋分级机组成半闭路磨矿；第二段采用 $\phi1500 \times 3000$ 毫米球磨机与一台 $\phi1200$ 毫米双螺旋分级机组成闭路磨矿，最终磨矿粒度为 -0.053 毫米占 94% 以上。高冰镍中的镍铁合金具有密度大、有磁性以及富有延长性等特点，故在磨矿过程中多积聚于该回路中，为此，在二段分级机返砂处用一台 600×450 毫米磁选机定时磁选回收，获得含铂族元素的富钴镍铁合金产品，送往铂族金属提取车间进行单独处理。

浮选。二段分级溢流在搅拌槽加药调整后，送入浮选机，在强碱性介质条件下（pH 值为 12.5）进行铜镍分离。浮选流程为一次粗选、二次扫选和六次精选，获得镍精矿和铜精矿。浮选药剂为丁基黄药和氢氧化钠。

脱水。铜精矿和镍精矿各用一台 ϕ9 米浓密机脱水，另有一台 ϕ9 米浓密机用于中矿脱水。铜精矿和镍精矿分别用一台和二台 20 米^2 圆筒过滤机进行过滤，精矿滤饼分别送往熔铸车间进一步处理。

一次高冰镍物料及金属平衡列于表 32.3.17。

表 32.3.17 一次高冰镍物料及金属平衡

产 品	产率 %	品 位，%						
		Ni	Cu	Co	Fe	S	Pb	Zn
镍精矿	60.95	64.05	3.92	0.7	4.05	23.67	0.0018	0.0042
铜精矿	28.21	4.02	69.64	0.12	4.28	21.69	0.0023	0.0036
一次合金	9.59	62.23	20.47	0.95	7.06	8.86	0.0023	0.0054
中 矿	0.53	30.45	30.03	0.78	4.12	21.89	0.011	0.0082
损 失	0.72	30.45	30.03	0.78	4.12	21.89	0.011	0.0082
一次高冰镍	100.0	46.5	24.37	0.56	4.4	21.67	0.002	0.0042

产 品	品 位，g/t							
	Pt	Pd	Au	Ag	Rh	Ir	Os	Ru
镍精矿	6.032	2.428	3.945	22.702	0.342	0.364	0.375	0.45
铜精矿	0.34	0.19	0.433	213.31	0.021	0.041	0.04	0.025
一次合金	68.607	26.684	14.231	56.296	3.165	3.631	3.731	4.304
中 矿	5.1	1.63	3.9	46.243	0.445	0.667	0.185	0.445
损 失	5.1	1.63	3.9	46.243	0.445	0.667	0.185	0.445
一次高冰镍	10.416	4.113	3.94	79.989	0.523	0.59	0.6	0.70

高冰镍磨浮车间的单位消耗定额见表 32.3.18。

表 32.3.18　高冰镍磨浮车间的单位消耗指标

名称	丁基黄药,g/t	氢氧化钠,g/t	钢球,kg/t	水,m³/t	电,kWh/t	蒸汽,t/t
数量	0.96	4.51	0.71	9.28	110	0.394

二次高冰镍磨浮分离。为提高贵金属回收率,1980 年建立了二次高冰镍磨浮系统。其生产过程是,将一次高冰镍分离过程中所产得的合金产品,再经转炉二次硫化后产出二次高冰镍,再经过缓冷—破碎—磨浮分离—磁选后,产出二次合金。二次合金与一次合金的铂金属含量相比,相对提高 7~8 倍,二次合金含铂为 524 克/吨、钯 170 克/吨。二次高冰镍的工艺流程如图 32.3.9 所示。所用主要设备列于表 32.3.19。磨浮分离技术指标列于表 32.3.20。

表 32.3.19　主　要　设　备

设　备　名　称	规　格	数量,台
球磨机	φ1200×2400	3
螺旋分级机	φ1200×8000(沉没式)	2
螺旋分级机	φ1000×6500(高堰式)	1
浮选机	XJK-2.8	14
浮选机	XJK-0.35	18
磁选机	600×600	4
磁选机	600×300	4

B　磐石铜镍矿选矿厂

该矿位于吉林省境内。选矿厂于 1969 年开始建设,1971 年投产,1976 年经扩建形成了目前的生产规模。该矿分两个矿区出矿。

资源和矿石特性。该矿属于岩浆熔离型—硫化铜镍矿床,以一号和七号矿体为主。主要金属硫化物为镍黄铁矿、磁黄铁矿和黄铜矿等,硫化矿物含量占矿石总量的 20% 左右,其中磁黄铁

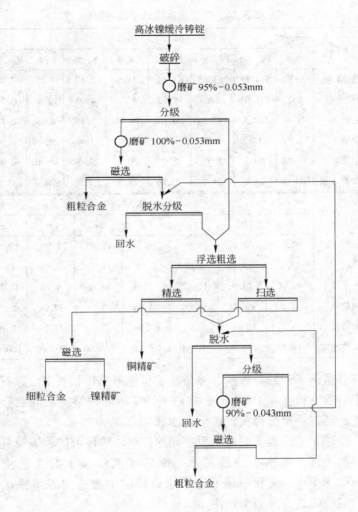

图 32.3.9 二次高冰镍磨浮分离流程

矿占硫化物总量的 60% 以上，磁黄铁矿与镍黄铁矿之比为 3~4，还伴生有钴元素；主要脉石矿物为斜方辉石、纤闪石、滑石、透闪石、橄榄石、蛇纹石、绿泥石和黑云母等。铜矿物和镍矿物呈粗、细粒不均匀浸染。当磨矿粒度 −0.074 毫米占 50%~55% 时，

表 32.3.20　二次高冰镍选矿技术指标

产　品	产率%	品　位						
		Pt, g/t	Pd, g/t	Ni,%	Cu,%	Fe,%	S,%	Co,%
粗粒合金	9.8	544.72	183.68	61.88	23.5	2.49	7.25	0.78
细粒合金	1.2	471.68	134.3	58.12	9.71	4.93	12.53	0.76
合　计	11.0	524.8	170.21	60.85	19.74	3.15	8.69	0.78
镍精矿	71.92	17.13	6.28	66.0	6.5	0.6	21.49	0.56
铜精矿	17.08	2.06	2.68	5.0	70.0	1.3	21.0	0.07
二次高冰镍	100.00	70.4	23.7	55.0	18.8	1.0	20.0	0.5

产　品	回　收　率,%						
	Pt	Pd	Ni	Cu	Fe	S	Co
粗粒合金	61.9	62.0	9.0	10.0	19.88	2.90	12.54
细粒合金	20.1	17.0	3.17	1.55	14.78	1.88	4.54
合　计	82.0	79.0	12.17	11.55	34.66	4.78	17.08
镍精矿	17.5	19.07	86.28	24.86	43.14	77.29	80.53
铜精矿	0.5	1.93	1.55	63.59	22.2	17.93	2.39
二次高冰镍	100.00	100.00	100.00	100.00	100.00	100.00	100.00

大部分黄铜矿和磁黄铁矿、镍黄铁矿呈他形晶粒状共生。脉石矿物中一般含镍在 0.1% 以下，在磁黄铁矿中除镍呈类质同象存在之外，还有一部分镍黄铁矿呈乳浊状嵌布。

选矿工艺流程。采用三段一闭路碎矿，阶段磨矿、铜镍混合—分离浮选，镍精矿三段脱水、铜精矿两段脱水的工艺流程（图 32.3.10）。流程中还考虑了从镍精矿中磁选出磁黄铁矿精矿，但该磁选作业暂未使用。

该厂历年来不断地进行技术改革，提高了选矿技术经济指标。例如：1）将一段磨矿浮选流程改为两段磨矿两段浮选流程，使磨矿粒度由原来的 -0.074 毫米占 30%～55% 提高到 70%，改善了精选作业，提高混合精矿品位；2）在精选作业添加羧甲基纤维素抑制硅酸盐脉石，消除了易浮脉石的干扰；3）

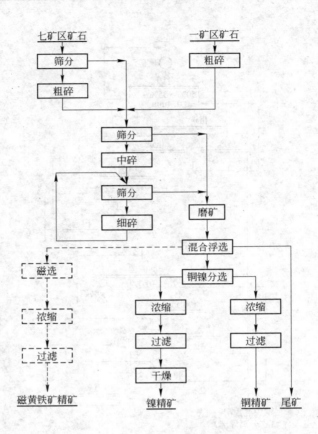

图 32.3.10 磐石选矿厂工艺流程

用 25 号黑药代替了松油作起泡剂, 提高了铜镍回收率。铜镍混合浮选流程如图 32.3.11 所示; 4) 采用混合精矿铜镍分离无氰工艺, 用石灰代替了氰化物, 并阶段抑制排除磁黄铁矿的干扰, 通过对铜的一次粗选、四次精选、一次扫选, 可获得合格铜精矿和镍精矿, 镍精矿中的铜镍比值为 1∶12。这种镍精矿经电炉熔炼和转炉吹炼后, 可产出含铜 6% ~8%、含镍 65% 的低铜高冰镍, 简化了冶炼过程, 降低了冶炼成本。这些技术措施取得了较好的经济效果。该矿在我国首次将硫化铜镍矿石的铜镍分离浮选技

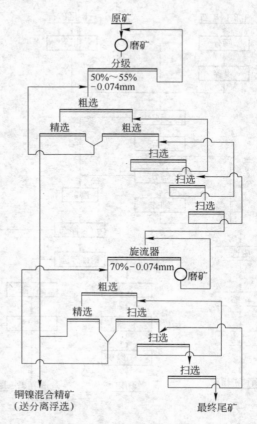

图 32.3.11 磐石铜镍混合浮选流程

术用于工业生产。铜镍分离浮选无氰工艺流程如图 32.3.12 所示。

　　该选矿厂的生产指标、单位消耗指标及主要设备分别列于表 32.3.21、表 32.3.22 和表 32.3.23。

　　尾矿处理系统。尾矿库距选矿厂 1.5 公里，尾矿输送设有两条直径为 200 毫米的铸铁管路，由 6PNTA 型胶泵分三段扬送。日排尾矿量 1000 吨，矿浆浓度 20%。全部尾矿水经排水井和排水管道给入坝下的回水泵站，返回选矿厂上部的 500 米³ 尾水回收池，供磨矿作业使用。尾矿库容积为 500 万米³，使用期限 20 年。

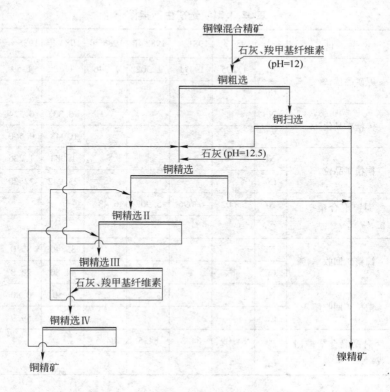

图 32.3.12 磐石铜镍分离工艺流程

32.3.2.2 加拿大铜镍矿厂

加拿大有铜崖、克拉拉伯尔、费鲁德-斯托比、汤普森、克莱顿、里瓦克、鹰桥、费坎尼斯湖、斯特拉斯康纳、哈迪、曼尼桥、林湖、卡尼其、道里、朗库尔和乔治亚共十六座选矿厂。隶属于国际镍公司、鹰桥镍公司和舍利特—高尔顿公司。

A 铜崖镍选厂

铜崖（Copper Cliff）镍选厂位于安大略省萨德伯里铜镍硫化矿带的南部边缘，是国际镍公司建设最早的大型镍选厂。1930 年投产时生产规模为日处理矿石 8000 吨；1936 年扩建到 12000 吨/日；1940 年扩建到 20000 吨/日；1942 年又扩建到 30000 吨/日。

表 32.3.21　选矿生产指标

项　目	指标	1980 年	1981 年	1982 年	1983 年	1984 年	1985 年
原矿品位,%	Ni	1.295	1.411	1.302	1.246	1.30	1.59
	Cu						
镍精矿品位,%	Ni					6.33	6.524
	Cu					0.943	0.550
铜精矿品位,%	Ni					1.083	1.236
	Cu					23.942	22.20
铜镍混合精矿品位,%	Ni	5.602	6.096	5.902	6.434		
	Cu						
镍精矿回收率,%	Ni					83.40	85.0
	Cu					44.80	28.8
铜精矿回收率,%	Ni					0.50	0.80
	Cu					43.30	59.9
铜镍混合精矿回收率,%	Ni	84.09	84.3	84.5	84.5		
	Cu						

自 1967 年该地区建成费鲁德-斯托比（Frood-Stobie）选矿厂和 1971 年建成克拉拉伯尔（Clarabella）选厂后，铜崖选厂的破碎车间和磨矿车间关闭，选矿工艺流程由处理原矿石改为处理费鲁德-斯托比选厂的铜镍粗精矿和克拉拉伯尔选厂的铜镍精矿及磁黄铁矿粗精矿。铜崖镍选厂设有两条长 1.6 公里管道与克拉拉伯尔选厂相连；设一条 6.4 公里管道与费鲁德-斯托比选厂相连。铜崖选厂由上述两选厂每天送入 12000 吨铜镍混合精矿。经分选后，获得铜精矿、镍精矿、磁黄铁矿精矿和尾矿。

　　费鲁德-斯托比和克拉拉伯尔两选厂的铜镍混合精矿组成基本相同。主要金属矿物是黄铜矿、镍黄铁矿及含镍磁黄铁矿。磁黄铁矿分为单斜晶系和六方晶系两种，前者有磁性，后者无磁

性。现以处理克拉拉伯尔选厂的铜镍混合精矿和磁黄铁矿为例，
分述如下：

表 32.3.22 单位消耗指标

名称	丁基黄药 g/t	25 号黑药 g/t	2 号油 g/t	碳酸钠 g/t	羧甲基纤维素 g/t	石灰 g/t	钢球 g/t	电 kW·h/t	水 m³/t
数量	158	291	0	1590	924	9366	1927	45.2	6

表 32.3.23 主要设备表

设 备 名 称	型 号 规 格	台 数
颚式破碎机	PEF600×900	2
标准型圆锥破碎机	PYB φ1200	1
短头圆锥破碎机	PYD φ1650	1
自定中心振动筛	SZZ₁1500×3000	1
双层惯性振动筛	1500×300	1
球磨机	锥型 φ2400×1200	2
球磨机	MQG2700×3600	2
螺旋分级机	FLG φ1500	2
螺旋分级机	2FLG φ2400	1
水力旋流器	φ500	4
球磨机	溢流型 φ1500×3000	1
浓缩机	φ6m	2
浮选机	XJK−2.8 型	120
水力旋流器	φ350	2
浮选机	XJK−6 型	56
浓缩机	φ18m	3
过滤机	折带式 10m²	2
过滤机	折带式 40m²	4
圆筒干燥机	φ2400×24000	2
永磁磁选机	半逆流 φ750×1800	2
磁力脱水槽	永磁式 φ2000	1
过滤机	折带式 20m²	1

铜镍混合精矿的分选流程

浓度为 25% 的铜镍混合精矿，以每分钟 5.7 米³ 的矿量送至铜崖选矿厂的粗选分配槽。粗选泡沫进入分离浮选作业，其精矿进行两次精选，获得最终铜精矿；粗选和分离浮选的槽内产品为最终镍精矿。浮选条件：保持石灰浓度，分离浮选为 545 克/吨水。一次精选和二次精选分别为 85 克/吨水和 226 克/吨水；一次精选作业加入氰化钠 272 克/吨给矿；矿浆浓度在分离浮选和粗选均保持在 20% ~ 25%，而在精选浓度为 10% 左右；将冶炼厂废热加入浮选给矿槽，使矿浆温度提高到 30 ~ 35℃；各浮选作业均采用 2.8 米³ 丹佛浮选机。

磁黄铁矿粗精矿处理流程

磁黄铁矿粗精矿经直径 305 毫米的管道，以每分钟 83 米³ 的流量送至铜崖精选厂，给入 16 台 φ305 × 1829 毫米的永磁磁选机进行精选，场强为 3968.35 × 10 安/米（750 奥斯特），可除去大部分硅质脉石和黄铜矿。为进一步提高磁黄铁矿的脱除效率，将磁选机的磁场强度由 5968.35 × 10 安/米（750 奥斯特）提高到 79578 安/米（1000 奥斯特），使磁黄铁矿的脱除效率提高 20%。

往非磁性产品中加入絮凝剂，在两台 φ22.86 米浓缩机中，将矿浆浓度提高到 30%。然后，在 6 排 14 台 1.4 立方米法格尔古伦浮选机中进行扫选，加入戊基黄药用来强化浮选扫选，选出最终镍精矿。磁选的磁性产品在四台 φ3251 × 3962 毫米格子型球磨机中进行再磨，磨机功率为 507 千瓦，转速为临界转速的 77%，使用了单波形硬镍合金衬板和 38 毫米的冷铸钢球。球磨机与 8 台 φ380 毫米水力旋流器构成闭路，磨矿细度为 90% −0.074 毫米。旋流器溢流送铜镍浮选作业，在 8 排平行排列的 6 槽 2.8 米³ 丹佛型浮选机中，浮选回收镍黄铁矿和黄铜矿，铜镍浮选精矿送至一排 6 槽的 2.8 米³ 丹佛浮选机进行铜镍分离，石灰加入量为 276 克/吨水，泡沫产品为铜精矿，槽内产品为镍精矿。再从铜镍浮选尾矿中进一步浮选-磁选回收磁黄铁矿，获得低硅的磁黄铁矿精矿。为强化磁黄铁矿浮选，添加硫酸铜、戊基黄酸钠和起泡剂 DOWSA1263，它们的用量分别为 137、113 和 18 克/（吨·给矿）。磁黄铁矿的回收率为 70%。该精矿浓缩至 50% 的浓度，通过一条 ϕ214 毫米管道，用泵送至 6.4 公里外的磁黄铁矿处理厂，从中回收镍、铜和铁。磁黄铁矿浮选尾矿是一种含脉石的磁黄铁矿，送往尾矿堆积区内的磁黄铁矿堆场。

选矿厂回水系统。由于不断地改进回水技术，40 年来回水率已由 50% 提高到目前的 95%，新鲜水仅用于非生产用水。该回水系统由克拉拉伯尔、费鲁德-斯托比和铜崖三个选矿厂共同的尾矿坝和回水澄清池组成，利用自控装置添加石灰，控制 pH 值，使回水中的重金属离子含量减少了 95%，降至含铜 0.2ppm、含镍 0.3ppm、含铁 0.1ppm。自采用该回水系统后，使镍和铜回收率分别提高 2% 和 1%，收到了减少污染、降低药耗和节省用水的效果。但也存在不利之处 pH 值和可溶性金属离子含量的变化会影响浮选效果。值得提出的是，冬季时管路易产生结垢现象，污垢为六水碳酸钙。当 pH 值超过 10 时，结垢现象严重，当 pH 值控制在 9.5 以下时，结垢现象明显减轻。

铜崖选矿厂的选矿工艺流程如图 32.3.13 所示。铜镍精矿处理系统的主要设备、磁黄铁矿处理系统主要设备、选矿药剂消耗定额以及选矿技术指标分别列于表 32.3.24、表 32.3.25、表 32.3.26 和表 32.3.27。

精矿处理系统。铜精矿在一台 ϕ16.764 米浓密机中浓缩，底流浓度 65%，送往两台 ϕ4267×4887 毫米内滤式圆筒过滤机，滤饼送到附近的闪速炉熔炼；镍精矿经五台 33.53 米浓缩机浓缩，底流浓度 70% 的镍精矿送至五台 ϕ2682 毫米×12 片的叶片式过滤机和九台 ϕ4267×4877 毫米的圆筒过滤机过滤。滤饼水分随最终镍精矿的细泥含量而变化，因此，浮选作业需严格控制精矿含泥量。全部过滤机的真空度控制在 81326.42 帕（610 毫米汞柱），滤液返至浓密机。浓密机的溢流水，一部分返回选矿作业，另一部分送至水的回收区。

B 克拉拉伯尔镍选矿厂（加拿大）

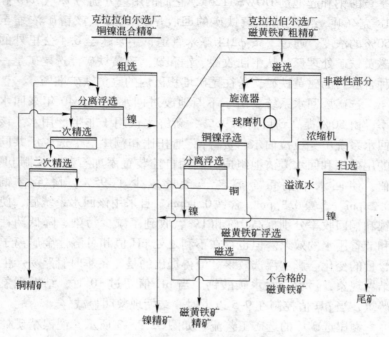

图 32.3.13　铜崖选矿厂铜镍混合精矿分选及
磁黄铁矿粗精矿精选流程

克拉拉伯尔（Clarabella）是国际镍公司最大的现代化镍选矿厂。于 1971 年 11 月投产，日处理矿石 35000 吨。全厂共有职工 220 人，其中生产工人 75 人，维修人员 125 人。

该厂处理的矿石来自萨德伯里地区的 12 个矿山，各矿矿石的成分和性质基本一致。含镍磁黄铁矿、黄铜矿和镍黄铁矿占金属硫化物的 90%。还有少量的磁铁矿、钛铁矿和黄铁矿。镍黄铁矿与磁黄铁矿紧密共生，两者比值为 1：15。原矿平均含镍 1.4%、铜 1.1%、硫 10% 和少量的贵金属。

破碎系统。采用三段开路中细碎作业前设有洗矿、预先筛分的破碎流程（图 32.3.14）。粗碎设在坑内，将矿石碎至 –200 毫米后，用火车运到选矿厂的 30000 吨矿仓，矿仓上部装有间距为

表 32.3.24　铜镍精矿处理系统设备

名　称	粗　选	分离浮选	一次精选	二次精选
2.8m³ 丹佛 DR 浮选机，槽	9×6	9×6	10×6	6×6

表 32.3.25　磁黄铁矿系统流程设备

名　称		浓缩	磨矿	Cu-Ni 浮选	Cu-Ni 分离浮选	磁黄铁矿浮选	精选	扫选
精选部分	φ305×1829mm 永磁磁选机，台						16	
非磁性部分	φ22.86m 浓缩机，台	2						
	1.4m³ 法尔古伦浮选机，槽							6×14
磁性部分	φ3251×3962mm 格子球磨机，台		4					
	2.8m³ 丹佛 DR 浮选机，槽			8×6	6	7×12		
	φ914×1829mm 永磁磁选机，槽						16	

表 32.3.26　药剂消耗

药剂名称	单　位	铜镍精矿处理系统			磁黄铁矿处理系统		
		分离浮选	一次精选	二次精选	Cu-Ni 分离	磁黄铁矿浮选	扫选
石　灰	g/t 水	545	815	226	276		
氰化钠	g/t 给矿		272				
硫酸铜	g/t 给矿					137	
戊基钠黄药	g/t 给矿					113	
DOWSA1263	g/t 给矿					18	

300 毫米的格筛。矿石由六台 1220×5940 毫米的铁板给矿机送到两条平行的 1.07×579.2 米的钢绳皮带运输机，再运到 3000 吨的分配矿仓。中、细碎设有六个平行的生产系统，每个中碎系统由一台 1890×4267 毫米的双层筛（上层筛孔 32 毫米、下层筛孔 8 毫米）与一台 φ2100 毫米标准圆锥破碎机（排矿口 44 毫米）

表 32.3.27　铜崖选矿厂分选指标

名　称		产率 %	品　位,%			回收率,%		
			Cu	Ni	P[1]	Cu	Ni	P[1]
入料	克拉拉伯尔铜镍精矿	21	10.6	10.2	23			
	克拉拉伯尔磁黄铁矿精矿	51	0.5	1.3	66			
	费鲁德-斯托比精矿	28	3.7	3.5	60			
产品	铜精矿	9	29	1.2	8	74	3	1
	镍精矿	34	2.5	8.5	50	24	85	31
	磁黄铁矿精矿	25	0.11	1.1	90	1	7	41
	不合格磁黄铁矿精矿	20	0.05	0.6	66	0.3	3	24
	尾　矿	12	0.25	0.5	13	0.7	2	3

总回收率　Cu 99%　　　　　　　　P[1]表示磁黄铁矿
　　　　　Ni 95%

组成闭路碎矿；细碎作业由一台 1520×3657 毫米双层筛（上层筛孔 32 毫米，下层筛孔为 13×51 毫米）与一台 2100 毫米短头圆锥破碎机（排矿口 6 毫米）组成第三段闭路碎矿。最终碎矿产品粒度为 19 毫米。

由于矿泥多，中碎前设置了湿式筛分将粗碎后的原矿石先经预先筛分，筛上产品给入中碎。将六个系统的筛下产品集中一起，在二台 1830×4287 毫米振动筛上进行湿式筛分，筛上产品给入容量为 15000 吨的粉矿仓，作为棒磨机的一部分入料；筛下产品用二台 760 毫米旋流器分级，旋流器的底流返经磨矿回路，而溢流送入 ϕ68.60 米的浓缩机，浓缩机的底流送到浮选作业。

磨矿分级系统。分为五个平行系列，每系列由一台 ϕ4110×5490 毫米棒磨机、一台 ϕ4110×5490 毫米球磨机和三台 ϕ760 毫米旋流器组成。棒磨机为开路磨矿，排矿粒度 −2.5 毫米，排矿浓度 82%。旋流器与球磨机组成闭路磨矿，溢流粒度 85% −0.2 毫米。

选矿系统。采用泥砂分选、磁浮联合流程。经磨矿分级得到的溢流，经矿浆分配器分配到 22 个平行的选矿系列，每系列设有二台 ϕ910×1830 毫米湿式圆筒磁选机和 22 台 3.8 米³ 丹佛充

气式浮选机。溢流先经磁选，得磁黄铁矿精矿；磁选尾矿再入浮
选回路。浮选回路中的 22 台浮选机分为 A、B、C、D 四个组。

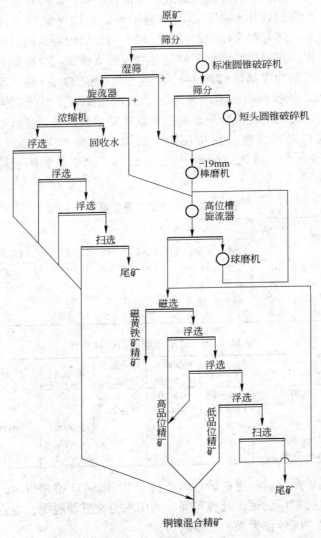

图 32.3.14　克拉拉伯尔选矿厂流程

其中，*A* 和 *B* 两组浮选机用于回收黄铜矿和镍黄铁矿，选出铜镍总合量为 10% 的高品位精矿，将此高品位精矿和本浮选回路中得到的低品位精矿合并作为最终铜镍混合精矿。*C* 和 *D* 组则为扫选作业。将扫选作业精矿返至磁选给矿，扫选尾矿即为最终尾矿。此外，还有两个相似的浮选回路，用于处理经浓缩后的湿式筛分矿泥，该浮选回路得到的精矿并入最终铜镍混合精矿。浮选添加的药剂为戊基黄酸钠 448 克/吨、硫酸铜 34 克/吨、起泡剂 9 克/吨。捕收剂和起泡剂分为三个给药点加入，而硫酸铜一次加入。选得的铜镍混合精矿和磁黄铁矿精矿泵送到铜崖选矿厂进行精选和铜镍分离。克拉拉伯尔镍选厂的选矿工艺流程如图 32.3.14 所示。选别指标列于表 32.3.28。碎矿和磨矿钢材消耗列于表 32.3.29。

表 32.3.28　选矿厂选别指标

名　称	产率 %	含量,%			回收率,%		
		铜	镍	磁黄铁矿	铜	镍	磁黄铁矿
给　矿	100	1.2	1.5	19	100	100	100
磁选精矿	24	0.5	1.3	66	9	22	81
浮选精矿	10	10.6	10.6	23	86	71	12
尾　矿	66	0.1	0.16	2	5	7	7

表 32.3.29　碎矿和磨矿的钢材消耗

名　称	单　位	标准圆锥破碎机	短头圆锥破碎机	棒磨机	球磨机
圆锥锰钢壳	t·矿/副	610000	390000		
钵	t·矿/副	710000	530000		
衬　板	t·矿/副			2500000	800000
100mm 钢棒	g/t			453	
50mm 钢球	g/t				317

尾矿系统。将尾矿通过两条长 1340 米 ϕ457 毫米管道，泵送到铜崖选矿厂的尾矿处理车间，利用水力旋流器脱泥，溢流送往尾矿坝，沉砂作为采矿充填料。

自动控制系统。该厂自动化程度高，破碎车间的所有设备自动连锁，由中央控制室控制。磨矿车间的棒磨机给矿量和给水量、旋流器给矿浓度、分级溢流细度、粉矿仓的料位以及泵池的液位等均应用自动控制装置。浮选过程的控制也完全仪表化，其中包括药剂控制、浮选机液面控制和截流分析等。生产管理应用工业电视进行监视。计算机根据测定结果，作出每天、每班的生产报表，其中包括操作情况的综合报表、金属平衡报表、分析数据报表、警报报表以及运转时间报表等。在线分析仪能在 11 个矿流中进行铜、镍、铁、硫和硅的分析，可在 12 分钟内打印出分析结果。分析仪的可靠度高，仪器的运转效率可达 96%。与化学分析结果相对照，其偏差率级为 7% ~ 12%，可满足生产要求。给药系统设有完备的流量计、人工控制阀和电子计算机，用来控制各种药剂的添加量。药剂的流量受控于进厂的矿石量，如给矿量发生变化，则计算机立即计算出适宜的药剂流量，流量控制器自动地进行调节。计算机还可根据转入的数据，调节每个加药点的药剂分配量。计算机根据在线分析仪的分析数据和棒磨机计算器的吨位数，计算出给矿中硫化物的重量，按矿石的吨位和品位确定添加药剂量。

C 汤普森选矿厂（加拿大）

汤普森（Thompson）选矿厂属于国际镍公司，位于曼尼托巴省，北距温尼泊 640 公里。矿石来自汤普逊矿、伯斯特里矿及派普湖露天矿，产出的精矿就地在本采、选、冶联合企业精炼为金属，供市场销售。该选厂 1960 年投产时，日处理汤普逊矿石 6000 吨，1967 和 1971 年，伯斯特里矿和派普矿相继投产，选矿厂的生产能力 1971 年扩大到 15100 吨/日。其中汤普逊矿日生产矿石 6500 吨、伯斯特里矿日生产矿石 1800 吨、派普矿日生产矿石 6800 吨。选矿厂"B"系统处理汤普逊矿石和伯斯特里矿石，每周生产六天；"C"系统处理派普矿石，连续生产。"B"系统生产铜精矿和镍精矿，"C"系统生产铜镍混合精矿。铜精矿和镍精矿泵至冶炼厂脱水后进一步处理。二个系统的尾矿分别进行分级，粗砂作井下充填料，细泥泵至尾矿坝。

汤普逊矿和伯斯特里矿的矿石性质相同；而派普矿矿石性质则迥然不同，须采用不同流程处理。汤普逊和伯斯特里两矿矿石中硫化矿物占 35%，主要为磁黄铁矿、镍黄铁矿及黄铜矿。磁黄铁矿与镍黄铁矿之比为 8：1，镍铜品位之比为 15：1。脉石矿物有石英、长石、云母，其他为硅酸盐及石墨等。派普矿石在组成上变化很大，硫化矿物含量由 4% 到 90%，主要成分也是磁黄铁矿。磁黄铁矿与镍黄铁矿之比从 20：1 到 4：1，铜镍比 10：1。脉石矿物为橄榄石、蛇纹石及少量纤维状硅酸盐。

破碎系统。汤普森矿石在井下用 1067×1525 毫米颚式破碎机碎至 −150 毫米，采用 17.5 吨箕斗提升，直接卸入 2200 吨原矿仓；伯斯特里矿山距选矿厂 8 公里，矿石用 35 吨卡车运到厂外受矿房的 4500 吨矿仓；派普矿距选矿厂 40 公里，矿石用 100 吨矿车由铁路运至厂外受矿房，用翻车机卸入 1000 吨矿仓。伯斯特里和派普矿各自用 $\phi1050$ 毫米旋回破碎机将矿石碎至 −150 毫米，送到 2200 吨矿仓。两个 2200 吨矿仓间断排矿，用皮带运输机给至 1830×4265 毫米振动筛进行预先筛分。中细碎，目前扩建成三个系列。每个系列由一台 $\phi2130$ 毫米标准圆锥碎矿机、一台 1524×2440 毫米振动筛和一台 $\phi2130$ 毫米短头圆锥碎矿机组成闭路碎矿。标准圆锥碎矿机的排矿口为 50 毫米，排矿进入弯面的棒条振动筛，筛上产品进入短头圆锥破碎机，其排矿口为 16 毫米。筛下产品用皮带运到 $\phi17×16$ 米钢筋混凝矿仓，每个容量为 9000 吨矿石，1 号和 2 号矿仓各安装一台 Airdox 高压、压缩机组，清扫堵塞的溜槽和减少粘附在矿仓壁上的矿石。破碎系统的粉尘通过各转运点的风管系统，利用一台 1585 立方米/分的风机抽走，载尘气体通过水喷雾旋风器组净化后排往大气。回收的粉尘泵往磨矿回路。

磨矿系统。磨矿作业共有 9 台 $\phi3180×4817$ 毫米磨矿机，其中棒磨机 4 台，球磨机 5 台。"B" 系统的处理能力为每小时 350 吨，有两个系列，每个系列有一台棒磨机和一台与 3 台 $\phi750$ 毫米旋流器构成闭路磨矿的球磨机，分级溢流细度 −0.074 毫米占

48.3%，矿浆浓度 35%；"*C*"系统的处理能力为每小时 250 吨，有一台棒磨机和两台球磨机。每台球磨机与 8 台 φ500 毫米水力旋流器构成闭路。旋流器溢流细度 −0.074 毫米占 68.8%，矿浆浓度为 15%～78%，余一台棒磨机作为备用。还有一台球磨机作"*B*"系统的再磨，与 3 台 φ750 毫米的旋流器构成闭路磨矿。

浮选系统共有 10 排 1.9 米^3 的法格尔古伦浮选机和 18 排 2.8 米^3 丹佛浮选机。"*B*"系统的粗选作业用三排丹佛浮选机，其他作业用法格尔古伦浮选机。

"*B*"系统在磨矿的给矿处添加戊基钠黄药 23 克/吨，在扫

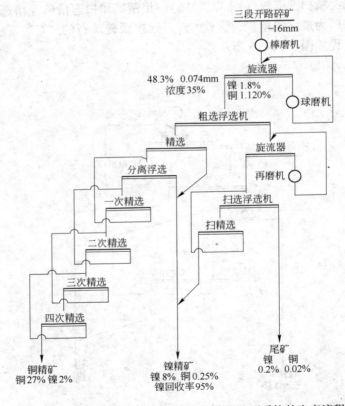

图 32.3.15　汤普森选矿厂汤普森-伯斯特里矿石系统的生产流程

选入料处，添加 32 克/吨。在泵池中添加苏打灰。在浮选机的给矿端添加 MIBC 起泡剂，其用量为 32 克/吨。粗选作业选出高品位铜镍精矿，精选后进行铜镍分离；粗选尾矿经再磨后进行扫选，扫选精矿进行精选，其尾矿返回前一作业。铜镍混合精矿精选作业添加石灰 817 克/吨，矿浆 pH 值调至 11；铜镍分离浮选添加 59 克/吨糊精，抑制黄铁矿和石墨。"B" 系统的生产流程如图 32.3.15 所示。

"C" 系统由于派普矿石的矿浆黏性大，浮选浓度要低于 20%，一般为 15% ~ 18%。浮选作业采用一次粗选、二次精选和二次精扫选流程（图 32.3.16）。粗精矿和扫选精矿经精选后，合并后为最终镍精矿，含镍 9%。处理派普矿石的 "C" 系统生产流程如图 32.3.16 所示。

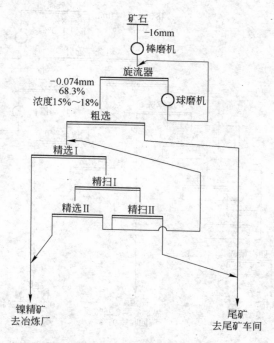

图 32.3.16　汤普森选厂派普矿石系统生产流程

精矿脱水系统。派普矿石系统的铜镍混合精矿与汤普逊-伯斯特里矿石系统的镍精矿，合并成混合镍精矿，镍品位8%～9%。利用一条 ϕ200 毫米及一条 ϕ250 毫米钢管泵送汤普逊冶炼厂的脱水车间，距离约365米。铜精矿利用一条 ϕ100 毫米钢管泵送冶炼厂。汤普逊选矿厂每天生产40吨铜精矿和2000吨镍精矿。

尾矿处理系统。两种矿石的最终尾矿分别进入两个系统的尾矿处理车间，粗砂用汽车分别运往汤普逊矿山和伯斯特里矿山，作井下充填料。细粒尾矿用二台746千瓦的GIW泵通过一条 ϕ500毫米的管道泵至距采、选、冶联合企业2.4公里的尾矿坝，第一段管道为钢管，长800米，其余的为聚乙烯管。

自动控制系统。该选矿厂的设备运转和生产操作均集中在中央控制室进行控制。生产的主要环节和条件全部自动控制调整，如用"声探"测定和控制矿仓料位；矿浆浓度与流量的自动测定与调整；浮选槽液面的自动调整；用"电导"设施测定矿浆中石灰含量等。

D 鹰桥选矿厂（加拿大）

该厂是鹰桥（Falconbridge）镍矿公司在萨德伯里地区建设较早的一个选矿厂，于1933年投产。当时生产能力为250吨/日，1954年扩建为3000吨/日。

矿石组成。该硫化铜镍矿中的主要金属硫化矿物是磁黄铁矿（含镍0.1%～0.2%）、镍黄铁矿、黄铜矿和黄铁矿等；还伴生有钴、铂族金属以及含银等。主要脉石矿物有石英、云母、滑石和绿泥石等。有价金属矿物呈粗细粒不均匀嵌布。

破碎系统。采用四段一闭路碎矿流程。第一段碎矿设在坑内，矿石经颚式碎矿机碎至-200毫米，送至地面碎矿厂；第二段碎矿采用二台 ϕ1270 毫米旋回碎矿机将矿石碎至-63毫米，经双层振动筛筛分，小于12.5毫米粒级物料，通过两台带有电磁滑轮的皮带运输机选出两种含硫高的磁性硫化矿矿块，分别送往鼓风炉和转炉熔炼。并将非磁性产品在45毫米筛孔筛子上进行筛分，筛上物料给入一台 ϕ1680 毫米的标准圆锥碎矿机，碎至小于16毫米。筛下产品给入一台 $\phi 1680$ 毫米的短头圆锥碎矿机，与一台振动筛构成闭路碎矿，筛下产品粒度为 – 11 毫米，送往细矿仓。

磨矿分级系统。采用两段磨矿，将矿石磨至60% – 200 目，使硫化物解离。磨矿分为两个系统：其中一个系统处理三分之二的矿石，第一段设有一台棒磨机；第二段设有三台球磨机，这些球磨机与多台旋流器构成闭路磨矿。第二系统处理三分之一矿石，第一和第二段均设有一台球磨机，分别与旋流器构成闭路。此外，另有一台球磨机用作磁选精矿再磨矿。磨矿工艺流程和设备分别如图 32.3.17 所示和表 32.3.30 所列。

表 32.3.30　磨矿流程数据

磨矿段数	名　称	系统一	系统二
一段磨矿	磨机类型	棒磨机	球磨机
	磨机台数	1	1
	磨机尺寸，mm	2900×3650	3200×3650
	功率，kW	370	520
	转速，r/min	16.1	18.4
	临界转速，%	61	73
	介质类型	AISI1090 棒	硬镍合金球（100mm 球为铸钢球）
	介质尺寸，mm	89×3650	
二段磨矿	磨机类型	球磨机	球磨机
	磨机台数	3	1
	磨机尺寸，mm	2438×1219	2438×914
	功率，kW	149	110
	钢球尺寸，mm	50	50
	每台磨机配旋流器台数	2	
	循环负荷，%	200	
	产品细度	60%—0.074mm	
	产品浓度，%	48	
磁精矿再磨矿	磨机类型	球磨机	
	台数	1	
	磨机尺寸，mm	3200×3450	
	功率，kW	370	
	产品细度	80%—0.074mm	

选矿工艺流程。选别作业采用浮选、磁选和磁精矿再磨流程。分级机溢流用泵送至一组 8 台粗选浮选机，选出铜镍混合精矿。粗选尾矿送至两组扫选浮选机，浮出混合硫化矿物。扫选尾矿为最终尾矿，含镍 0.15%、铜 0.07%。扫选精矿给入湿式带式磁选机，分出磁黄铁矿。将磁性部分再磨，使镍黄铁矿及黄铜矿进一步解离，然后用浮选选出一部分铜镍混合精矿。该浮选作业的尾矿在圆筒式磁选机中进行第二次磁选分离，分选出磁黄铁

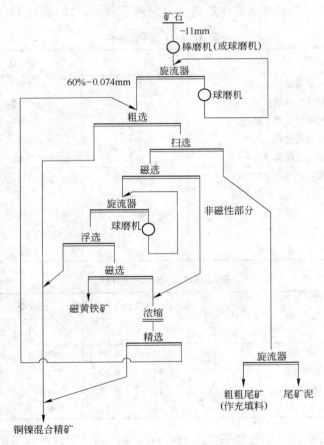

图 32.3.17 鹰桥选矿厂流程

矿精矿，而非磁性部分浓缩后再浮选选出另一铜镍混合精矿，尾矿返回粗选给矿处。从非磁性产品中浮选获得铜镍混合精矿，一部分加入粗选作业的铜镍混合精矿，一部分送磁黄铁矿处理厂用作镍沉淀剂。最终铜镍精矿含镍6.5%、铜5.8%。捕收剂为异丙基钠黄药113克/吨、起泡剂三乙氧基丁烷9克/吨分段添加。活化剂硫酸铜113克/吨加入扫选给矿。再磨后的浮选作业加适量的石灰调整矿浆为碱性。选矿工艺流程如图32.3.17所示。

浮选条件和选矿生产指标分别列于表32.3.31、表32.3.32。

表 32.3.31　浮选条件

名　称	单　位	数　量
给矿速度	t/h	130
丹佛浮选槽		30 和 24
浮选槽容积　粗选	m³	68
浮选槽容积　扫选	m³	165
浮选及精选槽容积	m³	34
药剂：异丙基黄酸钠	g/t	113
三乙氧基丁烷	g/t	9
硫酸铜	g/t	113
石　灰	g/t	90
苏　打	g/t	23

表 32.3.32　选矿生产指标

名　称	产率 %	品位,%		回收率,%	
		Cu	Ni	Cu	Ni
原　矿	100	0.74	0.99	100	100
铜镍精矿	12.0	5.87	6.50	95.1	78.8
磁黄铁矿	8.7	0.17	1.15	2.0	10.1
尾　矿	79.3	0.06	0.13	2.9	11.1

精矿及尾矿处理系统。精矿有两种产品：铜镍混合精矿经浓缩、过滤，送冶炼厂的制粒车间；磁黄铁矿精矿泵至磁黄铁矿厂

进一步处理。最终尾矿泵送至鹰桥矿的充填料准备车间，利用 6 台 φ250 毫米的旋流器进行分级，粗砂部分以矿浆形式输送到坑内，作为采空区的充填料；分出的矿泥送往尾矿坝。

32.3.2.3　苏联铜镍选矿厂

目前，苏联拥有北方镍公司、贝辰加一号、贝阡加二号、诺里尔斯克一号和诺里尔斯克二号等选矿厂。

A　贝辰加一号选矿厂

贝辰加（Печенга）一号选厂位于穆尔曼斯克省，处理日丹诺夫斯克铜镍硫化矿床矿石。于 1965 年投产，规模为 15000 吨/日。原矿含镍 0.6% ~ 0.7%、铜 0.2% ~ 0.35%。该矿床主要为贫矿，矿石特点是类型多，各类型矿石的结构、构造、矿物的嵌布特性、矿物组成以及可选性等方面均有较显著的差别。矿石中主要金属矿物是磁黄铁矿（包括六方晶系和单斜晶系两种）、镍黄铁矿、黄铜矿、磁铁矿；主要脉石矿物是蛇纹石、滑石、橄榄石、绿泥石、阳起石、云母和方解石等。金属矿物呈粗细不均匀嵌布，从乳浊状（0.005 ~ 0.02 毫米）到粗颗粒（1 ~ 1.2 毫米），大部分呈 0.1 ~ 0.4 毫米粒级嵌布。绝大部分矿石的金属矿物相互紧密共生，约有 15% ~ 20% 的镍呈硅酸盐状态存在，镍黄铁矿呈微细（乳浊状）浸染于硅酸盐中，一部分镍存在于黑云母和橄榄石的晶格中。

按矿石可磨性划分为易磨的、一般的和难磨的三种。滑石和碳酸盐含量高的矿石属于易磨矿石；主要含蛇纹石和少量磁铁矿的矿石属于正常可磨度的矿石；橄榄石、辉石和磁铁矿含量高的属于难磨矿石，矿石密度为 3 克/厘米^3、硬度系数 12 ~ 15、水分 2%。选矿指标在很大程度上取决于原矿中不同类型矿石的比例。矿床采用露天开采，最大块度为 1200 毫米。矿石由电机车牵引的 82 吨和 100 吨翻斗车铁路运输到选矿厂。选矿厂新水由西伯阿克基-雅勒维湖供给；电由科耳动力系统的 154/6 千伏的区域变电站供给；尾矿设施由中央热电厂（ТЭЦ）供电。

破碎系统。采用三段开路碎矿流程，将 - 1200 毫米的露天

矿石碎至 – 25 毫米。第一段采用一台 φ1500 毫米圆锥破碎机，安装在粗碎厂房，设有两条供矿线路；第二段破碎采用 φ2200 毫米标准型圆锥碎矿机；第三段采用 φ2200 毫米短头型圆锥细碎机，中碎和细碎厂房内的破碎机为重叠式布置。粗碎厂房与中细碎厂房之间配置了粗碎矿石的料斗式中间矿仓，其容积可储存供 8 ~ 10 小时处理矿量。该中间矿仓有助于粗碎车间与矿山生产的协调，可保证中碎和细碎车间在均匀给矿制度下满负荷进行生产。最终碎矿产品的粒度特性列于表 32.3.33。

表 32.3.33　贝辰加镍公司一号选矿厂破碎矿石粒度特性

粒级，mm	产率，%	粒级，mm	产率，%
+ 30	2.0	– 0.8 + 0.5	2.8
– 30 + 20	9.2	– 0.5 + 0.3	2.7
– 20 + 16	12.2	– 0.3 + 0.2	1.3
– 16 + 5	50.5	– 0.2 + 0.074	1.6
– 5 + 1.6	11.7	– 0.074 + 0	2.9
– 1.6 + 1.8	3.1		

磨矿系统。采用三段磨矿流程，第一段采用 φ3200 × 4500 棒磨机开路磨矿，其排矿给至高堰式双螺旋分级机；第二段采用 φ3600 × 5000 格子型球磨机与高堰式双螺旋分级机构成闭路磨矿回路，第二段磨矿粒度为 38% ~ 45% 0.074 毫米，将分级溢流送至中间浮选槽，其尾矿给入水力旋流器，该旋流器与 φ3600 × 5500 毫米的溢流型球磨机组成第三段闭路磨矿，最终磨矿粒度 80% – 0.074 毫米。磨矿设备的利用系数为 95.1%。

浮选系统。第二段磨矿分级溢流进行中间浮选，该浮选精矿和第三段磨矿分级溢流进行粗选后的粗精矿合并经一次精选得出最终铜镍精矿，一次精选的尾矿送中矿浮选回路处理；浮选尾矿经分级后，粗砂部分进行磁选，磁精矿再磨后浮选。该厂选矿工艺流程如图 32.3.18 所示。

选矿药剂制度列于表 32.3.34。

选矿厂的混合铜镍精矿含镍 5% ~ 6%、铜 2% ~ 3%，镍回

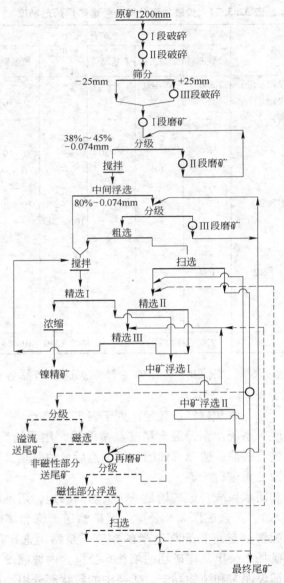

图 32.3.18 贝辰加镍公司一号选矿厂选矿工艺流程

表 32.3.34　贝辰加镍公司一号选矿厂药剂制度

作　业	矿石，g/t					
	煅烧苏打	丁基黄药	丁基黑药	羧甲基纤维素	硫酸铜	硫酸亚铁
磨矿（Ⅰ段和Ⅱ段）	820	55~60	—	—	—	—
锌中间浮选	—	—	5~13	—	0~10	—
磨矿（Ⅲ段）	—	40	—	—	—	—
浮选：						
粗　选	—	—	5~10	—	0~10	—
扫选Ⅰ	—	10	0~8	—	0~5	—
扫选Ⅱ	—	5~9	0~5	—	—	—
精选（Ⅰ和Ⅱ）	—	10	—	250~270	10~20	—
精粗选	—	—	—	100~200	—	—
中矿浮选	—	—	—	—	0~10	—
中矿精选	—	—	—	50~70	—	—
溶解铜精矿胶泥	100	—	—	—	—	—
浓　缩	—	—	—	—	—	—
精　矿	—	—	—	—	—	100
中　矿	—	—	—	—	—	55
总消耗量	920	120~129	10~36	400~540	10~55	155

收率 73%~76%，铜回收率 73%~75%。选矿产品各粒级的回收情况列于表 32.3.35。

选矿厂水、电和材料消耗定额列于表 32.3.36。

精矿脱水系统。铜镍混合精矿经浓缩后，用泵送至球团厂。在球团厂进行过滤、造球和球团烧结，然后送往蒙切戈尔勒斯克城的北方镍公司进行冶炼。

尾矿和回水系统。尾矿场是一个天然的凹地，用堆积坝隔开（坝高 80 米），离选矿厂 2.8 公里。尾矿输送干管和尾矿场两侧的矿浆分配管都是直径 800 毫米的钢管。泵站距选矿厂 0.8 公里，距尾矿场 2 公里。尾矿场的坝长 6 公里，内坡铺设细砂和堆石，外坡铺设泥炭和植物黏土。矿浆中的粒状部分用顶点堆置法抛下，作为沉淀护板和坝基，尾矿中矿泥的产率约占 30%~40%，

表 32.3.35 选矿产品特性

粒级,mm	铜-镍精矿,%					浮选尾矿,%		
	产率	品位 Ni	品位 Cu	分布率 Ni	分布率 Cu	产率	品位 Ni	分布率 Ni
-0.2+0.074	14.3	2.51	1.5	8.1	13.2	23~12	0.275	16.3
-0.074+0.044	11.8	3.28	1.4	8.8	10.5	21~15	0.232	17.2
-0.044+0.03	13.2	5.61	1.4	16.8	11.4	56~73	0.184	66.5
-0.03+0.02	15.8	4.93	1.5	17.6	14.6			
-0.02+0.015	10.3	5.21	1.46	12.2	9.3			
-0.015+0.01	9.8	5.95	1.82	13.3	11.1			
-0.01+0	24.8	4.13	1.96	23.2	29.9			

**表 32.3.36 贝辰加镍公司一号选矿厂每吨矿的
电、水和材料消耗量**

电	kW·h	57.3
水	m³	3.707
其中回水	m³	3.2
棒	kg	0.228
钢 球	kg	1.286
衬 板	kg	0.1

通过 800 毫米管道集中排出。由于该地区寒冷期长，在每年冰冻期间，坝场冰上堆存积砂，因此，夏季需加快排矿，才能保证尾矿坝所需高度。事故尾矿池为 2 万米³，配有挖泥船。由于在浮选作业添加了脉石抑制剂羧甲基纤维素，故尾矿池中的回水澄清，不需再净化，用泵直接送往水泵站。在回水中积累一些浮选药剂，其浓度较为稳定。使用回水时，选矿厂的药剂用量可减少30%～50%，对选矿指标无显著影响。选矿厂的新鲜水由西利阿克基-雅勒维湖供给。

B 诺里尔斯克一号选矿厂（苏）

诺里尔斯克（Норилъск）选矿厂位于克拉斯诺雅斯克，入选矿石来自诺里尔斯克一号矿、塔尔那赫矿、十月城矿等。该选矿厂于 1948 年投产，经多次改建和扩建，形成规模 2500 吨／日。正在建设二号镍选矿厂。

从工艺特性划分，可分为二种主要矿石类型：致密状铜-镍硫化矿富矿石，硫化物产率大于 70%，铜镍含量比大于 3：1；浸染状铜镍矿石，其中硫化矿物含量 5%～6%，铜镍含量比小于2：1。各类矿石的共同特点是，矿石成分复杂、矿物形式多种多样、铜镍比变化大、矿物呈细嵌布相互共生、同一种矿物有多种晶形变种。

浸染状矿石。诺里尔斯克一号矿体的浸染状贫矿中，主要金属矿物有镍黄铁矿、黄铜矿和磁黄铁矿，还有少量的方黄铜矿、针硫镍矿、黄铁矿、辉铜矿、斑铜矿以及钴和贵金属矿物等；塔尔那赫和十月城矿床的浸染状铜镍矿石的基本组分与诺里尔斯克一号矿床矿石相类似,但矿物的浸染粒度特性有很大差别。该矿石中硅酸镍的含量为 0.06% ~ 0.10%。

致密状硫化矿石的矿物组成更复杂,主要金属矿物有磁黄铁矿、黄铜矿、镍黄铁矿、方黄铁矿、塔尔那希特矿,还有少量的针硫镍矿。其中最主要的镍矿物为镍黄铁矿,大部分与磁黄铁矿紧密嵌布,在磁黄铁矿中呈乳浊状浸染。磁黄铁矿是分布最广的矿物之一,该矿物对镍精矿质量有很大影响,从而亦影响到选矿-冶炼的综合技术经济指标。磁黄铁矿有两种不同性质的晶形变种,可分为强磁性和弱磁性的磁黄铁矿。

矿石中主要铜矿物有黄铜矿、方黄铜矿、塔尔那希特矿,还有少量的斑铜矿。矿石中铜矿物和磁黄铁矿的含量比是影响铜精矿质量的一个重要因素。在致密硫化矿中,任何一种矿物均出现若干种变种,这对选矿指标有显著影响。磁黄铁矿的变种矿物产率约占 80%,导致铜镍混合精矿的镍铜比为 1:1;方黄铜矿的变种矿物占有率为 5% ~ 10% 时,其中镍铜比为 1:3 ~ 10。镍在矿石中呈三种形式出现:硫化镍与其他硫化物共生;硅酸镍含在硅酸盐矿物的晶格中;此外还有硫酸镍、氢氧化镍和含水氧化镍等。浸染状矿石的镍物相分析见表 32.3.37。铜矿物中硫化铜矿物占 90% ~ 94%,仅有少量铜呈金属铜和氧化铜形式存在,硫化铜中黄铜矿约占 80%,其余为方黄铜矿、斑铜矿和辉铜矿等。

表 32.3.37　浸染矿样矿相分析结果

矿石(按岩石分)	分布,%		
	硫化镍	硫酸镍	硅酸镍
苦橄榄辉长煌绿岩	79.1	0.4	20.5
橄榄辉长煌绿岩	76.0	0.9	23.1
斑杂辉长煌绿岩	75.4	0.8	23.8

诺里尔斯克一号矿床矿石的密度为 3 克/厘米^3，硬度系数为 14~18，含水 1%~4%；塔尔那赫矿床矿石的密度为 4.0~4.3 克/厘米^3，水分不超过 6%。矿体的围岩为辉长岩。

碎矿系统。熊溪露天矿矿石用 25 吨自卸式汽车送到选矿厂粗碎车间受矿仓；查波利维尔内坑内矿石用格里恩比 8 吨矿车；而灯塔矿山用 60~100 吨翻斗车把矿石运到布多夫露天矿，再用 12 吨自卸式汽车运到碎矿车间受矿仓。露天矿开采的矿石最大块度不超过 1000 毫米，采用阶段闭路碎矿流程，最终碎矿粒度为 12~16 毫米。坑内开采的浸染状矿石最大块度不超过 600 毫米，采用三段闭路破碎流程，最终碎矿粒度为 12~16 毫米。塔尔那赫矿床硫化矿富矿采用四段碎矿流程。由于矿石含有一定数量的脉石以及混入细粒浸染状贫矿和采矿混凝土充填料等，都会影响富矿的选矿指标，为此，碎矿车间设有重介质选矿工段。将 140 毫米粒级的矿石用分离密度 3.0~3.1 克/厘米^3 的重介质分选为重产品（致密状富矿）和轻产品（包括浸染状贫矿、脉石和混入的采矿混凝土充填料），重产品进入富矿浮选系统处理；而轻产品与诺里尔斯克一号矿体的贫矿混合处理，从而改善了富矿的浮选条件。近年来，在原有的基础上又研制出分级进行重介质选矿的新工艺，其特点是：将细碎的矿石筛分为 +8 毫米、2~8 毫米和 −2 毫米三个级别，分别处理。+8 毫米粒级用分离密度为 2.5 吨/米^3 和 3.1 吨/米^3 的介质进行两段重介质分选，第一段分选出木屑、混凝土和比重较轻的长石和砂岩等物料，作为最终尾矿丢弃，其品位低于浮选尾矿；第二段分选出浸染状贫矿石和密度较大的脉石矿物，送入贫矿浮选系统，而重产品送入富矿浮选系统。2~8 毫米粒级则采用分离密度为 2.2 吨/米^3 和 2.9 吨/米^3 的介质进行两段重介质分选，其产品亦分别进入尾矿、贫矿系统和富矿系统。−2 毫米粒级预先进行脱泥，矿砂送入富矿浮选系统，而矿泥进行磁选，非磁性部分进入富矿系统，而磁性矿泥部分则作为重介质加重剂。该预选工艺取得了良好技术经济效果。

诺里尔斯克一号选矿厂最终碎矿产品的粒度特性列于表32.3.38。

表 32.3.38 最终碎矿产品的粒度特性

粒级，mm	产率，%	
	浸染矿石	致密矿石
+16	0.4	37.3
−16 +12	26.8	5.9
−12 +9	35.5	4.6
−9 +4	4.6	11.0
−4 +1.17	17.2	17.7
−1.17 +0.59	3.2	3.9
−0.59 +0.42	1.7	2.9
−0.42 +0.3	1.7	2.4
−0.3 +0.21	1.2	2.3
−0.21 +0.15	1.0	1.6
−0.15 +0.1	1.1	1.5
−0.1 +0.074	1.1	1.2
−0.074 +0.044	0.3	1.2
−0.044 +0	4.2	6.5

磨矿系统。露天开采和坑内开采的浸染状矿石均采用两段磨矿流程，最终磨矿粒度 −0.074 毫米占 70%~75%；重介质选出的重产品（致密状矿石）进行两段磨矿：第一段磨矿采用钢球和 140 毫米矿块为混合磨矿介质，磨至 −0.074 毫米占 60%；第二段磨至 −0.074 毫米占 90%~95%。磨矿设备的利用系数浸染状矿石系统为 95.5%，致密状富矿系统为 92.1%。

浮选系统。浸染状矿石采用铜镍混合浮选流程，获得铜镍混合精矿和废弃尾矿；致密块状富矿采用优先-混合浮选流程，优先浮选出部分铜精矿，以保证下步混合浮选所得的铜镍混合精矿中，铜和镍的含量达到规定的比值。

从浸染状贫矿选得的铜镍混合精矿和从致密块状富矿选得的铜镍混合精矿混合一起进行铜镍分离。为改善铜镍分离指标，原来在铜精选前设置四台浓缩机脱药，以石灰为镍矿物抑制剂，矿浆中保持游离氧比钙浓度在 600~1000 克/米³。放射性同位素示踪试验表明，在混合精矿的铜镍分离过程中，镍矿物只有在含钙离子的介质中才被抑制。后来又对铜镍分离工艺进行不断地改进，采用矿浆加温技术取得了良好效果：将混合精矿矿浆在碱性介质条件下（加石灰）加温至 90℃，设有矿浆蒸汽喷雾加温槽和自控控温装置，从而取消了浓缩机脱药作业。自采用加温技术后，不但提高了生产能力，而且使镍精矿中的含铜量下降了 15%。利用这些已废弃的脱药浓缩机作为浮选前水力旋流器溢流的浓缩设备，使送入浮选的矿浆浓度提高到 30%~32%，从而提高了选矿工段的处理能力。

自 1970 年以来，入选矿石中磁黄铁矿和与磁黄铁矿紧密共生的方黄铜矿量增加，为适应矿石性质变化，对选矿流程进行了改进，在铜浮选回路中，将第一次精选精矿再磨后进行精选。

为了改善镍精矿质量，提高冶炼厂的生产能力，从镍精矿中要进一步分选出磁黄铁矿精矿。对无磁性的磁黄铁矿需要用浮选分出，最终可获得铜、镍和磁黄铁矿精矿三种产品。

铜浮选前，对矿浆预先进行充氧氧化有助于改善分选指标。铂族金属和钴均与硫化物紧密共生，在整个浮选过程中，多富集于铜精矿和镍精矿中；而硒、碲、金、银和硫等有价元素，也一起与铜、镍硫化物等一起回收。诺里尔斯克一号选矿厂的选矿工艺流程见图 32.3.19。

此外，诺里尔斯克镍公司还采用重选、浮选和磁选等多种选矿联合方法与冶炼配合，处理铜镍二次冰铜和吹炼工序的铜炉渣等。

精矿脱水系统。镍精矿采用水力运输方法，送至 2 公里外的脱水车间，镍精矿矿浆经浓密和过滤后，滤饼用皮带运输机送到冶炼厂的配料车间；铜精矿矿浆亦用水力运输方式送到离选矿厂 7 公里的铜冶炼厂脱水车间，将大约三分之一的铜精矿送往焙烧车间，用接触法回收硫，制成商品硫酸，焙烧渣送到铜冶炼厂，并与脱水后的铜精矿配料，做为炼铜原料。该选矿厂的精矿脱水

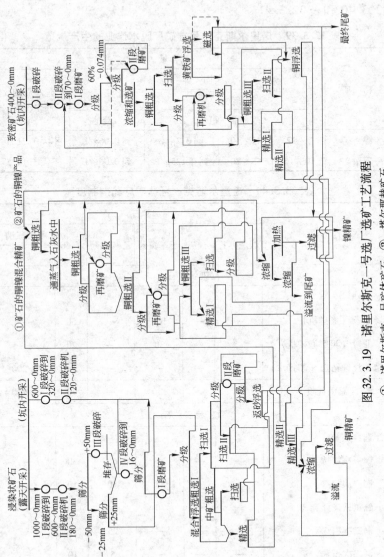

图 32.3.19 诺里尔斯克一号选厂选矿工艺流程

①—诺里尔斯克一号矿体矿石；②—塔尔那赫矿石

工艺指标列于表 32.3.39。药剂制度和选矿指标分别列于表 32.3.40 和表 32.3.41。

表 32.3.39　诺里尔斯克一号选矿厂脱水作业的生产规范

精　矿	含量,%				过滤后的滤饼含水
	固　体				
	给矿	排矿	溢　流		
			浓缩机	沉淀池	
镍精矿	7～12	45～60	到 0.2g/L	到 0.06g/L	不大于 21.5
铜精矿	10～15	55～70	到 0.125g/L	到 0.06g/L	不大于 14.5

表 33.3.40　诺里尔斯克一号选矿厂药剂制度

作　业	矿石,g/t					氟硅酸钠
	煅烧苏打	石灰	丁基黄药	乙基黑药	T-66	糊精
浸染状矿石						
磨矿:						
Ⅰ段（磨矿机）	—	—	100	—	50	
Ⅱ段（再磨磨矿机）			30		20	
精矿浮选精选（苏打水）	30					40/200
总消耗量	30		130		70	40/200
致密状富矿石						
浮选:						
铜一次粗选	—	—	—	60	30	
铜一次扫选	—	—	25	10	10	
磁黄铁矿浮选	—	—	70	—	20	
铜二次粗选	—	—	—	25	10	
铜二次扫选	—	—	—	5	10	
总消耗量		2200	95	100	80	

表 32.3.41 选矿工艺指标

矿石	精矿品位,%						精矿回收率,%			
	混合精矿①		镍精矿②		铜精矿②		混合精矿		镍精矿③	铜精矿③
	Ni	Cu	Ni	Cu	Ni	Cu	Ni	Cu	Ni	Cu
浸染状矿石	4.13~4.36	9.89~11.39	4.88~5.57	3.16~3.75	1.62~1.69	24.91~28.17	72.5~75.5	94~94.5	80.5~81.8	74.5~76.8
致密状矿石	4.13~4.36	9.89~11.39	4.88~5.57	3.16~3.75	1.62~1.69	24.91~28.17	96~98	97~98	80.5~81.8	74.5~76.8

① 指混合精矿中(浸染状矿石)和铜-镍产品中(致密状矿石)Ni 与 Cu 的总品位;
② 指从浸染状致密状矿石得到的镍精矿和铜精矿中 Ni 与 Cu 的总品位;
③ 指从浸染状矿石和致密状矿石得到的同名精矿中 Ni 与 Cu 的总回收率。

表 32.3.42 回水和选矿产品液相的化学成分

产品	含量,mg/L							
	丁基黄药	乙基黑药	Ni^{2+}	Cu^{2+}	Fe^{2+}	Ca^{2+}	Mg^{2+}	SO_4^{2-}
回水	1.34	0.96	0.03	0.03	0.12	116.2	14.5	422.8
溢流								
混合精矿浓缩机	1.52	4.9	0.04	0.03	0.08	65.7	2.7	91.6
镍精矿沉淀池	1.27	1.1	0.05	0.08	0.08	425.8	7.1	290.3
铜精矿沉淀池	1.42	未测定	0.31	0.14	0.29	136.2	11.5	342.8
尾矿								
浸染状矿石	1.58	未测定	0.05	0.04	0.09	61.0	15.9	247.1
致密状矿石	30.97	8.8	0.06	0.04	0.72	144.2	4.3	249.1

尾矿和回水系统。尾矿坝距选矿厂 2.5 公里，坝长 4.5 公里，尾矿输送槽是底部衬以辉绿岩的砖木质管道，靠自流输送。冬季时，在冰下铺设管道，用水力旋流器堆坝。当矿浆温度为 15～19℃排出时，尾矿坝的冰层经过 20 分钟的溶化，可破坏 1～12 米厚的冰层，形成一个直径为 1～15 米的冰洞。并在列别日也湖开辟了新的尾矿场。选矿厂利用了回水，其回水与新鲜水的比例为 1:2。近年来，该选矿厂改进了回水系统，鉴于富矿采用优先选铜流程，而贫矿采用混合浮选流程，将新、老两个尾矿库分别管理，老尾矿库存放镍精矿浓密机溢流水和烧结厂的排水；新尾矿库存放诺里尔斯克和塔尔那赫二个选矿厂的尾矿、铜精矿浓密机溢流和铜冶炼厂排水。通过对新、老尾矿库中所含硫酸根离子、硫代硫酸根离子和有机物等的测定，并结合对其浮选的研究，制定了一个合理的双回路循环供水系统。老尾矿库中的水含盐类和选矿药剂的浓度未超过优先浮选的最大允许浓度，故供富矿浮选系统使用；而新尾矿库中的水所含盐类和有机物量接近于贫矿混合浮选所要求的最大允许浓度，故将其供贫矿混合浮选系统使用。该回水系统不但提高了回水利用率，并节省废水净化处理费用。回水的化学成分和选矿产品的液相组成列于表 32.3.42。

该选矿厂的水、电和材料消耗定额列于表 32.3.43。

表 32.3.43 诺里尔斯克 1 号选矿厂每吨矿石的电、水和材料消耗

指 标	矿 石	
	浸染状矿石	致密状矿石
电，kW·h	32.62	68.27
水（新水），m³	1.62[1]	3.24
钢球，kg	1.57	1.80
衬板，kg	0.136	0.152
滤布，m²	0.0018	0.0157

[1] 补加了尾矿场的回水。

32.3.2.4 芬兰铜镍选矿厂

芬兰奥托昆普（Outokumpu）公司有科塔拉蒂（Kotalahti）、希土拉（Hitura）、瓦马拉（Vammala）、傅诺斯（Vnous）和埃农科斯基（Enonkoski）五座选矿厂。傅诺斯选矿厂因经济原因，于 1977 年停止处理含镍 0.2% 的贫镍矿石，改为处理滑石矿，并从中回收镍。

A 科塔拉蒂镍选矿厂

科塔拉蒂矿床位于芬兰中部。矿体与基性岩和超基性岩复杂共生。矿床分为几个单独不同的矿体，并且在各类的矿体中按矿石品位的变化又可划分为几种不同矿石。该厂于 1959 年投产，规模为日处理矿石 1500 吨。原矿平均含镍 0.78%、铜 0.31%。

矿石的矿物组成。矿石类型分为浸染状和角砾岩型两种，主要硫化物与镍黄铁矿、黄铜矿及磁黄铁矿。一部分矿石的镍黄铁矿以细粒分散火焰状包裹体赋存于磁黄铁矿中；部分黄铜矿以特别细小的颗粒包裹于硅酸岩脉石中。

碎矿系统。矿石在坑下经两台颚式破碎机，连续将矿石碎至 100% -200 毫米，然后提升至地面选矿厂的 300 吨原矿仓。用偏心振动给矿机将矿石给入一台 1650 毫米的西蒙斯标准圆锥碎矿机（排矿口 20 毫米），破碎后的矿石在一台 1500×3000 毫米双层振动筛进行筛分。上层筛的筛孔为 45×45 毫米，下层筛孔为 20×20 毫米。下层筛的筛上产品进入一台 1650 毫米的西蒙斯短头圆锥破碎机（排矿石为 6 毫米）破碎，其最终碎矿产品粒度为 70% -10 毫米。一部分上层筛的筛上产品入砾石仓作为第二段砾磨磨矿介质。破碎车间的小时处理能力为 100~170 吨，粉矿仓的有效容积可容纳 1500 吨矿石。

磨矿分级系统。磨矿系统包括一台棒磨机和三台砾磨机，三台砾磨机与二台水力旋流器构成闭路。棒磨机的内衬、筒体部分为硬质合金钢衬板，端盖部分为锰钢衬板。1 号砾磨机为钢轧式衬板，2 号和 3 号砾磨机为橡胶衬板。磨矿作业技术参数列于表 32.3.44。棒磨机的产品粒度为 58.0% 大于 0.2 毫米、23.8% 小于 0.074 毫米。通过控制旋流器砂泵池的矿浆液面，来保持水力旋流器工作的稳定。磨矿系统所需水量与给矿量成正比例自动加入。旋流器的粒度为 6.4% 大于 0.2 毫米、62.3% 小于 0.074 毫米。

表 32.3.44　磨矿作业技术参数

参　数	棒　磨	砾　磨	
		1 号及 2 号	3 号
尺寸，mm	2250×3600	2700×3600	3200×4500
转速，r/min	26	20	18.2
临界速度，%	86	74	75
额定功率，kW	250	220	500
输入功率，kW	200	200	370
介质占磨机容积，%	35	45	50
矿浆浓度，%	70	50	50
介质耗量，g/t	260		

　　浮选系统。采用铜镍混合浮选和混合精矿铜镍分离流程。首先使用硫酸、乙基黄药及松油等药剂进行铜镍混合浮选；继之采用石灰乳和糊精抑镍矿物进行铜镍分离。分二段或三段加药。硫酸的耗量由矿石中碳酸盐矿物的含量而定。为保证主金属镍获得高回收率，采用硫酸强化浮选方法，使含镍磁黄铁矿尽可能全部浮出，从而相应降低了镍精矿品位。镍精矿采用闪速熔炼，要求镍精矿中的含镁尽量降低，该厂镍精矿的 MgO 含量控制在 3% 以下。选矿工艺流程如图 32.3.20 所示。

　　选矿药剂消耗列于表 32.3.45，选矿生产技术指标列于表 32.3.46。

表 32.3.45　选矿药剂消耗，g/t

药　剂	混合浮选	铜-镍分选
硫　酸	2500	—
乙基黄药	60	—
粗松油	200	—
石　灰	—	1800
糊　精	—	30
pH　值	4~5	12

表 32.3.46 选矿生产技术指标

产品	产率 %	Ni		Cu		S	不溶物	MgO
		品位 %	回收率 %	品位 %	回收率 %			
镍精矿	10.5	6.83	92.5	0.81	27.9	30.4	11.2	2.9
铜精矿	0.7	0.87	0.7	28.61	62.1	31.4	3.0	—
尾 矿	88.8	0.059	6.8	0.035	10.0	0.8	78.4	—
原 矿	100.0	0.78	100.0	0.31	100.0	4.1	70.6	—

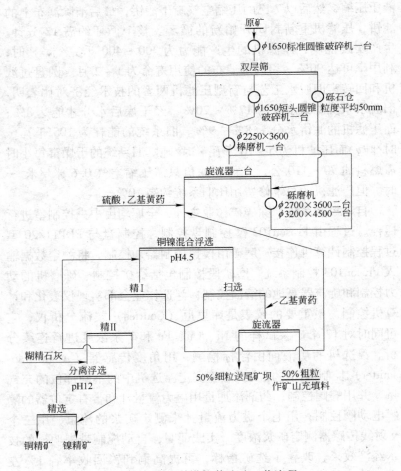

图 32.3.20 科塔拉蒂选矿工艺流程

精矿脱水系统。镍精矿粒度细，硅酸盐含量高，易形成矿泥堵塞滤布。原设计采用常规脱水流程，镍精矿泵入浓缩机，其底流再给入圆盘过滤机，将滤饼用回转窑干燥至含水 8%。近年来，采用了脱水新工艺，使用一台新型的 LaroxPF25Al 型压滤机，取代了圆盘过滤机和回转窑。该压滤机的过滤面积为 25 米^2，年处理镍精矿 4 ~ 5 万吨。镍精矿在压滤机中受到 10 巴的液压压缩，然后以 7 巴的压缩空气疏干滤饼，最后清除滤布上的滤饼，压滤机重新封闭开始新的循环。整个循环约需 12 分钟。生产实践证明，压滤机的生产能力为 300 ~ 400 千克/米^3 · 时，利用率可达 90%。聚丙烯滤布的使用寿命为 1 ~ 2 月。圆盘过滤机和回转窑旧脱水工艺与新型压滤机两者的技术经济对比表明，旧脱水系统滤饼水分为 17% ~ 20%，经干燥后水分才能达 8%；而压滤机的滤饼水分为 8% ~ 9%。旧系统的能耗为 105 千瓦·时/吨，而压滤机为 5 ~ 16 千瓦·时/吨。旧系统的干燥窑每小时需燃料油 90 ~ 110 公斤；而压滤机只需压缩空气 0.6 米^3/米^2·时。但压滤机的总维修费用比旧系统约高 10%。

自动控制系统。除碎矿作业之外，全厂均由中央控制室进行遥控。过程由 Proson103 型控制盘控制，控制盘与 PDP11/20 型过程控制计算机连接。磨矿由模拟控制器来控制，将测定数据输入 Proson103 控制系统。磨矿段控制包括给矿控制、砾磨机的动力控制和旋流器泵池的液面控制；浮选作业全部实现仪表化和计算机控制，最重要的仪表是库里厄（Couries）载流分析仪，它可同时对 12 个矿浆试样的 Ni、Cu、Fe 和矿浆浓度进行连续分析。浮选机的矿液面由浮标检测，用角度传感器（Angle transmitter）控制阀门；用文丘里管测定浮选机中的不同部位的充气量，并用蝶阀控制；药剂添加量用磁力流量计和带有定位器的隔膜电动阀控制；用七个磁力流量计来测定矿浆的流量，用三个 γ 射线传感器测定矿浆浓度。实践证明，自动控制带来明显的技术经济效果，改善了选矿指标，可提高铜和镍回收率各 1% 左右，精矿质量也有所改进；提高了选矿厂处理能力，节省了药剂费用；提高了选矿厂生产管理水平。从而降低了单位生产费用。选矿能耗定额见表 32.3.47。

表 32.3.47 选厂能耗定额，kW·h/t

破 碎	0.9	脱 水	约1.9
磨 矿	14.2	尾矿泵送	0.3
浮 选	7.2	合 计	约25.0

全体人员定额。包括 3 名工程师、2 名技术员、4 名破碎工、14 名选矿操作工。选矿厂每周 7 天连续生产。

B 希土拉选矿厂

该矿体于 1961 年发现，由两个平行的矿脉组成，赋存于云母片麻岩的蛇纹石侵入体中，较高品位的矿石多在与片麻岩接触的角闪石富集带中。矿石的矿物组成，主要金属矿物有镍黄铁矿、磁黄铁矿和黄铜矿，并在矿体内发现有四方硫铁矿和墨铜矿等，金属硫化矿物均呈细粒浸染；脉石矿物主要有蛇纹石和角闪石等。

该厂于 1970 年投产，规模为年处理能力 20 万吨矿石，1975 年扩建为年处理 35 万吨矿石。每年生产铜镍混合精矿约 2 万吨。入选矿石约有 3/4 为难选的蛇纹石类型矿石，硫化矿物呈细粒嵌布，并与硅酸盐矿物和铁矿物紧密共生，矿泥含量高，入选物料比表面特别大，一般为 12～25 万毫米^2/克，浮选时矿浆有强烈的絮凝作用，增加了选矿的困难。为此，采用较长的浮选时间，选矿药剂用量随矿石性质波动而变化。

碎矿系统。露天矿矿石由卡车运至 900×1200 毫米单肘式颚式碎矿机（排矿口为 120 毫米），粗碎产品再经 φ1650 毫米西蒙斯标准圆锥碎矿机破碎，其破碎产品在一台筛孔为 20×20 毫米的 1600×5000 毫米振动筛进行闭路筛分。

磨矿和分级系统。采用棒磨和球磨流程，以减少矿泥产生。矿体各部位的矿石可磨度有很大差异，磨矿按新生成 −0.074 毫米粒级产品所需能耗为 20～30 千瓦·时/吨。浮选给矿的平均粒度为 8% ±0.2 毫米、60% −0.074 毫米。最终精矿粒度为 2% 大于 0.2 毫米、80% 小于 0.074 毫米。

浮选工艺流程。其特点是,首先进行粗磨粗选,粗选精矿和粗选尾矿分别再磨再选。粗选采用 2 台 4 槽 OK16 型浮选机,粗选尾矿经分级、再磨后,亦采用 OK16 型浮选机进行扫选。粗选粗精矿经闭路再磨后,进行三次精选。精选系统中的扫选尾矿和原矿扫选尾矿合并为最终尾矿。精选系统采用 VK1 型浮选机。当处理蛇纹石类型矿石时,在精选作业中添加羧甲基纤维素抑制含镁矿物。过去曾采用戊基黄酸钠为捕收剂,最近改为异丁基黄酸钠或异丁基黄酸钾。该药剂在低 pH 值矿浆和有可溶性盐存在的条件下,有很好的适应能力。浮选在矿浆 pH 值 3 ~ 5 条件下进行。添加硫酸不仅用于调整矿浆 pH 值,并对分散矿泥有良好作用。该选矿厂的工艺流程如图 32.3.21 所示。生产指标列于表 32.3.48。

表 32.3.48 浮选技术指标,%

产品名称	产率	Ni		Cu		含 S	含 MgO
		品位	回收率	品位	回收率		
精矿	8.0	4.0	67.0	1.3	61.0	22.0	11.5
尾矿	92.0	0.17	33.0	0.07	39.0	0.8	
原矿	100.0	0.48	100.0	0.17	100.0	2.5	

该厂的电耗、药剂消耗以及磨矿机的技术性能分别列于表 32.3.49、表 32.3.50 和表 32.3.51。

表 32.3.49 选矿厂电耗

作 业	耗电量,kW·h/t
碎 矿	2.3
磨 矿	15.7
浮 选	25.5
脱 水	1.8
合 计	45.3

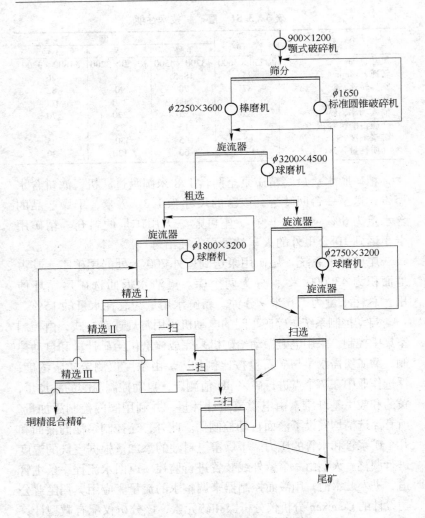

图 32.3.21 希土拉选矿工艺流程

表 32.3.50 浮选药剂消耗，g/t

硫 酸	33200	羧甲基纤维素	104
黄 药	2100	碳酸钠	287
粗松油	824		

表 32.3.51　磨矿机技术性能

参　数	棒　磨	球　磨		
		1 号	2 号	3 号
尺寸，mm	$\phi2250 \times 3600$	$\phi3200 \times 4500$	$\phi2750 \times 3200$	$\phi1800 \times 3200$
转速，r/min	25	18.5	23	26
临界转速，%	87	78	90	82
额定功率，kW	250	500	250	160
输入功率，kW	220	220	220	70
介质占磨机容积，%	40	15	35	25
矿浆浓度，%	65	65	30	25
介质耗量，g/t	125	60	130	30

　　精矿脱水。最终精矿泵至两台 1.8 米圆盘过滤机，滤饼含水 15%，送至一台回转窑，该窑的尺寸为 1.3×7 米，干燥产品的含水量为 6%~8%。设有一座可贮三天用矿量的料仓。精矿用卡车运到 10 公里外的火车站，再发往冶炼厂。

　　尾矿处理系统。尾矿用泵送到厂外 700 米处的尾矿库，其占地面积为 430000 米²，分为两个库。澄清水返回选矿厂循环使用。总耗水量为 1.6 米³/分钟。新鲜水用量为总耗水量的 15%。

　　自动控制系统。碎矿车间的电动机采用常规连锁方式，由控制室集中控制。采用电磁振动给矿机来完成棒磨机给矿计量和自动控制，磨矿所需水量与矿石量按比例加入。由浓度仪测定矿浆浓度；浮选作业中在 7 个点进行矿浆 pH 值测定，自动控制硫酸的添加量，黄药和羧甲基纤维素由电磁流量计计量，并利用阀门控制添加量。所有浮选槽均安设了液面自动控制器。此外，还控制泵池的液面和几个矿浆管和水管的压力。干燥窑燃料油的添加量根据废气的温度进行调整。火焰由一个紫外线装置进行监控。返回水流程一条主管道，进入贮水池，用液面控制器来调整水的流量。应用奥托昆普公司设计的 Cemixan 分析仪分析镍和硫元素，该分析仪配有微型计算机进行计算镍和硫的含量和回收率，并提供每班、每天的报告。

　　人员组成。碎矿为两班作业，每班一人；选矿为连续作业，每班 3 人。选厂总人数为 16 人，其中包括厂长和工段长各一人。

32.3.2.5　坎巴尔达镍矿选矿厂（澳大利亚）

坎巴尔达（Kambalda）镍矿选矿厂属于澳大利亚西部矿业公

司，位于澳大利亚洲的卡尔古利（Kalgoorlie）以南 55 公里，它与古尔古利冶炼厂和奎纳纳（Kwinana）精炼厂均有铁路连接。

坎巴尔达矿床于 1966 年发现，1967 年 5 月选矿厂建成投产，初期其规模为 406 吨/日，后来扩建为 3556 吨/日。原矿平均含镍 3.18%，是目前世界上品位最高的硫化镍矿床。

矿石的矿物组成。属于超基性硫化矿，主要金属矿物有磁黄铁矿、镍黄铁矿、少量的黄铜矿和黄铁矿。磁黄铁矿与镍黄铁矿的比例为 0.8:1 ~ 2.3:1，矿石平均含 MgO23%。下盘围岩为玄武岩、上盘围岩含有蛇纹石、滑石、绿泥石菱镁矿等。选矿采用浮选-磁选联合流程，工艺流程如图 32.3.22 所示。

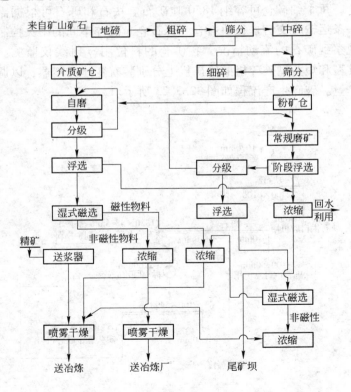

图 32.3.22 坎巴尔达选厂工艺流程

　　破碎系统。矿石经 60 吨地中衡称量和取样后，用 30 吨自翻汽车送往破碎工段矿仓。原矿用一台 1070×1780 毫米旋回碎矿机碎至小于 200 毫米，用 1200 毫米斜皮带运输机将矿石送往 2400×6100 毫米振动筛，筛上产品为 100～200 毫米的粗块砾石，作粗砾磨机的磨矿介质，筛下产品再通过 1830×4875 毫米双层筛进行筛分，上层筛的筛上产品为 50～100 毫米砾石，供粗砾磨机；下层筛筛孔为 10 毫米，其筛下产品为最终碎矿产品；10～50 毫米矿石送往一台 φ2100 毫米西蒙斯标准圆锥破碎机。细碎采用二台 φ2100 毫米西蒙斯短头圆锥碎矿机，与四台 2100×5490 毫米振动筛构成闭路碎矿，其筛下产品送往四个细矿仓，每个细矿仓可容纳 1850 吨矿石。块石和砾石可根据需要用一条运输带交替送往块石仓和砾石仓。破碎车间的中央控制室可观察到矿石的流动情况，各矿仓的料位用 γ 射线仪监测。在标准型和短头型破碎机的给矿机上分别装有变速控制器，以调整给矿量。破碎生产流程如图 32.3.23 所示。

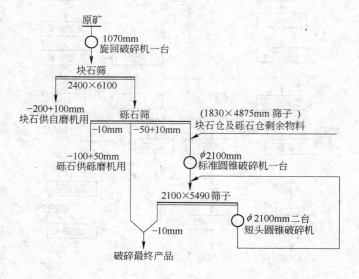

图 32.3.23　坎巴尔达选厂碎矿流程

磨矿和分级系统。设有两个磨矿分级系列、每个系列日处理矿石量 1524 吨。第一段磨矿采用一台直径 3350×4260 毫米粗砾磨机，配有二台筛孔为 75 毫米圆筒筛，从磨机内除去超尺寸的大块。粗砾磨机的磨矿浓度为 80%，砾磨机内设有可更换的衬有橡皮的提升器。粗砾磨机的排矿和第二段细砾磨机的排矿混合后，用泵送到一台筛孔 5 毫米、倾角 60°的 1.8 米弧形筛，筛上物返回粗砾磨机，筛下物用泵送入二台旋流器，其排矿再给入第二段细砾磨机。细砾磨机也都装有可更换的提升器，并安装有筛孔为 10×15 毫米的橡胶格筛。粗、细砾磨机的磨矿介质添加量利用磨矿机的电机进行控制，当动力牵引力降至一定的额定值时，砾石仓下的电动给矿机自动启动，排出砾石经皮带给入磨机。该厂磨矿流程如图 32.3.24 所示。

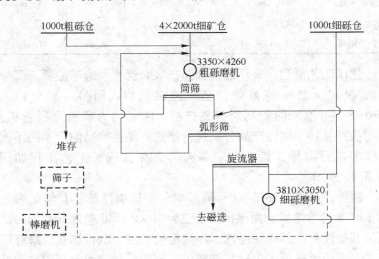

图 32.3.24 坎巴尔达选厂磨矿流程

此外，该选矿厂还有一套旧有的磨矿回路，现用于处理外购矿石，第一段为一台 2440×3960 毫米的开路棒磨机；第二段为一台 2440×3960 毫米的溢流型球磨机，配有橡胶内衬，与一台直径 450 毫米旋流器构成闭路。棒磨机排矿和球磨机排矿均给入旋流器中。两种磨矿回路的磨矿机的性能列于表 32. 3. 52。

表 32. 3. 52　磨矿机性能

项　　目	单　位	粗砾磨机 2 台	细砾磨机 2 台	棒磨机 1 台	球磨机 1 台
一规格	$D \times L$ mm	3350 × 4266	3810 × 3050	2440 × 3960	2440 × 3960
二介质：矿石	mm				
钢棒	mm			75	
钢球	mm				50
三能耗	kW · h/t	14. 0	14. 0		
四额定功率	kW	520	746	336	336
五磨矿转数	r/min	15. 5	15. 4	16. 1	20. 0
六磨矿粒度	− 0.074mm		70 ~ 75		75 ~ 80
	含量%				
七介质消耗	kg/t			0. 45	1. 04

选矿工艺流程。采用磁选和浮选联合流程。磨矿溢流一部分给入 $\phi610 \times 2540$ 毫米萨拉型永磁磁选机；而另一部分给入 $\phi 761 \times 2440$ 毫米的艾利斯型磁选机，两者均为顺流型磁选机。将磁性产品和非磁性产品分别进行浮选。磁性产品的产率随不同矿体的矿石而异，其平均产率约为 20%。选矿工艺流程如图 32. 3. 25 所示。

磁性产品泵至一排 60 号阿基泰尔浮选机浮选，其精矿泵送到 $\phi30$ 米的浓缩机；而尾矿送至三台 760 × 1530 毫米艾利斯磁选机，其磁性产品再送往浮选，浮选粗精矿经一次精选获得最终镍精矿，而该浮选尾矿为磁黄铁矿精矿，该精矿目前尚未利用，送堆存场储存；磁选的非磁性产品进行浮选。

非磁性产品的浮选流程。非磁性产品进入一台 $\phi46$ 米的浓缩机，矿浆浓度浓缩至 55%。生产初期，由于矿石氧化程度较深，矿浆预先进入 SO_2 塔，将矿浆 pH 值调至 5.5，再进入一台直径 6 米的矿浆调整槽，然后在 4 排 12 槽 60 号阿基泰尔型浮选机中进行

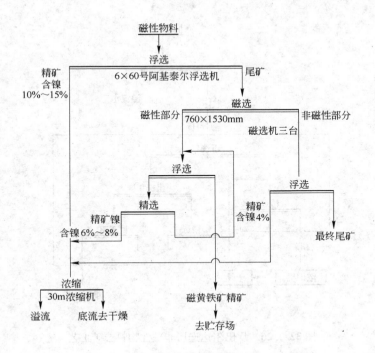

图 32.3.25 坎巴尔达选厂磁性物料选矿流程

粗选,将头四个槽的粗选精矿再用 60 号阿基泰尔型浮选机进行精选,所得最终镍精矿送往 φ30 米浓缩机,而精选作业的尾矿返回粗选作业。粗选浮选机的其余四个槽产出中间产品,经过精选后送往粗精矿的精选系统;精选作业的尾矿返回粗选作业的前四个槽。非磁性产品的选矿工艺流程如图 32.3.26 所示。

非磁性产品浮选回路技术条件需严格控制,矿浆浓度用检测仪控制,但空气量的调节和药剂的添加量均由操作者人工调节。

矿石中滑石和蛇纹石含量很高,试验和生产实践经验均表明,滑石和蛇纹石的有效抑制剂为刺槐豆;捕收剂采用乙基钠黄药;起泡剂使用 4 号油(T. E. B)。曾试验过戊基钠黄药,但因起泡量过大,而未采用。浮选药剂消耗定额列于表 32.3.53。

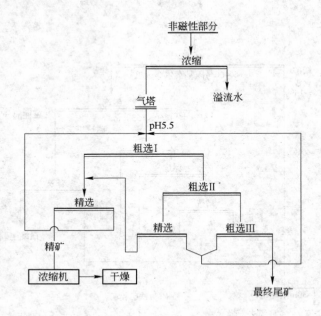

图 32.3.26　坎巴尔达选厂非磁性物料选矿工艺

表 32.3.53　浮选药剂消耗

药 剂 名 称	药剂耗量，g/t
乙基钠黄药	816
刺槐豆	907
硫	—
三乙氧基丁烷（T.E.B）	22.7

　　精矿干燥系统。浮选精矿经浓缩后用圆筒过滤机进行脱水和洗涤除去镍精矿冶炼过程中有害杂质氯化物，矿浆浓缩至固体含量 69%，用泵送入喷雾干燥机。该干燥机的顶部安设有高速旋转的喷嘴，使矿浆雾化，利用动力厂内燃机的余热（温度370℃）烘干精矿，经过干燥的镍精矿含水分 0.2% 以下。干镍精矿经 ϕ112 毫米的管道送到容量 1000 吨精矿的圆形精矿仓，然后用火车和汽车运往冶炼厂。历年来选矿厂的精矿产量和品位列于表 32.3.54。

表 32.3.54 历年选矿产量和精矿品位

年度，年	原 矿			精 矿		
	产量，t	含 Ni%	含 Cu%	产量，t	含 Ni%	含 Cu%
1967	3892	3.78	0.46	662	14.30	2.05
1971	1086770	3.66	0.29	291960	11.58	0.95
1975	1418979	2.95	0.23	309026	12.03	0.97
1980	1391938	2.85	0.22	277463	12.79	0.98
1981	1443099	2.88	0.21	292486	12.73	0.96
1982	1454506	2.95	0.22	314243	12.17	0.96
1983	1403158	3.48	0.27	379628	11.87	0.96

尾矿处理系统。浮选尾矿浓缩至固体含量 60%，用泵送往 2 公里外的尾矿库，其面积为 280000 米²。尾矿用 ϕ152 毫米环形管道排放，每日排出尾矿量 3000 多吨。

回水的利用。从老尾矿库中用倾析法回收 15% 的回水；新尾矿库采用下部排水和倾析法相结合回水，回收率为 35%。

32.3.3 氧化镍矿处理厂实例

32.3.3.1 新喀里多尼亚多尼阿博氧化镍矿处理厂

新喀里多尼亚（New Caledonia）是氧化镍矿储量最丰富的南太平洋岛国。目前，开采的矿石含镍在 2% 以上，属于硅酸镍矿石。尚有储量巨大的含镁褐铁矿资源，平均含镍 1%～1.6%，未开发利用。

该类矿石矿物组成复杂。研究工作表明，采用机械选矿方法难以取得良好的富集效果。目前仅采用筛选法对氧化镍矿石进行预选。

矿石预选加工程序。采用大型圆筒筛进行预先筛选，该筛具有擦洗和筛分双重作用，将含镍较低的基岩矿块筛出，从而使硅酸镍矿得到初步富集。圆筒筛的直径 2.5 米、长 15 米，转速为每分钟 15 转，筛筒壁有条形孔，沿轴向长 250 毫米、宽 50～70 毫米，筛子封闭在一个隔离室内，将 60℃ 的热空气由筒面吹出，以防止筛孔堵塞。圆筒筛的功率消耗每吨矿石为 0.8～1 千瓦·时（折合 1 公斤燃料油）。但这种圆筒筛对某些矿石并不适应，故只能作为辅助预选作业。

预选后的矿石装船运到该岛的多尼阿博（Doniambo）氧化镍矿处理厂。矿石的成分：含 Ni 2.5% ~ 2.9%、Co 0.05% ~ 0.1%、MgO 20% ~ 28%、Fe_2O_3 14% ~ 18%、SiO_2 35% ~ 40%、Al_2O_3 2%、CrO_3 2%、化合水 10% ~ 12%。

该厂采用两种不同方法处理该类矿石，一种是传统的冰镍熔炼法，产出高冰镍送往法国镍公司哈维尔精炼厂（Le Havire Nickel Refinerg）进一步加工；另一种是电炉熔炼，产出精炼镍铁，作为商品出售。该厂的生产流程如图 32.3.27 所示。

A　冰镍熔炼系统

该系统包括矿石准备和鼓风炉熔炼。

矿石准备。首先用圆筒筛将含镍的大块基岩除去，预选后的矿石送往制粒车间进行干燥、破碎与筛分，再进一步除去粗粒低

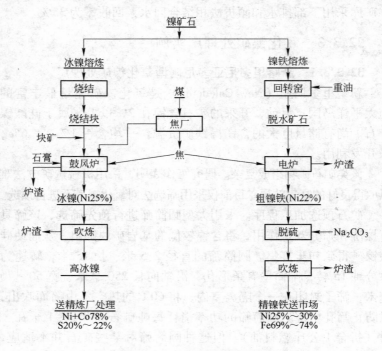

图 32.3.27　多尼阿博氧化镍矿处理流程

品位矿石。含镍 2.6% 的干矿粉再经制粒、烧结。在回转窑内加热到 1316℃，除去矿石中的游离水和化合水，并将细粒矿烧结成块，以适应鼓风炉熔炼的要求。回转窑产出的粒状物料含镍2.9%，冷却后用船运到冶炼厂。

鼓风炉还原熔炼。于 1962～1963 年，该厂建立三台鼓风炉，该炉具有炉身较矮，单位容积的效率高以及可节省投资和生产费用等优点。在鼓风炉中，焦炭与石膏的加入量必须严格控制，才能产出含镍25% 的低冰镍，其中镍与硫的比例为 2.7∶1.0。

在熔炼过程中，熔融的低冰镍与炉渣都汇集于炉缸内，炉渣被连续排出丢弃；冰镍在温度为 1372℃ 时从炉缸内定时放出。低冰镍的典型成分为：Ni + Co 总含量约为 27%、Fe63%，S20%；镍回收率约为 90%。但该法由于要求矿石入鼓风炉前需烧结以及对一些矿石不适应等原因，因此有逐渐被电炉熔炼取代的趋势。

B　镍铁熔炼系统

新喀里多尼亚氧化镍矿是一种难熔的镍矿石，采用电炉熔炼时可保证较高冶炼温度，故在不加熔剂的条件下，炉渣有足够的流动性，有利于被还原的金属分离，从而镍铁的回收率高。电炉熔炼系统主要由三个车间组成，包括矿石准备、还原熔炼和火法精炼车间。

矿石准备车间

设有一条长 460 米的皮带运输机，将矿石从贮矿仓送入回转窑的加料斗，然后进入回转窑进行干燥。当矿石加热到 110℃ 时，大约占原矿重量的 20%～30% 的水被脱除；当温度 485℃ 时，化合水开始脱除；当达到 700℃ 时化合水完全被脱除。脱水后的矿石 Ni + Co 含量为 2.99%。

电炉熔炼车间

脱水后的干矿石经顶气封加料装置给入电炉，熔炼一吨干矿石需耗电 605 千瓦·时。其中熔化炉渣所需能耗占总能耗的 80%～85%，而仅有 15%～20% 的能耗用于熔化和还原金属。

矿石的物理化学成分与电炉的操作制度直接有关。要根据电炉的正常给料量和额定功率来选择适宜的电压。矿石的粒度亦有影响，粉矿比块矿需更高的电压。如果物料兼有粗粒和细粒矿石，则影响导电，影响电炉效率。矿石中 SiO_2 与 MgO 两者含量之比至关重要，它直接影响炉渣的熔点；炉渣中的 FeO 含量也很重要，它不仅可改善炉渣的导电性，并影响粗镍铁中的含硅量。故当矿石成分变动时，要相应变更还原剂用量和操作制度。镍铁的排放温度为 1500℃，而炉渣的排放温度为 1580℃。粗镍铁的成分为：Ni + Co 20% ~ 25%、Si 2% ~ 4%、C 1.8% ~ 2.2%、Cr 1.5% ~ 1.7%，S 0.25% ~ 0.35%、P 0.02% ~ 0.09%、Fe 65% ~ 75%。

镍铁精炼车间

将电炉产出的粗镍铁进行精炼，精炼分为二段进行。第一段用碳酸钠脱除硫；第二段用转炉吹炼氧化法脱除铬、硅、碳和磷。脱杂后的精镍铁经整修后出售。精镍铁的成分为 Ni + Co 24.06% ~ 27.72%、S 0.021% ~ 0.024%、Si 0.023% ~ 0.028%、C 0.021% ~ 0.029%、P 0.019% ~ 0.024%，其余为铁。精炼过程中能量和原料消耗定额为，生产一公斤镍（镍铁中的镍）需电能 25 千瓦·时、燃料油 3 ~ 4 公斤、焦炭 2 ~ 2.5 公斤、碳酸钠 0.1 ~ 0.15 公斤、空气 2.5 ~ 3 米^3。多尼阿博氧化镍处理厂的主要设备及其处理能力列于表 32.3.55。

表 32.3.55　主要设备和处理能力

产 品 名 称	处理能力, 干矿石 t/(h·台)	设备数量, 台
干燥窑	200	2
回转窑（长 70m，直径 3m）	25	7
回转窑（长 90m，直径 4m）	50	4
ELKEM 电炉（11000kW）	20	8
DEMAG 电炉（33000kW）	70	3

注：1. 电炉取代了鼓风炉；
　　2. 精炼采用 4 台 15 吨汤麦氏转炉。

1973 年该厂镍总产量为 57000 吨，其中镍铁占 60%，高冰镍占 40%。1974 年产量为 60000 吨。

该厂产的高冰镍送往法国哈维尔精炼厂，采用二段氧化焙烧、制团还原焙烧、磁选除炭等工序，获得金属块镍出售。镍块的成分：含 Ni 99.25%、Co 0.45%、Fe 0.01%、S 0.004%、C 0.04%。

32.3.3.2 莫阿湾氧化镍矿处理厂（古巴）

莫阿湾（Moa Bay）氧化镍矿处理厂于 1959 年建成投产，采用高压酸浸法处理高铁氧化镍矿。矿石属于褐铁矿类型的含镍、钴氧化矿，原矿的化学成分为：Ni 1.35%、Co 0.146%、Cu 0.02%、Zn 0.04%、Fe 47.5%、Mn 0.8%、Cr_2O_3 2.9%、SiO_2 3.7%、MgO 1.7%、Al_2O_3 8.5%、H_2O 12.5%。该氧化镍矿处理工艺包括粗炼和精炼两个部分。粗炼系统设在古巴莫阿湾镍厂；而精炼系统设在美国自由港（Freeport）精炼厂。原设计能力年产镍 2.27 万吨、钴 2000 吨，而实际生产能力 2.76 万吨。

粗炼工艺包括矿石准备、浸出和镍钴回收三个工序。最终产品是镍、钴的硫化物。该厂的工艺流程如图 32.3.28 所示。

矿石准备

采出的矿石经洗矿、筛分、破碎，除去含镍低的大于 0.74 毫米的粗粒矿石，小于 0.74 毫米的细粒矿石制浆，固体含量 20%。制备好的矿浆沿混凝土管道靠重力自流到浸出车间的浓缩机贮存。所丢弃的含镍低的粗粒物料占入浆化车间物料的 5% 左右。

浸出作业

高压酸浸工艺的关键在于从高铁氧化镍矿石中选择性地浸取镍和钴。在常温下，用硫酸浸出该氧化镍矿石时。大量的铁随镍和钴一起被浸出；随着温度的升高，镍钴的浸出率稍有下降，但铁的浸出率则大幅度降低。在温度 232～260℃ 条件下浸出时，镍和钴的浸出率在 95% 以上，而铁的浸出率则更低。故酸浸时必须保持适宜的温度。贮存在浓缩机中固体含量 45% 的矿浆通过预热器预热，并用蒸汽直接加热到 80℃，再用泵送到两台机械搅拌槽内，用衬胶离心加压泵将矿浆分四路送至高压加料泵内，再扬送到加热塔，直接用 43.85 巴的高压蒸汽加热到 246℃ 反应温度。热矿浆靠重力流进四台并联的浸出系统。每个系统设有四个串联的高压釜，釜内利用 43.85 巴高压蒸汽搅拌矿浆。氧

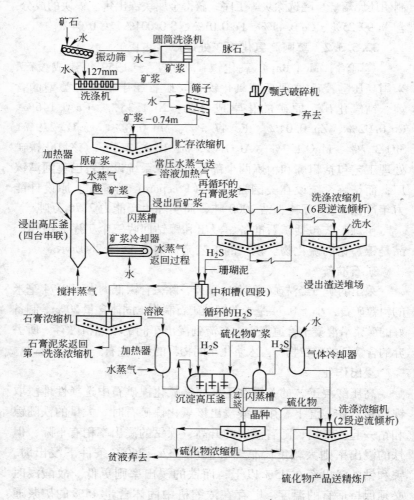

图 32.3.28 莫阿湾镍厂粗炼工艺流程

化镍与硫酸作用生成镍离子，其反应式为：

$$NiO + H_2SO_4 \Longrightarrow Ni^{2+} + SO_4^{2-} + H_2O$$

从最后一台高压釜排出的矿浆经过一个热交换器冷却到 135℃以下，然后通过自蒸发器，使矿浆温度降至 96℃以下，送至洗涤系统。矿浆经过六段逆流倾析洗涤、浓缩，浓缩机底流排往尾矿池。浸出液用石灰乳中和，使溶液 pH 值调至 2.6，然后料浆在浓缩机内进行固液分离，其底流送往洗涤系统；溢流送往硫化钠沉淀系统。

镍钴回收

在中和液中加入沉淀剂硫化氢，并在加温和加压条件下，使镍和钴以硫化物形态沉淀出来，其反应式为：

$$Me^{2+} + SO_4^{2-} + H_2S \longrightarrow MeS + H_2S_4$$

减压后，带有悬浮硫化物沉淀的溶液，在浓缩机内进行分离，底流经洗涤后为最终镍钴硫化物产品，运往美国自由港精炼厂。莫阿湾镍厂粗炼镍回收率为 95%。

32.3.3.3 尼卡罗镍厂（古巴）

尼卡罗（Nicaro）镍厂位于古巴奥连特省北海岸，于 1942 年开始建设，1944 年投产。设计能力年产烧结氧化镍 2 万吨。1957 年年产氧化镍 22700 吨。该厂的工艺流程如图 32.3.29 所示。

该厂所处理的矿石为含镍红土矿，是蛇纹岩经长期氧化水解和溶解作用形成的矿床。靠近地表的矿石以褐铁矿为主，矿石中的铁随矿体深度的增加而降低，矿体下层的硬质蛇纹岩含铁仅6%。该厂处理的矿石采自上层褐铁矿与下层硬质蛇纹岩之间的过渡带。需严格进行配矿，两者的比例褐铁矿:蛇纹石 = 2:1，该混合矿的含铁在 36% 以上，如果铁含量过低，则不利于固液分离。两种类型矿石的化学成分列于表 32.3.56。

表 32.3.56 矿石化学成分

成　　分	褐铁矿类型矿石中含量,%	蛇纹石类型矿石中含量,%
SiO_2	59	35.3
Al_2O_3	1.96	1.39
MgO	1.20	29.0
Cr_2O_3	7.28	1.80
Fe	49.0	12.0
Ni	1.22	1.60
Co	0.07	0.03
H_2O	12.0	14.31

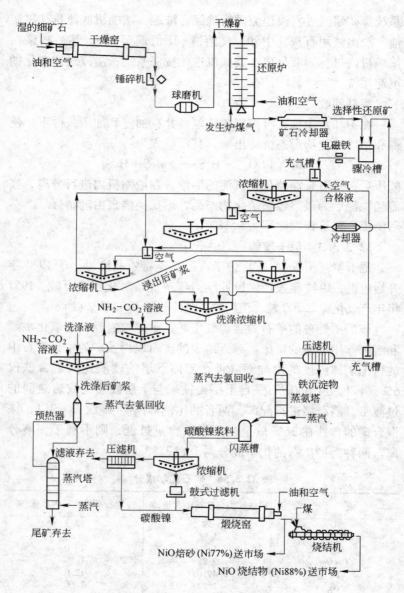

图 32.3.29   尼卡罗镍厂工艺流程

配矿后的混合矿含 Ni1.4%、Co 0.1%、Fe 38%、MgO 8.0%、$SiO_2$14.0%、化合水 14.0%。

该厂包括：干燥破碎、还原烧结、浸出洗涤、氨回收和烧结五个车间。

干燥破碎车间

该车间的生产流程如图 32.3.30 所示。

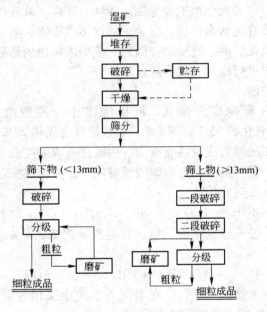

图 32.3.30　干燥破碎工艺流程

从矿山运来的矿石用门式抓斗吊车进行卸矿、堆式配矿，然后用垂直切取法将混合料送齿形对辊破碎机，将物料碎至 76 ~ 100 毫米，并送入七台 φ3.36 米 × 40 米的回转窑进行顺流干燥。干燥后的矿石用锤碎机与球磨机进行二段干式磨矿，并与风力旋流器组成干式闭路磨矿。磨矿产品的粒度 0.074 毫米约占 90%，并用气流输送把物料送至贮料仓。

还原焙烧

还原焙烧是整个过程中的关键一环。要求最大限度地将镍还原，而使铁尽量少还原，褐铁矿[（Fe，Ni）O（OH）$_2$·nH$_2$O]中的大部分铁转化为磁铁矿，而蛇纹石[（Mg，Fe，Ni）$_6$Si$_4$O$_{10}$（OH）$_8$]组分中的铁，则基本不被还原。此外，为了限制物料中可溶性氧化镁进入浸出液，需将还原温度控制在760℃，其反应式为：

$$NiO + H_2 \rightleftharpoons Ni + H_2O$$

$$3Fe_2O_3 + H_2 \rightleftharpoons 2Fe_3O_4 + H_2O$$

因矿石中的氧化镍主要呈固溶体状态存在，故还原后的物料中镍以镍铁合金状态存在。合金中的镍活性很强，与空气接触后很快地被氧化，而不易浸出。因此，从炉内排出的焙砂需在非氧化性气氛中进行冷却，然后进行骤冷。

浸出洗涤

焙砂在骤冷槽内浆化，浸出洗涤作业控制溶液中含氨6.5%、二氧化碳35%、镍1%、矿浆浓度含固体20%。

浸出和洗涤为三段逆流浸出、四段逆流浓缩洗涤。在矿浆充气条件下，镍溶解于含氨的碳酸铵溶液中，并生成稳定的镍六氨络合物。其反应式为：

$$FeNi + O_2 + 8NH_3 + H_2O \rightleftharpoons Ni(NH_3)_6^{2+} + Fe^{2+} + 2NH_4^+ + 3CO_3^{2-}$$

二价铁离子进一步氧化成三价，并呈胶状沉淀物从溶液中析出。反应式为：

$$4Fe^{2+} + O_2 + 2H_2O + 8OH^- \rightleftharpoons 4Fe(OH)_3$$

洗涤在浓缩机中进行，在氨回收系统中采用含氨14%、二氧化碳8.8%的溶液进行洗涤。

氨回收

回收氨的目的在于，一是把浸出洗涤车间的成品溶液经氧化除铁后送入蒸馏塔，除去氨和二氧化碳，使镍转化为碱式碳酸镍沉淀，固液分离后送往烧结车间焙烧成氧化镍；另一目的是把洗涤后的含氨矿浆送入蒸氨塔蒸馏，回收氨后把尾矿排到尾矿库。

烧结

从成品溶液蒸馏塔底部排出的料浆，经浓缩过滤后，在烧油的回转窑内以逆流方式进行干燥与煅烧，使游离水、化合水和二氧化碳一起挥发出去。窑内最高温度为 1340℃，煅烧过程生成氧化镍的反应式为：

$$3Ni（OH）_2 \cdot 2NiCO_3 \Longrightarrow 5NiO + 3H_2O + 2CO_2$$

所得氧化镍粉含镍约 76.5%、钴 0.6%、硫 0.4%、铁 0.25%。为了将氧化镍制成块镍，将大部分氧化镍还原为金属镍，并进行烧结。烧结块经破碎和筛分，获得 6.35～25.4 毫米粒级烧结镍，作为成品出售。过粗和过细粒级均返回烧结机。从矿石到烧结镍块，镍总回收率为 76%。烧结镍的成分列于表 32.3.57。

生产一吨镍的材料消耗列于表 32.3.58。

表 32.3.57　烧结镍的成分

成　分	含量，%	成　分	含量，%
Ni	88	Fe	0.3
Co	0.7	S	0.05
Cu	0.04	SiO_2	1.7
Pb	0.0005	O	7.5

表 32.3.58　各种材料的消耗

材料名称	单位	数　量	备　　注
氨	kg	416	处理每吨还原矿石耗氨 4 公斤
电	kW·h	6500～7500	
石油	kg	9152	处理每吨矿石耗油 88 公斤
柴油	kg	21	
无烟煤	kg	4767	处理每吨干矿耗煤气 155m³
蒸气	kg	46176	处理每吨干矿耗蒸汽 444 公斤
二氧化碳	kg	551	
矿石	t	104	按干矿量

32.3.4　国内外硫化镍矿选厂汇总

附表　国内外

序号	选矿厂名称	投产日期及生产能力 t/d	主要金属矿物和脉石矿物	碎矿流程		磨矿流程		选矿流程及特点
				段数	产品粒度 mm	段数	细度% -0.074 mm	
1	金川第一选矿厂	1965年投产	处理金川一矿区矿石。岩浆熔离型矿床,主要金属矿物有黄铁矿、紫硫镍铁矿、黄铜矿;脉石矿物为橄榄石、辉石和蛇纹石	三段一闭路	12	四段	80	阶段磨矿浮选碱性混合浮选工艺,矿浆pH值为9.5;二段脱水
2	金川第二选矿厂贫矿系统	1967年投产	处理一矿区贫矿石,矿石的组成与一选厂处理矿石相同	三段开路	25	棒磨和球磨三段	65	采用自然pH值混合浮选
3	金川第二选矿厂富矿系统	1983年投产	处理二矿区富矿石,属于岩浆熔离型矿床,主要金属矿物有磁黄铁矿、镍黄铁矿、黄铜矿、墨铜矿等;脉石矿物有橄榄石、辉石和蛇纹石等	三段一闭路	12	棒磨和球磨三段	80	自然pH值浮选
4	磐石选矿厂	1976年投产	岩浆熔离型矿床,主要金属矿物有磁黄铁矿、紫硫镍铁矿,黄铜矿、镍黄铁矿;脉矿物有斜方辉石,透闪石、滑石	三段一闭路	12	二段	72	采用阶段磨矿、浮选流程、铜镍混合精矿进行铜镍分离

硫化镍矿选矿厂

药剂制度及单耗，g/t	原矿品位 %		混合精矿品位,%		镍精矿品位,%		铜精矿品位,%		磁性精矿品位,%		尾矿品位 %		回收率 %	
	Ni	Cu	Ni	Cu	Ni	Cu	Ni	Cu	Ni	Cu	Ni	Cu	Ni	Cu
黄药 100~150 丁铵黑药 70~100 碳酸钠 4000~5000 2号油 30~40	1.75	0.8	6.15	2.97							0.20	0.15	88	84
黄药 90~100 丁铵黑药 30~40 2号油 50~60 硫酸铜 140~180	0.50	0.35	3.5	1.9							0.24	0.22	57	50
丁基黄药、六聚偏磷酸钠、水玻璃硫酸铜和硫酸	1.75	0.89	6.72	3.25				0.85			0.26	0.19	90	85
丁基黄药 158 2号黑药 291 碳酸钠 1590 石灰 9300 羧甲基纤维素 924	1.30				6.5	0.90	1.0	23.0					85	40

序号	选矿厂名称	投产日期及生产能力 t/d	主要金属矿物和脉石矿物	碎矿流程		磨矿流程		选矿流程及特点
				段数	产品粒度 mm	段数	细度% -0.074 mm	
5（加拿大）	铜崖（Copper Cliff）选矿厂	1930 年投产，8000 t/d,1942 年扩为 30000 t/d,1972 年后处理铜镍混合精矿	黄铜矿、镍黄铁矿、含镍磁黄铁矿。镍黄铁矿：磁黄铁矿＝1:5.5					采用浮选、磁选及磁精再磨流程
6	克莱顿（Creiphton）选矿厂	12000 1951 年投产	金属矿物有磁黄铁矿、镍黄铁矿、黄铜矿、磁黄铁矿：镍黄铁矿＝4:1	三段开路	13	二段	56	混合浮选 pH 值 8.5
7（加拿大）	里瓦克（Levack）选矿厂	6000 1959 年投产	金属矿物有黄铜矿、镍黄铁矿和磁黄铁矿。镍黄铁矿：磁黄铁矿＝1:5	三段开路	70% -13mm	二段	90% -0.2 mm	混合浮选再铜镍分离浮选
8（加拿大）	克拉拉伯尔（Clarabell）选矿厂	35000 1971 年投产	主要金属矿物有磁黄铁矿、镍黄铁矿和黄铜矿。磁黄铁矿：镍黄铁矿＝15:1	三段开路	13	二段	85% -0.2 mm	泥砂分选、磁选、混合浮选联合流程。混合精矿送铜崖选厂分选

药剂制度及单耗,g/t	原矿品位 %		混合精矿品位,%		镍精矿品位,%		铜精矿品位,%		磁性精矿品位,%		尾矿品位 %		回收率 %	
	Ni	Cu	Ni	Cu	Ni	Cu	Ni	Cu	Ni	Cu	Ni	Cu	Ni	Cu
铜镍分选作业石灰用于分离浮选545g/t;氰化钠用于一次精选 272 g/t;磁黄铁矿处理作业硫酸铜137g/t; 石灰 276 g/t;戊基钠黄药113g/t;Dow SA 1263 18g/t					8.5	2.5	1.2	29	1.1	0.1	0.50	0.25	85	74
硫酸铜、戊基黄药松油、石灰、硅酸钠	0.65	0.61	4	4							0.1	0.05	87	93
石灰、硫酸铜、水玻璃、戊基黄药、松油					9	1	1	30			0.1	0.08		
戊基钠黄药448 硫酸铜34 起泡剂9	1.5	1.2	10.6	10.6					1.3	0.5	0.16	0.1	86	71

序号	选矿厂名称	投产日期及生产能力 t/d	主要金属矿物和脉石矿物	碎矿流程		磨矿流程		选矿流程及特点
				段数	产品粒度 mm	段数	细度% −0.074 mm	
9（加拿大）	费鲁德-斯托比（Fr-ood-s-tobie）选矿厂	24000 1967 年投产	镍黄铁矿、黄铜矿和磁黄铁矿	三段开路	13	二段	85% −0.2 mm	磁选和浮选联合流程，混合浮选，混合精矿送铜崖选厂分离
10（加拿大）	汤普森（Tho-mps-on）选矿厂	6000 1960 年投产 1979 年扩大到 11500	汤普逊和伯斯特里矿石：金属矿物为磁黄铁矿、镍黄铁矿和黄铜矿前二者之比为 8:1；脉石矿物有石英、长石、云母、硅酸盐和石墨等。派普矿石，金属矿物有磁黄铁矿和镍黄铁矿，两者之比 20:1 至 4:1；脉石矿物有橄榄石、蛇纹石及硅酸盐等	三段开路	16	二段	B 系统 48.3 C 系统 68.8	B 系统：混合浮选后再铜镍分离 C 系统：用混合浮选流程
11（加拿大）	鹰桥（Falc-onbr-ldge）选矿厂	250 1933 年投产 1954 年扩建 3000	金属矿物有磁黄铁矿、镍黄铁矿、黄铜矿和镍黄铁矿；脉石矿物为长石、石英、云母、滑石和绿泥石	四段一闭路	11	二段	60	用浮选、磁选及磁精再磨流程，生产铜镍混合精矿

药剂制度及单耗,g/t	原矿品位 %		混合精矿品位,%		镍精矿品位,%		铜精矿品位,%		磁性精矿品位,%		尾矿品位 %		回收率 %	
	Ni	Cu	Ni	Cu	Ni	Cu	Ni	Cu	Ni	Cu	Ni	Cu	Ni	Cu
戊基钠黄药 448 硫酸铜 34 起泡剂 9	0.91	0.90	3.6	3.40									89	84
B 系统:戊基钠黄药在球磨 23、扫选给矿 32;起泡剂泵池 32、精选 817;糊精分离浮选 59。 C 系统:戊基钠黄药球磨 23、精选 27;起泡剂球磨泵池 32;硫酸钠加入球磨	1.80	0.12			8	0.25	2	27			0.20	0.02	95	
异丙基钠黄药,加入分级机溢流 113;三乙氧基丁烷 9;硫酸铜扫选 113;石灰再磨后浮选 90;碳酸钠 23	0.99	0.74	6.5	5.87					1.15	0.17	0.13	0.06	78.8	95.1

序号	选矿厂名称	投产日期及生产能力 t/d	主要金属矿物和脉石矿物	碎矿流程		磨矿流程		选矿流程及特点
				段数	产品粒度 mm	段数	细度% -0.074 mm	
12（加拿大）	弗坎尼斯湖（Fecunis Lake）选矿厂	2400 1957年投产	镍黄铁矿、磁黄铁矿和黄铜矿	三段一闭路	10	一段	64	采用浮选、磁选和磁精再磨流程
·13（加拿大）	斯特拉斯康（Strathcona）选矿厂	7000 1967年投产	金属矿物有磁黄铁矿、镍黄铁矿、黄铜矿。前两者之比为4~15:1。脉石矿物为长石、石英、云母、滑石等	四段一闭路	11	二段	60	用浮选、磁选，中矿再磨流程，铜镍混合浮选
14（加拿大）	哈迪（Hardy）选矿厂	1500 1955年投产	主要金属矿物有镍黄铁矿、黄铜矿	三段一闭路	8	二段	76	用混合浮选，中矿再磨流程
15（加拿大）	曼尼桥（Manibridge）选矿厂	1000 1971年投产	金属矿物：镍黄铁矿、紫硫镍铁矿、黄铜矿、磁黄铁矿等；脉石矿物有花岗片麻岩、绿泥石、蛇纹石、角闪石、滑石等	三段一闭路	13	二段	一段36.8 二段77~80	两段磨浮，中矿再磨，磨矿回路采用单槽浮选，减少过磨
16（加拿大）	林莱克（Lynn Lake）选矿厂	4000 1957年投产	金属矿物：磁黄铁矿、镍黄铁矿、黄铜矿、黄铁矿；脉石为硅酸盐矿物	三段一闭路	13	三段	二段50% -0.15mm 磁精再磨至90	浮选、磁选、粗精再磨后铜镍分离

药剂制度及单耗,g/t	原矿品位%		混合精矿品位,%		镍精矿品位,%		铜精矿品位,%		磁性精矿品位,%		尾矿品位%		回收率%	
	Ni	Cu	Ni	Cu	Ni	Cu	Ni	Cu	Ni	Cu	Ni	Cu	Ni	Cu
石灰 667、戊基钾黄药 88、起泡剂 30、硫酸铜 84			Cu+Ni=13										88	
硫酸铜 68、戊基钠黄药 96、起泡剂 12.3、石灰加于精选(pH=9.5)、硫酸加于扫选 pH8	1.1	0.6	8.2	5.5~6.0					0.75	0.05	0.1	0.035	77	
石灰 180、硫酸铜 60、戊基钾黄药 84、起泡剂 32			Ni+Cu=11.5										85	
捕收剂 134、起泡剂(TEB)73、碳酸钠 544、硫酸铜 15	2.5		1.5								0.40		86.3	
硫酸铜 13.5、戊基黄药 74.2、焦磷酸钠 81、SO₂22.5、石灰 20.7、氰化物 1.35	0.98	0.49			10.30	1.97	0.48	32.10			0.18	0.07	82.9	56.5

序号	选矿厂名称	投产日期及生产能力 t/d	主要金属矿物和脉石矿物	碎矿流程		磨矿流程		选矿流程及特点
				段数	产品粒度 mm	段数	细度% -0.074 mm	
17 (加拿大)	卡尼其 (Kani-chee) 选矿厂	500 1974年投产	金属矿物有黄铜矿、镍黄铁矿、含镍磁黄铁矿、辉钴矿;脉石矿物有滑石、蛇纹石、石棉纤维、阳起石、绿泥石等	二段一闭路	13	二段	65~69	全浮选流程,采用古阿尔树胶抑制滑石
18 (加拿大)	锡里 (Thie-rry) 选矿厂	4000 1972年投产	金属矿物简单,仅有黄铜矿和含镍磁黄铁矿	三段一闭路	16	二段	95	铜镍混合浮选,一粗一扫、三次精选、中矿再磨后返回粗选
19 (加拿大)	朗米尔 (Lang-muir) 选矿厂	700 1973年投产	金属矿物有镍黄铁矿、针硫镍矿、磁黄铁矿、黄铁矿、黄铜矿;脉石矿物有云母、石英、长石和蛇纹石	三段一闭路	8	二段	65	混合浮选流程
20 (加拿大)	乔治亚 (Geo-gia) 选矿厂	800	金属矿物有镍黄铁矿、磁黄铁矿、黄铜矿、黄铁矿等;脉石矿物以硅酸盐矿物为主	二段	9.5	二段	75	混合浮选流程,采取多点出精矿。混合精矿送日本别子选矿厂进行铜镍分选

药剂制度及单耗,g/t	原矿品位%		混合精矿品位,%		镍精矿品位,%		铜精矿品位,%		磁性精矿品位,%		尾矿品位%		回收率%	
	Ni	Cu	Ni	Cu	Ni	Cu	Ni	Cu	Ni	Cu	Ni	Cu	Ni	Cu
古尔胶454、异丙基钠黄药118、起泡剂(205号)127、硫酸铜173	0.50	0.76	4.42	3.50							0.18	0.09	67	89.3
羧甲基纤维素、戊基钾黄药、甲基异丁基甲醇	0.20	1.6	1.5	26										91
异丁基钠黄药136、起泡剂51、硫酸铜180、1017号药剂544			8 ~ 10											
石灰、碳酸钠、硫酸铜、戊基黄药、松油	0.75	0.36	10	5.4							0.13	0.015	83.8	86.0

序号	选矿厂名称	投产日期及生产能力 t/d	主要金属矿物和脉石矿物	碎矿流程		磨矿流程		选矿流程及特点
				段数	产品粒度 mm	段数	细度% -0.074 mm	
21 (日本)	别子选矿厂		混精矿来自加拿大乔治亚选矿厂			二段	一段87 二段90	加石灰调整 pH 值至12，一次粗选，一次精选得铜精矿；粗选尾矿再磨，经一粗、一精得另一铜精矿，尾矿为镍精矿。并往浓缩机溢流中加石灰沉淀回收氢氧化镍
22 (芬兰)	科塔拉蒂(Kotalahti)选矿厂	1500 1959 年投产	主要金属矿物有镍黄铁矿、黄铜矿、磁黄铁矿；脉石矿物为硅酸盐	三段	70% -10mm	二段棒磨、砾磨	62.3	铜镍混合浮选，然后铜镍分离；混合浮选 pH4～5、分离浮选 pH12
23 (芬兰)	希土拉选矿厂	600 1970 年投产, 1975 年扩建为1000	金属矿物有镍黄铁矿、黄铜矿、四方硫铁矿和墨铜矿	二段一闭路	20	二段	60	粗精再磨后经三次精选得最终精；粗尾再磨后扫选
24 (芬兰)	瓦马拉(Vammala)选矿厂	600 1975 年投产	主要金属矿物为镍黄铁矿、黄铜矿、磁黄铁矿	三段开路	20	二段	60	混合浮选流程，一粗、一扫，四次精选
25 (芬兰)	付诺斯(Vnoous)选矿厂	1500 1972 年投产	主要金属矿物有磁黄铁矿、黄铜矿、闪锌矿、含钴镍黄铁矿、滑石	一段	250	一段自磨	60	经一次粗选、二次精选得滑石精矿；从其尾矿中浮选回收镍

药剂制度及单耗,g/t	原矿品位% Ni	Cu	混合精矿品位,% Ni	Cu	镍精矿品位,% Ni	Cu	铜精矿品位,% Ni	Cu	磁性精矿品位,% Ni	Cu	尾矿品位% Ni	Cu	回收率% Ni	Cu
石灰 136000；氰化钠 1310；戊基钾黄药 120			9.92	5.65	12.08	0.42	1.22	24.20					94.5	93.4
硫酸 9500、乙基钾黄药 60、粗松油 200、石灰 1800 糊精 30	0.78	0.31			6.83	0.81	0.78	28.61			0.05	0.035	92.5	62.1
硫酸 33000、黄药 2100、原松油 821	0.4	0.17	4.0	1.30							0.17	0.07	67	61
硫酸 24000、乙基黄酸钠 890、松油 280	0.4	0.3	4.0	3.0							0.08	0.07	81	81
滑石矿石仅使用一种起泡剂 Montanol；选镍采用硫酸铜、戊基黄药等及羧甲基纤维素	0.15				8								75	

序号	选矿厂名称	投产日期及生产能力 t/d	主要金属矿物和脉石矿物	碎矿流程		磨矿流程		选矿流程及特点
				段数	产品粒度 mm	段数	细度% -0.074 mm	
26 (芬兰)	埃农科斯基 (Enonkoski) 选矿厂	500	主要金属矿物磁黄铁矿、黄铜矿；脉石矿物角砾石、片麻岩	一段	250	二段 (自磨)	60	采用闪速浮选，铜镍混合浮选，然后分离
27 (澳大利亚)	阿格纽 (Agnew) 选矿厂	2400 1980 年投产	金属矿物镍黄铁矿、紫硫镍铁矿、磁黄铁矿、黄铜矿等	三段一闭路	10	一段		混合浮选流程
28 (澳大利亚)	坎巴尔达 (Kambalda) 选矿厂	3556 1967 年投产	主要金属矿物：磁黄铁矿、镍黄铁矿、黄铜矿、黄铁矿；脉石为蛇纹石、滑石、绿泥石及菱镁矿	三段一闭路	9.5	二段砾磨	70~75	磁浮联合流程，获得镍精矿、磁黄铁矿精矿；磁选非磁性物料利用 SO_2 强化浮选
29 (澳大利亚)	温达拉 (Windrra) 选矿厂	3500 1978 年投产	主要金属矿物：紫硫镍铁矿、镍黄铁矿、黄铜矿及黄铁矿；脉石矿物：蛇纹石，辉石和橄榄石	三段一闭路	10	一段	80~90	采用浮选流程，分级溢流高速搅拌调浆后，浮选；中矿再磨浮选流程
30 (博茨瓦纳)	西尼比-皮克威 (Selebi-Phik-We) 选矿厂	6000 1973 年投产	金属矿物有磁黄铁矿、黄铜矿、镍黄铁矿。磁黄铁矿：镍黄铁矿=13:1	三段一闭路	10	一段	54	全浮流程，经一粗、一精得高品位精矿；中矿再选出低品位精矿

续附表

药剂制度及单耗,g/t	原矿品位 %		混合精矿品位,%		镍精矿品位,%		铜精矿品位,%		磁性精矿品位,%		尾矿品位 %		回收率 %	
	Ni	Cu	Ni	Cu	Ni	Cu	Ni	Cu	Ni	Cu	Ni	Cu	Ni	Cu
	1.5	0.5			10	1.37	0.8	25					87.5	49.5
	2 ~ 4		10 ~ 11								0.35		85	
	3.18		12.61										90.48	
碳酸钠、硫酸铜、乙基钠黄药、羧甲基纤维素	2.17 ~ 2.0										0.35 ~ 0.40		75 ~ 85	
石灰、戊基黄酸钾	1.36	1.12	Ni + Cu = 8.5											

序号	选矿厂名称	投产日期及生产能力 t/d	主要金属矿物和脉石矿物	碎矿流程		磨矿流程		选矿流程及特点
				段数	产品粒度 mm	段数	细度% -0.074 mm	
31 (苏联)	诺里尔斯克 (Нори-льек) 选矿厂	25000 1948年投产	金属矿物为磁黄铁矿、黄铜矿、镍黄铁矿、磁黄铁矿、方黄铜矿、塔尔那希特矿;围岩为辉长煌绿岩	露天矿四段一闭路坑采矿三段一闭路	12~16	二段	70~75	浸染状矿石用混合浮选流程;致密块状矿石用优先—混合浮选流程
32 (苏联)	贝辰加 (Печ-енга) 一号选厂	15000 1965年投产	主要金属矿有磁黄铁矿、镍黄铁矿;黄铜矿、磁黄铁矿;脉石矿物为蛇纹石、滑石、橄榄石、阳起石	三段开路	25	三段	80	浮磁联合流程,二段磨矿后进行中间浮选;中矿单独处理
33 (美国)	杜拉斯 (Dul-uth) 选矿厂	900	主要金属矿物有镍黄铁矿、磁黄铁矿及黄铜矿;脉石矿物蚀变槛长岩、斜长岩、蛇纹石、滑石			一段	70	混合浮选

续附表

药剂制度及单耗,g/t	原矿品位%		混合精矿品位,%		镍精矿品位,%		铜精矿品位,%		磁性精矿品位,%		尾矿品位%		回收率%	
	Ni	Cu	Ni	Cu	Ni	Cu	Ni	Cu	Ni	Cu	Ni	Cu	Ni	Cu
浸染状矿石 致密状矿			4.13 ~ 4.36	9.89 ~ 11.39	4.22 ~ 5.57	3.16 ~ 3.75	1.62 ~ 1.69	24.91 ~ 28.17					72 ~ 75 80 ~ 81	94 74 ~ 76
碳酸钠920、丁基黄药120~190、丁基黑药10~35、羧甲基纤维素400~520、硫酸铜10~35、亚硫酸铁155	0.6 ~ 0.7	0.2 ~ 0.35	5 ~ 6	2 ~ 3									73 ~ 76	73 ~ 75
硫酸铜、戊基黄药、黑药、松油	0.15		2	2.5									62	87.6

参 考 文 献

[1] J. R. Boldt, The Winning of Nickel Toronto Longmani, 1967 年.

[2] 加拿大矿冶技术, 冶金工业部情报标准研究所, 1976 年.

[3] 美国和加拿大选镍工业概况, 北京有色设计总院.

[4] D. E. 皮克特, 加拿大选矿实践, 冶金工业出版社, 1983, 7.

[5] *Min. Engn.*, 1968, №10.

[6] 国外有色冶金工厂——镍和钴, 冶金工业出版社, 1975.

[7] N. L. Welss, SME Mineral Processing Handbook, New York, 1985.

冶金工业出版社部分图书推荐

书　名	定价(元)
非金属矿加工技术与应用	119.00
中国冶金百科全书·采矿	180.00
中国冶金百科全书·选矿	140.00
中国冶金百科全书·安全环保	120.00
矿床无废开采的规划与评价	14.50
中国非金属矿开发与应用	49.00
超细粉碎设备及其应用	45.00
振动粉碎理论及设备	25.00
矿山工程设备技术	79.00
常用有色金属资源开发与加工	88.00
金属矿山尾矿综合利用与资源化	16.00
选矿手册(第1卷至第8卷共14分册)	637.50
采矿手册(第1卷至第7卷)	695.00
矿业经济学	15.00
充填采矿技术与应用	55.00
当代胶结充填技术	45.00
矿石学基础	32.00
矿山生态复垦与露天地下联合开采	20.00
选矿知识问答(第2版)	22.00
碎矿与磨矿	28.00
磁电选矿	35.00
选矿场设计	36.00
矿浆电解原理	22.00
选矿概论	12.00
矿业权估价理论与方法	19.00